中华人民共和国法律释义丛书

全国人民代表大会常务委员会法制工作委员会　编

中华人民共和国
社会保险法释义

主　编：信春鹰（全国人大常委会法制工作委员会副主任）

副主编：李　援（全国人大常委会法制工作委员会行政法室巡视员）

张世诚（全国人大常委会法制工作委员会行政法室副主任）

法律出版社

图书在版编目(CIP)数据

中华人民共和国社会保险法释义 / 全国人大常委会法制工作委员会编. -- 北京 : 法律出版社, 2010.11(2018.11 重印)
(中华人民共和国法律释义)
ISBN 978-7-5118-1379-4

Ⅰ. ①中… Ⅱ. ①全… Ⅲ. ①社会保险-保险法-法律解释-中国 Ⅳ. ①D922.182.35

中国版本图书馆 CIP 数据核字(2010)第 206135 号

中华人民共和国社会保险法释义
ZHONGHUA RENMIN GONGHEGUO SHEHUI BAOXIANFA SHIYI

全国人大常委会法制工作委员会 编

责任编辑 麦 锐
装帧设计 李 瞻

编辑统筹 法规出版分社
出版 法律出版社
总发行 中国法律图书有限公司
经销 新华书店
印刷 北京玺诚印务有限公司
责任印制 吕亚莉
开本 850 毫米×1168 毫米 1/32
印张 12
字数 235 千
版本 2010 年 11 月第 1 版
印次 2018 年 11 月第 2 次印刷

法律出版社/北京市丰台区莲花池西里 7 号(100073)
网址/www. lawpress. com. cn
投稿邮箱/info@ lawpress. com. cn
举报维权邮箱/jbwq@ lawpress. com. cn
销售热线/010-83938336
咨询电话/010-63939796

中国法律图书有限公司/北京市丰台区莲花池西里 7 号(100073)
全国各地中法图分、子公司销售电话:
统一销售客服/400-660-6393
第一法律书店/010-83938334/8335 西安分公司/029-85330678 重庆分公司/023-67453036
上海分公司/021-62071639/1636 深圳分公司/0755-83072995

书号: ISBN 978-7-5118-1379-4 **定价:** 58.00 元
(如有缺页或倒装,中国法律图书有限公司负责退换)

总　　序

人类文明的历史上，还没有哪一个时代像中国的改革开放40年一样，在历史长河中掀起如此巨大的浪花——它不仅深刻改变了一个国家的面貌与精神气质、使数亿人摆脱贫困，还极大地改变了世界格局。

1978，在那一年的年底，中共中央一次全体会议——十一届三中全会扭转了中国的前进方向，开辟了一个时代。回首过去，我们发现，一些观念从那时开始在中国出现，一些声音从那时开始逐渐响起，一些人物开始登上历史舞台。从这一年开始，随着“加强社会主义民主，健全社会主义法制”历史性任务的提出，“法制”两个字进入了人们的视野；政法机关开始恢复重建；法律院系开始蓬勃发展。一部部法律从庙堂走进了人们的生活，一次次裁决推动着国家前进的脚步。从“有法可依、有法必依、执法必严、违法必究”到“科学立法、严格执法、公正司法、全民守法”；从“法制”到“法治”；从法治观念的形成到“依法治国，建设社会主义法治国家”写进宪法，再到“法治国家、法治政府、法治社会一体建设”，人们对法治的认识步步深入，中国的改革不断向前推进，结出丰硕的果实。在中国共产党的带领下，这个励精图治的古老国度，再一次创造了改革的奇迹。

40年发生了无数故事,40年产生了许多事物。为了纪念这难忘的40年,本社组织编辑出版了一批"纪念改革开放40周年"主题图书。这些图书,将40年来颁布的重要法律及其释义甄选汇集,将法学领域有代表性的学术论文萃取精编,把有关政法机关的重建、法律院系的重生与发展进行展现,将一批被时代改变命运的人物再次唤起。我们希望从法律与法律人的视角,重新审视过去的40年,认真体会这不平凡的40年。

如江河东下,逝者如斯。岁月总会过去,人事总有代谢,但一个不平凡的时代留下的深刻痕迹,永远不会磨灭。"不忘初心,牢记使命",习近平总书记在党的十九大报告中向全党发出的号召,使我们有理由期待,下一个40年,中国将更加惊艳!

法律出版社编辑委员会

2018年10月

出版前言

《中华人民共和国法律释义丛书》是由全国人大常委会法制工作委员会组织编辑的一套系列丛书。

该套丛书由一系列法律释义组成。邀请有关专家、学者和部分参与立法的同志编著。该丛书坚持以准确地反映立法宗旨和法律条款内容为最基本要求，在每部法律释义中努力做到观点的权威性和内容解释的准确性。

我们相信，该套丛书的陆续出版，将会给广大读者进一步学好法律提供有益的帮助。

重 印 说 明

本次重印，是为改革开放40周年制作的特别纪念版，为了保持内容原貌，未对正文和附录作实质修改。个别法条内容有修订或修正的，以脚注形式作了标注。特此说明。

2018年10月

目　录

第一部分　释　义

第二部分　附　　录

第一部分　释　　义

第一章　总　　则

第一条　为了规范社会保险关系，维护公民参加社会保险和享受社会保险待遇的合法权益，使公民共享发展成果，促进社会和谐稳定，根据宪法，制定本法。

【释义】　本条是关于社会保险法立法宗旨的规定。

我国宪法规定，公民在年老、疾病或者丧失劳动能力的情况下，有从国家和社会获得物质帮助的权利。党的十七大报告提出，到2020年基本建立覆盖城乡居民的社会保障体系，人人享有基本生活保障。建立健全的社会保障体系是完善我国社会主义市场经济体制的必然要求，也是构建社会主义和谐社会的重要内容。社会保障体系包括社会保险、社会福利、社会救济、社会优抚和社会互助等。社会保险是社会保障体系的重要组成部分，在整个社会保障体系中居于核心地位。制定社会保险法，对于规范社会保险关系，促进社会保险事业的发展，保障公民共享发展成果，维护社会和谐稳定，具有十分重要的意义。

1. 规范社会保险关系。社会保险关系是指社会保险主体在社会保险活动中所形成的权利义务关系。社会保险关系比较复杂,包括政府与公民之间、社会保险费征收机构与用人单位和个人之间、用人单位与职工之间,社会保险经办机构与参保人员之间等多重关系。社会保险法的立法目的之一,就是要规范它们之间的关系,明确相互的权利和义务。

2. 维护公民参加社会保险和享受社会保险待遇的合法权益。公民参加社会保险,主要权利就是享受社会保险待遇,此外还有参与社会保险监督。社会保险法主要是一部权利法,它需要确定参保人员应当有哪些权利,享受什么待遇,这些权利和待遇如何保障如何救济,这是社会保险立法的主要目的。公民依法参加社会保险并享受社会保险待遇,是宪法规定的获得物质帮助权利的具体体现。本法分别对公民参加基本养老保险、基本医疗保险、工伤保险、失业保险和生育保险作了规定,并对享受社会保险待遇作了原则规定。

3. 使公民共享发展成果,促进社会和谐稳定。在市场经济条件下,经济规律发挥着基础性的作用,在社会财富的初次分配中,效率处于优先地位,可能会产生贫富分配不均的后果,加剧社会矛盾。社会保险具有社会财富的再次分配功能,包括年轻的人向年老的人,收入高的人向收入低的人、健康的人向患有疾病的人的再分配,具有社会共济的性质,体现了发展成果共享的价值观。建立强制性的社会保险制度,使所有人老有所养、病有所医,实现社会再次分配的公平性,为社会提供"安全网”,解决人们的后顾之忧,有利于实现社会和谐稳定。

目前,我国经济的增长方式正在向“包容性增长”转变。实现包容性增长,切实解决中国经济发展中出现的社会问题,为实现经济长远发展奠定坚实的社会基础。利益共享是包容性增长的核心价值观,强调使人们平等、广泛地参与经济增长过程并从中受益。包容性增长的一项重点内容是使贫困人群的情况改善。包容性增长有三个要素:一是可持续的经济增长;二是对所有社会成员的包容;三是平等的机会利用,这三者相互关联、相辅相成。经济增长不一定会带来所有社会成员收入的增加,其结果可能是富者越富、穷者越穷。包容性增长是要创造和发展机会,社会所有成员都可以平等利用这些机会,并在此过程中提高自身收入和能力,使经济实现可持续增长,社会发展步入良性循环。

第二条　国家建立基本养老保险、基本医疗保险、工伤保险、失业保险、生育保险等社会保险制度,保障公民在年老、疾病、工伤、失业、生育等情况下依法从国家和社会获得物质帮助的权利。

【释义】　本条是关于国家建立社会保险制度的规定。

公民在年老、疾病、工伤、失业、生育等情况下依法从国家和社会获得物质帮助是一项宪法权利,社会保险是公民从国家和社会获得物质帮助最主要的一种途径。社会保险具有以下特点:一是社会共济。社会保险按照大数法则,在全社会范围内统一筹集资金,建立社会保险基金,实行互助共济。集合社会多数人的经济力量,均衡分担少数人遭遇的社会风险。社会保险的覆盖范围越广,统筹层次越高,抵御风险的能力就越强。二是责任分担。社会风险由全体社会成员共同承担。个人、用人单位、国家都应承担社会保险责任。参保人享受社会保险待遇,因此应缴纳社会保险费;用人单位承担一部分社会保险费用,以维护劳动力再生产的要求;社会财富是全体劳动者辛勤劳动创造的,国家通过税收方式参与国民财富分配,公共财政资金取之于民,也要用之于民,国家应当作为社会保险的后盾,承担起社会保险责任。三是国家干预和主导。社会保险不同于商业保险,具有强制性,通过立法强制单位和个人参加,政府参与组织社会保险组织和运作,并对社会保险工作进行监督。

社会保险具有以下功能:(1)社会保险具有防范风险的功能。风险主要分为两大类:人身风险与工作风险。人身风险包括年老、疾病、工伤、生育风险。工作风险包括失业风险。这些风险具有不可避免的特性,当风险来临时,个人往往难以凭自力救济的方式应对风险,因而对生活造成重大损失。如以前是通过个体模式,如个人储蓄、家庭责任、雇主责任等来规避风险,但个体的能力终究有限,对有较大支出的风险往往是力不从心,“看不起病”“养不起老”是这些模式的弊端。社会保险制度的最基本作用,是在风险发生时对个人提供收入损失补偿,保证个人在暂时或者永久失去劳动能力以及暂时失去工作岗位从而造成收入中断或者减少时,仍然能够继续享有基本生活保障。保障社会成员的基本生活,免除劳动者的后顾之忧。个人风险转化为社会风险，让社会为个人风险买单，避免个人因独木难支而陷入困境，使其在风险来临时仍能维护家庭及个人的生存尊严。(2)社会稳定功能。社会稳定是一个国家发展的前提。社会保险是社会稳定的“调节器”。一方面，能使社会成员产生安全感，对未来生活有良好的心理预期，安居乐业；另一方面，能缓解社会矛盾，构建和谐的社会环境来实现整个社会的稳定。(3)有利于实现社会公平。由于人们在文化水平、劳动能力、资本积累等方面的差异，形成收入上的差距，差距加大，就会造成贫富悬殊的社会问题。社会保险可以通过强制征收保险费，聚集成保险基金，对收入较低或失去收入来源的个人给予补助，提高其生活水平，在一定程度上实现社会的公平分配。(4)有利于保证社会劳动力再生产顺利进行。市场经济需要劳动力的正常再生产，而市场竞争所形成的优胜劣汰，必然造成部分劳动者暂时退出劳动岗位，这就使部分劳动者及其家庭因失去收入而陷入生存危机，而社会保险则确保了这部分成员的基本生活需要，使劳动力的供给和正常再生产成为可能，为维持市场经济正常运行提供劳动力后备军。(5) 实行收入再分配，适当调节劳动分配，保障低收入者的基本生活。

建立社会保险制度是现代文明的标志。完善的社会保险制度是社会主义市场经济体制的重要支柱，是治国安邦的根本大计。社会保险制度对改善公民对改革的心理预期，增加即期消费，实现劳动力的合理流动，解决人口老龄化带来的各种问题，促进经济社会的发展，构建社会主义和谐社会具有十分重要的意义。我国是世界上最大的发展中国家,人口众多、经济发展起点低,而且东部、中部、西部各个地区之间,城乡之间发展不平衡,人均收入较低,建立健全社会保险制度十分艰巨。从国情出发,坚持以人为本,国家积极致力于社会保险制度的建立。

1. 基本养老保险制度。基本养老保险制度,是指缴费达到法定期限并且个人达到法定退休年龄后,国家和社会提供物质帮助以保证年老者稳定、可靠的生活来源的社会保险制度。基本养老保险制度由三个部分组成:职工基本养老保险制度、新型农村社会养老保险制度、城镇居民社会养老保险制度。基本养老保险制度从法律制度层面上实现了“覆盖城乡居民”,基本养老保险制度的目标是“老有所养”。建立基本养老保险制度有以下作用:一是实现“老有所养”。生老病死是不可避免的客观事实,为老年人提供保障是文明社会的体现。目前,中国老龄化形势严峻,相比其他国家而言有自身特点,总体上是“未富先老”,老龄化速度快、规模大,“人口红利”即将耗尽。因此,要建立基本养老保险制度,扩大基本养老保险覆盖面,并使其可持续发展,以应对未来的老龄化危机。二是具有调动劳动者积极性和提高劳动生产率的作用。基本养老保险解除了公民的后顾之忧,劳动者更有积极性去参加工作,从而促进劳动生产率的提高。

2. 基本医疗保险制度。基本医疗保险制度,是指按照国家规定缴纳一定比例的医疗保险费,在参保人因患病和意外伤害而发生医疗费用后,由医疗保险基金支付其医疗保险待遇的社会保险制度。基本医疗保险制度由三个部分组成:职工基本医疗保险制度、新型农村合作医疗制度、城镇居民基本医疗保险制度。基本医疗保险制度实现了“覆盖城乡居民”,使全体公民实现“病有所医”。

3. 工伤保险制度。工伤保险制度,是指由用人单位缴纳工伤保险费,对劳动者因工作原因遭受意外伤害或者职业病,从而造成死亡、暂时或者永久丧失劳动能力时,给予职工及其相关人员工伤保险待遇的一项社会保险制度。

4. 失业保险制度。失业保险制度,是指国家为因失业而暂时失去工资收入的社会成员提供物质帮助,以保障失业人员的基本生活,维持劳动力的再生产,为失业人员重新就业创造条件的一项社会保险制度。

5. 生育保险制度。生育保险制度,是指由用人单位缴纳保险费,其职工或者职工的未就业配偶按照国家规定享受生育保险待遇的一项社会保险制度。生育保险制度对改善妇女就业环境、切实保障妇女生育期间的基本权益,发挥了重要作用;同时,对计划生育、优生优育等工作也产生了积极影响。生育保险具体的待遇包括生育医疗费用和生育津贴。

除了五项险种之外,本法的“等”字为今后设立其他险种留有了空间。在立法过程中,有的建议增加险种。如日本为了应对人口老龄化及少子化问题,建立了护理保险。日本《护理保险法》规定:“为给因随着年龄增加所产生身心的变化,进而引起疾病,而成为护理状态者,如需要协助入浴、排泄、饮食等护理、机能训练及疗养和其他医疗的人提供必要的保健医疗服务及福利等相关帮助，使其能拥有日常生活的自立能力，基于国民的共同连带责任理念，建立护理保险制度。”目前，我国的人口老龄化速度居世界首位，到 21 世纪中叶，60 岁以上的老年人口将超过 4 亿，老年人的护理也会成为社会问题。需要根据今后中国经济社会发展的实际情况增加护理保险等新的险种。

第三条　社会保险制度坚持广覆盖、保基本、多层次、可持续的方针，社会保险水平应当与经济社会发展水平相适应。

【释义】 本条是关于社会保险制度的方针和社会保险水平应当与经济社会发展水平相适应的规定。

1. 社会保险制度的方针。健全和完善社会保险制度，是深入落实科学发展观、促进经济社会全面协调可持续发展的必然要求；是构建社会主义和谐社会、实现国家长治久安的重要保证；是健全社会主义市场经济体制、推进改革开放和现代化建设的重要任务；是坚持以人为本、执政为民的执政理念，代表最广大人民根本利益的具体体现。社会保险制度必须坚持“广覆盖、保基本、多层次、可持续”的十二字方针。

(1)广覆盖。就是要扩大社会保险的覆盖面，使尽可能多的人纳入社会保险制度中来。公民在年老、疾病、失业、生育等情形下，享有从国家和社会获得物质帮助的权利，这是宪法赋予公民的权利。社会保险是社会保障的重要组成部分，坚持广覆盖的方针，是维护公民参加社会保险和享受社会保险待遇的合法权益，构建社会主义和谐社会的内在要求。从我国保险制度的建立和发展看，我国社会保险范围是逐渐扩大的：从城镇人口到农村人口，从国有单位到非国有单位，从就业相关人员到非从业人员。基本养老保险和基本医疗保险的覆盖范围最广，其目标是做到“老有所养，病有所医”。工伤保险、失业保险、生育保险是与就业相关的保险制度，其覆盖范围限于职工和与职工相关的其他人员。

截至2009年年底，全国参加失业保险人数为12715万人，比2008年年底增加315万人；领取失业保险金的人数为235万人，比2008年末减少26万人。2009年，全国基本医疗保险总参保人数已超过12亿人，总体覆盖率达到90%以上。城镇职工医保、居民医保参保人数增加8325万人，参保人数超过4亿人。新型农村合作医疗参保人数增加1630万人，参合人口达到8.33亿人。2009年，全国基本养老保险参保人数为23550万人，比2008年年底增加1659万人。新型农村社会养老保险试点在全国27个省、自治区的320个县（市、区、旗）和4个直辖市正式启动，试点覆盖面为11.8%，覆盖农村居民约1.3亿人，其中60周岁以上的约1530万人。2009年底，全国已有超过半数省份实现了工伤保险市级统筹，绝大多数省份已建立了工伤保险储备金制度。全国工伤保险参保人数已达14896万人，其中农民工参保人数5587万人，分别比2008年末增加1109万人和645万人。2009年生育保险参保人数达到10876万人，比上年底新增1622万人，全年享受生育保险待遇达174万人次。

（2）保基本。我国社会保险待遇以保障公民基本生活和需要为主。较低水平的社会保险待遇，是由我国经济发展水平相对落后决定的。除了客观条件的制约外，“保基本”还有两个功能：一是可以防止高标准的社会保险造成国家财政、用人单位和个人的负担过重；二是就某些保险而言，如失业保险，可以避免有劳动能力的人过分依赖社会保险，而放弃以劳动为本的生存方式。

社会保险待遇和我国的经济发展水平应当保持一种“水涨船高”的正相关关系。随着我国经济发展，尤其是人均收入的增长，应当不断提高社会保险待遇。本法规定，国家建立基本养老保险金正常调整机制。根据职工平均工资增长、物价上涨情况，适时提高基本养老保险待遇水平。数据显示，城镇职工医保、居民医保和新农合最高支付限额基本达到当地职工平均工资、城镇居民可支配收入和农民人均纯收入的6倍左右，医疗费用报销比例进一步提高。

（3）多层次。社会保险的多层次表现在除了基本养老保险、基本医疗保险外，还有补充养老保险、补充医疗保险，以及补充性的商业保险。

（4）可持续。就是社会保险基金收支能够平衡，自身能够良性运行，主要是指在人口老龄化来临时基本养老保险制度能够持续，不给财政造成过大的压力，不给企业和个人造成太大缴费压力。

2. 社会保险水平应当与经济社会发展水平相适应

宪法第十四条第四款规定，国家建立健全同经济发展水平相适应的社会保障制度。经济社会发展是社会保险赖以存在的基础,社会保险不可能超越经济社会发展阶段。经济社会发展水平制约着社会保险发展水平。这二者的关系是只有经济社会持续发展,社会保险才能有发展的基础,社会保险水平必须与经济社会发展水平相适应;反之,社会保险能够为经济社会发展创造稳定的环境,减少个人的后顾之忧,提高消费预期,从而扩大内需,促进经济社会发展。国外的经验表明,在社会保险制度发展初期,社会保险水平普遍较高,且随着经济的高度发展,社会保险水平有攀升的趋势,通常表现为社会保险水平增长快于经济的增长。在社会保险制度改革时期,社会保险水平增长较发展时期低。不管处于哪个阶段,社会保险发展水平最终总是要与经济社会发展水平相适应。

必须把握适当的社会保险发展水平。一方面它有利于劳动保护并推进经济社会可持续发展;另一方面如果保障水平超过适度上限,就会导致政府、用人单位负担加重,制约经济社会健康发展。但就目前来看,我国社会保险水平还比较低,我国社会保险事业滞后于经济社会发展水平,并成为制约经济发展的"瓶颈"。要真正建立和谐社会,必须在发展经济的同时,不断促进社会保险事业的发展。总之,经济社会发展和社会保险之间是相互依存、相互协调、相互补充、相互促进的关系。社会保险水平应当与经济社会发展水平相适应。

第四条　中华人民共和国境内的用人单位和个人依法缴纳社会保险费,有权查询缴费记录、个人权益记录,要求社会保险经办机构提供社会保险咨询等相关服务。

个人依法享受社会保险待遇，有权监督本单位为其缴费情况。

【释义】 本条是关于用人单位和个人的权利和义务的规定。

社会保险法律关系是一种特殊的社会关系。社会保险法律关系的内容是各主体间的特定的权利和义务。本条对用人单位和个人的权利和义务作出了概括性的规定。

1. 关于用人单位的权利和义务。用人单位是指雇佣劳动力组织生产劳动，且向劳动者支付工资等劳动报酬的单位。劳动法中规定的用人单位包括：企业、个体经济组织、国家机关、事业组织和社会团体。(1)用人单位的权利。用人单位可以免费向社会保险经办机构查询、核对其缴费记录，要求社会保险经办机构提供社会保险咨询等相关服务。(2)用人单位有以下主要义务：一是缴费义务。职工基本养老保险、职工基本医疗保险、失业保险的缴费义务由用人单位与职工共同承担；工伤保险、生育保险的缴费义务全部由用人单位承担。二是登记义务。用人单位应当自成立之日起三十日内凭营业执照、登记证书或者单位印章，向当地社会保险经办机构申请办理社会保险登记；用人单位应当自用工之日起三十日内为其职工向社会保险经办机构申请办理社会保险登记。三是申报和代扣代缴义务。用人单位应当自行申报、按时足额缴纳社会保险费，非因不可抗力等法定事由不得缓缴、减免。职工应当缴纳的社会保险费由用人单位代扣代缴，用人单位应当按月将缴纳社会保险费的明细情况告知本人。

2. 个人的权利和义务。(1)个人有以下主要权利:一是个人依法享受社会保险待遇。根据本法规定,参加基本养老保险的个人,达到法定退休年龄时累计缴费满十五年的,按月领取基本养老金。参加基本养老保险的个人,达到法定退休年龄时累计缴费不足十五年的,可以缴费至满十五年,按月领取基本养老金;也可以转入新型农村社会养老保险或者城镇居民社会养老保险,按照国务院规定享受相应的养老保险待遇。职工基本医疗保险、新型农村合作医疗和城镇居民基本医疗保险的待遇标准按照国家规定执行。职工因工作原因受到事故伤害或者患职业病,且经工伤认定,享受工伤保险待遇;其中,经劳动能力鉴定丧失劳动能力的,享受伤残待遇。用人单位已经缴纳生育保险费的,其职工享受生育保险待遇;职工未就业配偶按照国家规定享受生育医疗费用待遇。二是个人有权监督本单位为其缴费情况。三是个人可以免费向社会保险经办机构查询、核对其缴费和享受社会保险待遇记录,要求社会保险经办机构提供社会保险咨询等相关服务。(2)个人有以下主要义务:一是缴费义务。职工要承担职工基本养老保险、职工基本医疗保险、失业保险的缴费义务;无雇工的个体工商户、未在用人单位参加基本养老保险的非全日制从业人员以及其他灵活就业人员可以参加基本养老保险、职工基本医疗保险,由个人缴纳基本养老保险和基本医疗保险费;农村居民参加新型农村社会养老保险、新型农村合作医疗,要承担缴费义务;城镇居民参加城镇居民社会养老保险、城镇居民基本医疗保险,要承担缴费义务。二是登记义务。自愿参加社会保险的无雇工的个体工商户、未在用人单位参加社会保险的非全日制从业人员以及其他灵活就业人员，应当向社会保险经办机构申请办理社会保险登记；失业人员应当持本单位为其出具的终止或者解除劳动关系的证明，及时到指定的公共就业服务机构办理失业登记。

3. 用人单位和个人的救济权利。一是用人单位和个人有权对违反社会保险法律、法规的行为进行举报、投诉。二是用人单位或者个人认为社会保险费征收机构的行为侵害自己合法权益的，可以依法申请行政复议或者提起行政诉讼；用人单位或者个人对社会保险经办机构不依法办理社会保险登记、核定社会保险费、支付社会保险待遇、办理社会保险转移接续手续或者侵害其他社会保险权益的行为，可以依法申请行政复议或者提起行政诉讼。三是个人与所在用人单位发生社会保险争议的，可以依法申请调解、仲裁、提起诉讼；用人单位侵害个人社会保险权益的，个人也可以要求社会保险行政部门或者社会保险费征收机构依法处理。

第五条　县级以上人民政府将社会保险事业纳入国民经济和社会发展规划。

国家多渠道筹集社会保险资金。县级以上人民政府对社会保险事业给予必要的经费支持。

国家通过税收优惠政策支持社会保险事业。

【释义】　本条是关于将社会保险事业纳入国民经济和社会发展规划及社会保险的财政保障的规定。

建立和提供社会保障是现代政府的重要职能之一。社会保险是社会保障的核心内容，中央和地方各级政府在社会保险工作中承担重要职责。社会保险制度强调责任分担，责任分担是社会保险制度得以持续发展的基本条件。劳资双方分担缴费义务以及政府参与分担一定责任是各国社会保险制度通行的规则。在社会保险制度中，国家具有不可推卸的责任，这种责任主要体现为财政支持、行政监督与公共服务。本条是关于国家将社会保险事业纳入国民经济和社会发展规划及社会保险的财政保障的规定。

1. 社会保险事业应纳入国民经济和社会发展规划。国民经济和社会发展规划是全国或者某一地区经济、社会发展的总体纲要，是具有战略意义的指导性文件。国民经济和社会发展规划统筹安排和指导全国或某一地区的社会、经济、文化建设工作。国民经济和社会发展规划是国家加强和改善宏观调控的重要手段，也是政府履行经济调节、市场监管、社会管理和公共服务职责的重要依据。国民经济和社会发展规划按行政层级分为国家级规划、省级规划、市县级规划；按对象和功能类别分为总体规划、专项规划、区域规划。国家总体规划和省级、市县级总体规划分别由同级政府组织编制，并由同级政府发展改革部门会同有关部门负责起草。国家总体规划、省级总体规划和区域规划的规划期一般为 5 年，可以展望到 10 年以上。市县级总体规划和各类专项规划的规划期可根据需要确定。《国民经济和社会发展第十一个五年规划纲要》中指出，根据全面建设小康社会的总体要求，“十一五”时期要努力实现的目标之一是：社会保障覆盖面扩大，城镇基本养老保险覆盖人数达到2.23亿人，新型农村合作医疗覆盖率提高到80%以上。

2. 国家对社会保险的财政保障

（1）国家多渠道筹集社会保险资金。社会保险资金是社会保险制度正常运转的物质基础，国家对保障社会保险资金的充足具有义不容辞的责任。社会保险资金的筹集渠道具有多元化的特点。社会保险基金的筹资主渠道包括：社会保险费、财政补助、投资收益、滞纳金和其他渠道。社会保障基金的筹资主渠道包括：中央财政预算拨款、中央财政拨入彩票公益金、国有股减持或转持划入资金或股权资产、经国务院批准的以其他方式筹集的资金、投资收益等渠道。

（2）县级以上人民政府对社会保险事业给予必要的经费支持。根据本法的规定，县级以上政府在社会保险基金出现支付不足时，给予补贴；国有企业、事业单位职工参加基本养老保险前，视同缴费年限期间应当缴纳的基本养老保险费由政府承担；社会保险经办机构的人员经费和经办社会保险发生的基本运行费用和管理费用，由同级财政按照国家规定予以保障。

（3）税收优惠。税收优惠，是指为了配合国家在一定时期的政治、经济和社会发展总目标，政府利用税收制度，按预定目的，在税收方面相应采取的激励和照顾措施，以减轻某些纳税人应履行的纳税义务，是国家干预经济的重要手段之一。社会保险方面的税收优惠包括以下几个主要方面：一是用人单位和个人社会保险缴费部分在所得税税前列支。个人所得税法实施条例第二十五条规定，按照国家规定，单位为个人缴付和个人缴付的基本养老保险费、基本医疗保险费、失业保险费、住房公积金，从纳税义务人的应纳税所得额中扣除。财政部、国家税务总局《关于基本养老保险费、基本医疗保险费、失业保险费、住房公积金有关个人所得税政策的通知》(财税〔2006〕10号)规定，企事业单位按照国家或省(自治区、直辖市)政府规定的缴费比例或办法实际缴付的基本养老保险费、基本医疗保险费和失业保险费，免征个人所得税；个人按照国家或省(自治区、直辖市)政府规定的缴费比例或办法实际缴付的基本养老保险费、基本医疗保险费和失业保险费，允许在个人应纳税所得额中扣除。二是个人账户资金免收利息税。根据本法第十四条规定，个人账户不得提前支取，记账利率不得低于银行定期存款利率，免征利息税。三是社会保险待遇免征个人所得税。有以下几种情况：(1)基本养老保险金、基本医疗保险金、失业保险金免征个人所得税。个人所得税法第四条第七项规定，按照国家统一规定发给干部、职工的安家费、退职费、退休工资、离休工资、离休生活补助费免征个人所得税。财政部、国家税务总局《关于基本养老保险费、基本医疗保险费、失业保险费、住房公积金有关个人所得税政策的通知》(财税〔2006〕10号)规定，个人实际领(支)取原提存的基本养老保险金、基本医疗保险金、失业保险金和住房公积金时，免征个人所得税。(2)工伤保险待遇免征个人所得税。个人所得税法第四条第四项规定，福利费、抚恤金免征个人所得税。(3)生育保险待遇免征个人所得税。个人所得税法第四条第三项规定，按照国家统一规定发给的津贴免征个人所得税。财政部、国家税务总局《关于生育津贴和生育医疗费有关个人所得税政策的通知》（财税〔2008〕8 号）规定，生育妇女按照县级以上人民政府根据国家有关规定制定的生育保险办法，取得的生育津贴、生育医疗费或其他属于生育保险性质的津贴、补贴，免征个人所得税。

第六条　国家对社会保险基金实行严格监管。

国务院和省、自治区、直辖市人民政府建立健全社会保险基金监督管理制度，保障社会保险基金安全、有效运行。

县级以上人民政府采取措施，鼓励和支持社会各方面参与社会保险基金的监督。

【释义】　本条是关于社会保险基金监督的规定。

社会保险基金是指按照国家规定，由用人单位和个人分别按缴费基数的一定比例缴纳以及通过其他合法方式筹集的由专门机构管理并用于支付参保人员社会保险待遇的专项资金。社会保险基金是社会保险事业的生命线，是百姓的“养命钱”“活命钱”，是社会保险制度运行的物质基础。社会保险基金的安全与完整，直接关系到广大参保人员的切身利益和社会稳定，所以要对其实行严格监管。

社会保险基金监督，是以维护基金安全、有效运行为目的，对基本养老保险、基本医疗保险、工伤保险、失业保险和生育保险五项基金的收支、管理和投资运营情况进行监督。社会保险基金监督有以下特点：（1）监督主体多元化。国家对社会保险基金实行严格监管。社会保险基金监督管理制度按照主体不同，可以分为：人大监督；行政监督；社会监督。(2)全过程监督。对社会保险基金的收支、管理和投资运营情况的监督涵盖了社会保险基金事前、事中、事后的全方位运作。(3)监督的目的是保证社会保险基金安全、有效运行。社会保险基金安全是第一位的，只有在保证社会保险基金安全的基础上，才能审慎提高社会保险基金运行效率。

1. 关于人大监督。人大监督是指人大及其常委会为了维护宪法、法律的尊严和人民的根本利益，代表人民的意志，对由它产生的“一府两院”的行政、执法和工作情况实施的监督。各级人民代表大会常务委员会依据宪法和有关法律的规定，行使监督职权。人大监督是国家监督中最具有权威性和法律效力的监督。本法第七十六条规定，各级人民代表大会常务委员会听取和审议本级人民政府对社会保险基金的收支、管理、投资运营以及监督检查情况的专项工作报告，组织对本法实施情况的执法检查等，依法行使监督职权。

2. 关于行政监督。行政监督是指行政机关内部上下级之间，以及专设的财政部门、审计机关等对行政机关及其工作人员的监督。(1)财政部门、审计机关按照各自职责，对社会保险基金的收支、管理和投资运营情况实施监督。财政部门负责拟订社会保险资金的财务管理制度，审核社会保险基金预算、决算草案，组织实施对社会保险资金财政监督。审计是指由专设机关依照法律对国务院各部门和地方各级政府的财政收支，对国家的财政金融机构和企业事业组织的财务收支，进行事前和事后的审查。审计法第二十三条规定，审计机关对政府部门管理的和其他单位受政府委托管理的社会保障基金、社会捐赠资金以及其他有关基金、资金的财务收支，进行审计监督。审计法实施条例第二十一条规定，审计法第二十三条所称社会保障基金，包括社会保险、社会救助、社会福利基金以及发展社会保障事业的其他专项基金。(2)社会保险行政部门对社会保险基金的收支、管理和投资运营情况进行监督检查，发现存在问题的，应当提出整改建议，依法作出处理决定或者向有关行政部门提出处理建议。社会保险在行政系统部、省、市、县四级均设有监督机构。人力资源和社会保障部负责总体部署全国社会保险基金监督工作，对各地监督工作进行业务指导，受理群众举报，直接查处重大案件等。省级以下社会保险行政部门负责本辖区内的基金监督工作，根据当地情况开展有针对性的检查活动。(3)其他行政机关对社会保险基金的监督。

国务院和省、自治区、直辖市政府建立健全社会保险基金监督管理制度，保障社会保险基金安全、有效运行。为加强对社会保险基金的监督管理，相关部门依据国家的法律、法规制定了《社会保险基金财务制度》《社会保险基金会计制度》《社会保险基金行政监督办法》《社会保险基金监督举报工作管理办法》《社会保险审计暂行规定》《社会保险稽核办法》等一系列规章和制度。这些规范性文件建立了社会保险基金全过程的监督机制，尤其是对社会保险基金使用过程的监督管理，从而建立统一规范的社会保险基金行政监督体系。主要的社会保险基金行政监督管理制度有:收支两条线管理;专款专用;分别建账、分账核算;现场监督和非现场监督相结合;外部审计;透明公开等。

3. 关于社会监督。(1)社会保险监督委员会的监督。本法第八十条规定,统筹地区政府成立由用人单位代表、参保人员代表,以及工会代表、专家等组成的社会保险监督委员会,掌握、分析社会保险基金的收支、管理和投资运营情况,对社会保险工作提出咨询意见和建议,实施社会监督。社会保险经办机构应当定期向社会保险监督委员会汇报社会保险基金的收支、管理和投资运营情况。社会保险监督委员会可以聘请会计师事务所对社会保险基金的收支、管理和投资运营情况进行年度审计和专项审计。审计结果应当向社会公开。社会保险监督委员会发现社会保险基金收支、管理和投资运营中存在问题的,有权提出改正建议;对社会保险经办机构及其工作人员的违法行为,有权向有关部门提出依法处理建议。(2)任何组织或者个人有权对有关社会保险基金的违法行为进行举报、投诉。行政机关对举报、投诉应当予以支持。行政机关对属于职责范围的举报、投诉,应当依法处理;对不属于职责范围的,应当书面通知并移交有权处理的行政机关处理。有关行政机关应当及时处理,不得推诿。

第七条　国务院社会保险行政部门负责全国的社会保险管理工作,国务院其他有关部门在各自的职责范围内负责有关的社会保险工作。

县级以上地方人民政府社会保险行政部门负责本行政区域的社会保险管理工作，县级以上地方人民政府其他有关部门在各自的职责范围内负责有关的社会保险工作。

【释义】 本条是关于社会保险行政管理的职责分工的规定。

社会保险坚持政府主导和社会参与相结合的原则。政府尤其是中央政府必须在社会保险制度建设中发挥主导作用，积极推动社会保险事业的发展。社会保险行政管理的职责在政府。社会保险行政管理环节多，涉及政府的许多部门，社会保险行政部门作为主管部门，负有综合管理职责；财政部门、审计机关、卫生行政部门等分别承担相关的责任。

1. 社会保险行政部门的综合管理职责。国务院社会保险行政部门负责全国的社会保险管理工作。国务院社会保险行政部门是人力资源和社会保障部。其主要职责是：统筹建立覆盖城乡的社会保障体系。统筹拟定城乡社会保险及其补充保险政策和标准，组织拟订全国统一的社会保险关系转移接续办法和基础养老金全国统筹办法，统筹拟订机关企事业单位基本养老保险政策并逐步提高基金统筹层次。会同有关部门拟订社会保险及其补充保险基金管理和监督制度，编制全国社会保险基金预决算草案，参与制定全国社会保障基金投资政策。

县级以上地方政府设立了社会保险行政部门，主要是人力资源和社会保障厅（局），负责本行政区域的社会保险管理工作。

2. 财政部门、审计机关、卫生行政部门等各自的职责。国务院其他有关部门在各自的职责范围内负责有关的社会保险工作。财政部门的职责是:负责各项社会保险基金不足时给予补贴,负责核定和拨付各类社会保险经办机构的经费,负责社会保险基金存入的财政专户的管理,负责审核全国社会保险基金预算、决算草案,负责对社会保险基金的收支、管理和投资运营情况实施财政监督。审计机关的职责是对社会保险基金的收支、管理和投资运营情况实施审计监督。卫生部门的职责是负责新型农村合作医疗的综合管理。

县级以上地方政府其他有关部门,如财政、审计、卫生部门,在各自的职责范围内负责有关的社会保险工作。县级以上地方各级政府所属部门的具体职责由本级政府在"三定方案"中划定。

第八条 社会保险经办机构提供社会保险服务,负责社会保险登记、个人权益记录、社会保险待遇支付等工作。

【释义】 本条是关于社会保险经办机构的职责的规定。

社会保险经办机构是为满足社会成员社会保险直接需求而设立的社会保险服务机构。统筹地区设立社会保险经办机构。社会保险经办机构根据工作需要,经所在地的社会保险行政部门和机构编制管理机关批准,可以在本统筹地区设立分支机构,在社区、街道、乡镇设立工作站点。社会保险经办机构的人员经费和经办机构发生的基本运行费用、管理费用,由同级财政按照国家规定予以保障。

社会保险经办机构是社会保险业务的具体承担者,直接面对广大参保人员,社会保险经办机构应当提高服务意识,做好社会保险登记、参保人员权益记录、社会保险待遇支付等各项工作:(1)社会保险登记。社会保险登记是确保参保人员参加社会保险的重要措施。用人单位应当自成立三十日内向当地社会保险经办机构申请办理社会保险登记。社会保险经办机构应当自收到申请之日起十五日内予以审核,发给社会保险登记证件。用人单位应当自用工之日起三十日内为其职工向社会保险经办机构申请办理社会保险登记。未办理社会保险登记的,由社会保险经办机构核定其应当缴纳的社会保险费。(2)建档。社会保险经办机构应当及时为用人单位建立档案,完整、准确地记录参加社会保险的人员、缴费等社会保险数据,妥善保管登记、申报的原始凭证和支付结算的会计凭证。(3)个人权益记录。社会保险经办机构应当及时、完整、准确地记录参加社会保险的个人缴费和用人单位为其缴费,以及享受社会保险待遇等个人权益记录,定期将个人权益记录单免费寄送个人。(4)咨询服务。社会保险经办机构应当免费为用人单位和个人提供社会保险咨询等相关服务。(5)社会保险待遇支付。社会保险经办机构应当按时足额支付社会保险待遇。(6)公布和汇报社会保险基金情况。社会保险经办机构应当定期向社会公布参加社会保险情况以及社会保险基金的收入、支出、结余和收益情况。社会保险经办机构应当定期向社会保险监督委员会汇报社会保险基金的收支、管理和投资运营情况。(7)社会保险稽核。《社会保险稽核办法》规定,稽核是指社会保险经办机构依法对社会保险费缴纳情况和社会保险待遇领取情况进行的核查。社会保险经办机构负责社会保险稽核工作。社会保险经办机构的稽核部门具体承办社会保险稽核工作。社会保险稽核采取日常稽核、重点稽核和举报稽核等方式进行。(8)受理举报、投诉。任何组织或者个人有权对违反社会保险法律、法规的行为进行举报、投诉。社会保险经办机构对属于本机构职责范围的举报、投诉,应当依法处理;对于不属于本机构职责范围的,应当书面通知并移交有权处理的部门、机构处理。(9)加强内部管理。社会保险经办机构应当建立健全业务、财务、安全和风险管理制度,完善社会保险信息系统。

社会保险经办机构必须依法履行职责,否则要承担相应的法律责任。

第九条　工会依法维护职工的合法权益,有权参与社会保险重大事项的研究,参加社会保险监督委员会,对与职工社会保险权益有关的事项进行监督。

【释义】　本条是关于工会在社会保险事业中的责任的规定。

工会是职工自愿结合的工人阶级的群众性组织。凡在中国境内的企业、事业单位、机关和其他社会组织中,以工资收入为主要生活来源或者与用人单位建立劳动关系的体力劳动者和脑力劳动者,不分民族、种族、性别、职业、宗教信仰、教育程度,承认工会章程,都可以加入工会为会员。中华全国总工会及其各工会组织代表职工的利益,依法维护职工的合法权益。工会必须密切联系职工,听取和反映职工的意见和要求，关心职工的生活，帮助职工解决困难，全心全意为职工服务。维护职工合法权益是工会的基本职责。

1. 参与社会保险重大事项的研究。参与社会保险重大事项的研究包括以下几个方面：（1）国家机关在组织起草或者修改直接涉及职工切身利益的有关社会保险的法律、法规、规章时，应当听取工会意见。（2）县级以上各级人民政府制定国民经济和社会发展计划，对涉及职工利益的有关社会保险的重大问题，应当听取同级工会的意见。（3）县级以上各级人民政府及其有关部门研究制定劳动就业、工资、劳动安全、卫生、社会保险等涉及职工切身利益的政策、措施时，应当吸收同级工会参加研究，听取工会意见。县级以上地方各级人民政府可以召开会议或者采取适当方式，向同级工会通报政府的有关社会保险的重要工作部署和与工会工作有关的行政措施，研究解决工会反映的职工群众的意见和要求。

2. 参与社会保险的监督。根据工会法和相关法律的规定，工会对用人单位违反社会保险法律、法规，侵犯职工社会保险权利的行为进行监督：（1）通过职工代表大会或者其他形式进行监督。工会依照法律规定通过职工代表大会或者其他形式，组织职工参与本单位的民主决策、民主管理和民主监督。企业、事业单位违反职工代表大会制度和其他民主管理制度，工会有权要求纠正，保障职工依法行使民主管理的权利。工会通过组织职工参与本单位的民主监督，监督用人单位的各项管理活动，其中包括对用人单位的社会保险登记、社会保险缴费等情况的监督。（2）监督劳动合同的履行。社会保险是劳动合同的必备条款。工会依法维护劳动者的合法权益，对用人单位履行劳动合同、集体合同的情况进行监督。(3)对侵犯职工社会保险合法权益的问题进行调查。工会有权对企业、事业单位侵犯职工社会保险合法权益的问题进行调查，有关单位应当予以协助。职工因工伤亡事故和其他严重危害职工健康问题的调查处理，必须有工会参加。工会应当向有关部门提出处理意见，并有权要求追究直接负责的主管人员和有关责任人员的责任。对工会提出的意见，应当及时研究，给予答复。(4)法律救济协助。职工认为企业侵犯其社会保险权益而申请劳动争议仲裁或者向人民法院提起诉讼的，工会应当给予支持和帮助。

各级工会参与社会保险基金的监督。本法第八十条规定，统筹地区政府成立由用人单位代表、参保人员代表，以及工会代表、专家等组成的社会保险监督委员会，掌握、分析社会保险基金的收支、管理和投资运营情况，对社会保险工作提出咨询意见和建议，实施社会监督。社会保险监督委员会对社会保险基金的监督是社会监督。工会代表作为四方成员之一，代表职工对社会保险基金运作的全过程进行监督，保障社会保险基金的充足和安全有效运行，使社会保险待遇及时足额发放，从而维护职工的社会保险权益。

本法还规定，任何组织或者个人有权对违反社会保险法律、法规的行为进行举报、投诉。工会作为社会团体，同样享有举报和投诉权。对于工会的举报、投诉，有权处理的部门、机构应当及时处理，不得推诿。

第二章　基本养老保险

第十条　职工应当参加基本养老保险，由用人单位和职工共同缴纳基本养老保险费。

无雇工的个体工商户、未在用人单位参加基本养老保险的非全日制从业人员以及其他灵活就业人员可以参加基本养老保险，由个人缴纳基本养老保险费。

公务员和参照公务员法管理的工作人员养老保险的办法由国务院规定。

【释义】　本条是关于职工基本养老保险覆盖范围的规定。

我国基本养老保险制度的覆盖范围主要是就业人群，也就是与用人单位建立劳动关系的个人，都应当参加职工基本养老保险。无雇工的个体工商户和非全日制从业人员等灵活就业人员也是就业人群，由于其收入不固定，根据制度安排，可以根据其收入状况和能力，自愿参加职工基本养老保险。截至2010年6月底，我国参加基本养老保险的人数超过2.4亿人，其中城镇企业职工为2.2亿人。关于事业单位工作人员的基本养老保险问题，目前正在改革过程中，2008年2月国务院发布文件，在山西、上海等五个省、市推行事业单位工作人员养老保险制度改革试点，改革的方向是按照职工基本养老保险的模式，建立单独的事业单位基本养老保险。在国务院文件发布以前，已有一些事业单位给部分新聘用职工缴纳了基本养老保险，将其纳入职工基本养老保险范围。关于公务员的基本养老保险问题，目前国家没有出台政策，还是实行退休养老制度，各方面对于公务员是否参加职工基本养老保险制度还存在分歧。

1. 关于企业职工。我国的基本养老保险制度改革首先从企业开始，是为了适应经济体制改革的需要逐步建立起来的。改革开放前，我国企业实行的是退休养老制度，个人不缴费，由国家、企业负担退休养老费用。20 世纪 80 年代实行养老保险社会统筹试点，开始进行改革探索，90 年代改革全面展开并不断深化，建立了由国家、企业和个人共同负担的资金筹集方式，确定了社会统筹与个人账户相结合的基本模式，统一了企业职工基本养老保险制度。2005 年，国务院制定了《关于完善企业职工基本养老保险制度的决定》，进一步完善企业养老保险制度。目前，企业职工是参加基本养老保险的主力。此外，还有一些与机关、事业单位签订劳动合同或者聘用合同的个人，也按照规定参加了职工基本养老保险。

2. 关于灵活就业人员。灵活就业人员是指以非全日制、临时性、季节性、弹性工作等灵活多样的形式实现就业的人员，包括无雇工的个体工商户、非全日制从业人员以及律师、会计师、自由撰稿人、演员等自由职业者等，这类人员在工作时间、劳动报酬、工作场所、劳动关系等方面与传统的建立在工厂制度基础上的劳动者不一样，有的没有用人单位，有的与用人单位没有建立固定的劳动关系，但是他们提供了某种形式的劳动，有劳动收入，可以将他们纳入职工基本养老保险覆盖范围。随着现代经济社会的发展，尤其是技术的进步和经济结构的变化，就业形式会越来越灵活，灵活就业人员会越来越多，将灵活就业人员纳入职工基本养老保险覆盖范围，有利于扩大基本养老保险的覆盖面，保护灵活就业人员的社会保险权益。考虑到灵活就业人员收入情况不同，其参加基本养老保险完全由个人缴费，不能强制。所以本法规定，灵活就业人员可以自愿参加职工基本养老保险。需要说明的是，有些非全日制从业人员与用人单位建立了比较固定的劳动关系，应当由用人单位与劳动者共同缴纳基本养老保险费。

3. 关于事业单位职工。我国事业单位的情况比较复杂，有管理类的事业单位，有公益类的事业单位，还有经营类的事业单位，总的职工人数超过 3000 万。目前，事业单位工作人员实行的是退休养老制度，费用由国家或者单位负担，个人不缴费，养老金标准以本人工资为基数，按照工龄长短计发。2008 年 2 月，国务院通过了《事业单位工作人员养老保险制度改革试点方案》，决定在山西、浙江、广东、上海、重庆五个省、市先期开展试点，事业单位工作人员养老保险制度改革与事业单位分类改革配套推行，就是现有承担行政职能的事业单位执行公务员的养老保险制度，从事生产经营的事业单位执行企业职工养老保险制度，分类改革后保留的公益性事业单位实行单独的事业单位养老保险制度，制度模式与企业职工养老保险一样，实行社会统筹和个人账户相结合，由单位和个人缴费，缴费水平、基本养老金计发办法与企业职工基本养老保险完全一致，基本养老保险基金单独管理，个人账户逐步做实。目前这项改革正在进行中。

4. 关于公务员和参照公务员法管理的工作人员。目前我国公务员和参照公务员法管理的工作人员实行的是退休养老制度，费用由国家负担，个人不缴费，养老金标准以本人工资为基数，按工龄长短计发。在立法过程中，对于公务员和参照公务员法管理的工作人员是否应当参加职工基本养老保险，存在不同意见。有的意见提出，中央多次提出机关事业单位养老保险制度改革，公务员养老保险制度改革的方向是明确的，公务员养老保险改革应当与事业单位工作人员的养老保险改革同步进行，实行统一的制度。考虑到改革要分步实施、有序推进。目前事业单位养老保险制度改革正在推进，公务员和参照公务员法管理的工作人员的养老保险制度改革正在研究中，但尚无具体的政策。所以本法规定，公务员和参照公务员法管理的工作人员养老保险的办法由国务院规定。

第十一条　基本养老保险实行社会统筹与个人账户相结合。

基本养老保险基金由用人单位和个人缴费以及政府补贴等组成。

【释义】　本条是关于基本养老保险的制度模式和基本养老保险基金筹资方式的规定。

1. 关于基本养老保险的模式。从世界范围看,基本养老保险主要有三种模式:第一种是现收现付制。就是基本养老保险费由雇主和雇员共同承担,保险费收入全部用于当期养老金的支付,以支定收,实行现收现付。现收现付制是社会养老保险制度的最初模式,目前大多数工业化国家仍然实行的是这种模式。第二种是积累制。就是建立完全积累的个人账户,个人缴纳的养老保险费全部进入个人账户,资金用于投资取得收益,个人退休后养老金的多少取决于其个人账户的积累额。实行这种制度的国家有智利、墨西哥、新加坡等少数国家。第三种是部分积累制。就是实行现收现付和部分积累相结合,在现收现付基础上,建立个人账户,实行部分积累。这种模式兼有现收现付和积累模式的优点,走的是"中庸"之道。实行这种模式的国家有我国和意大利、瑞典以及一些中东欧国家。

我国从 1995 年提出实行社会统筹和个人账户相结合,1997 年明确社会统筹和个人账户相结合的模式。这种模式下,基本养老保险基金和待遇分为两部分,一部分是用人单位缴纳的基本养老保险费进入基本养老统筹基金,用于支付职工退休时社会统筹部分养老金,基本养老统筹基金用于均衡用人单位的负担,实行现收现付,体现社会互助共济。另一部分是个人缴纳的基本养老保险费进入个人账户,用于负担退休后个人账户养老金的支付,体现个人责任。按照政策,个人账户的养老金实行积累制,按照投资收益或者银行利息实现增值,但由于建立基本养老保险制度时财政没有支付转轨成本，加上国企改革，大量职工下岗和提前退休，社会统筹部分的基本养老保险资金不足以支付当期的退休职工养老保险待遇，所以实际上个人账户资金被用于当期退休职工养老金的支付，个人账户是空账，只是按照同期银行存款利息计算利息。为了实现统账结合制度的目的，应对未来人口老龄化的危机，从 2001 年起，我国开始在部分省市做实个人账户试点，目前已有十多个省市开始做实个人账户。到 2010 年，做实个人账户资金超过 1500 亿元，估算的“空账”部分超过 1.4 万亿元。

2. 关于基本养老保险基金的筹资方式。基本养老保险是一种社会互助共济的养老制度，实行缴费制的国家，基本养老保险基金主要来源于雇主和雇员的缴费。国家财政预算资金的补贴也占一定比例。如德国雇主和雇员缴费约占基本养老保险金支出的 70%，财政补贴占基本养老保险金支出近三分之一。此外，政府财政在基本养老保险基金出现支付不足时承担最后的兜底责任。我国的基本养老保险制度是缴费制的，基本养老保险基金主要由用人单位和个人缴费组成。国家规定用人单位按照工资总额不高于 20% 缴纳基本养老保险费，少数省市超过 20%，如辽宁为 21%；也有一些省市不到 20%，如浙江省为 16%。个人按照本人工资的 8% 缴纳。2009 年全国基本养老保险基金总收入为 11476.9 亿元，其中缴费收入 9519.2 亿元，缴费收入占基金总收入约 83%。此外，国家和统筹地区政府也给予一定的补贴。2009 年各级政府财政补贴为 1777 亿元，其中，中央财政补贴为 1326 亿元。

目前，我国政府对基本养老保险资金的筹集没有明确负担比例，每年根据地方基本养老保险金的支出情况和做实个人账户的需要给予补贴。根据本法的规定，我国政府财政对社会保险承担四项责任：一是对社会保险基金主要是基本养老保险基金承担补贴责任；二是国有企业、事业单位实行基本养老保险制度前，职工视同缴费期间应当缴纳的基本养老保险费，也就是制度转轨成本；三是承担社会保险运行费用、管理费用；四是对社会保险基金主要是基本养老保险基金承担兜底责任。

第十二条　用人单位应当按照国家规定的本单位职工工资总额的比例缴纳基本养老保险费，记入基本养老保险统筹基金。

职工应当按照国家规定的本人工资的比例缴纳基本养老保险费，记入个人账户。

无雇工的个体工商户、未在用人单位参加基本养老保险的非全日制从业人员以及其他灵活就业人员参加基本养老保险的，应当按照国家规定缴纳基本养老保险费，分别记入基本养老保险统筹基金和个人账户。

【释义】　本条是关于职工基本养老保险缴费基数和缴费比例的规定。

在缴费制国家，基本养老保险费用主要来源于雇主和雇员的缴费。从多数国家的缴费水平看，一般雇主和雇员的缴费不超过雇员工资的20%。我国的基本养老保险费费率比较高，多数省（自治区、直辖市）为28%，有的地方甚至超过28%，用人单位的负担比较重，影响了职工和灵活就业人员参保的积极性，也不利于提高职工的工资水平。在立法过程中，有的意见认为应当明确规定降低缴费费率。但是，由于基本养老保险统筹层次没有提高，基金不能调剂使用，降低缴费费率许多地方可能出现资金缺口，因此，本法没有明确基本养老保险缴费费率，由国务院根据统筹情况，适时进行调整。

1. 用人单位的缴费基数和缴费比例。按照现行政策，用人单位缴纳基本养老保险费的比例，一般不超过企业工资总额的20%，具体比例由省、自治区、直辖市人民政府确定。目前基本养老保险实行地方统筹，各地经济发展水平和缴费职工对退休人员抚养比不一样，各地缴费基数和缴费比例也不一样。有的地方以企业工资总额为缴费基数，如辽宁、吉林、河南、浙江等多数省、市，有的地方以全部职工缴费工资之和为基数，如北京、天津、深圳等部分省、市。各地缴费比例相差比较大，如深圳就业人口多，退休人员少，用人单位的缴费比例为职工缴费工资总额的10%；浙江用人单位缴费比例为全部工资总额的16%；辽宁由于是老工业基地，退休人员比较多，又做实个人账户，用人单位缴费比例超过20%。过高的缴费基数和缴费比例，增加了企业的负担，影响了职工工资的增长，而各地缴费比例不一样，经济发达地区缴费比例低，经济欠发达地区缴费比例高，也影响了这些地区的竞争力。因此，基本养老保险应当实行全国统一的缴费基数和缴费比例，提高养老保险的统筹层次，平衡经济发达地区和欠发达地区用人单位的缴费负担。

用人单位缴纳的社会保险费记入基本养老保险统筹基金，用于当期的基本养老保险待遇支付，实行现收现付。但是，由于统筹层次低，基本养老保险统筹基金不能调剂使用，一些地方基金出现大量结余。截至2010年6月，全国基本养老保险基金累计结存13360.1亿元。目前这些结余的资金只能用于购买国债或者存入银行，收益率低，在通货膨胀的背景下，存在较大的贬值压力。

2. 职工个人缴费基数和缴费比例。按照现行政策，职工个人按照本人缴费工资的8%缴费，记入个人账户。缴费工资为本人上一年度月平均工资。月平均工资应按国家统计局规定列入工资总额的统计项目计算，包括工资、奖金、津贴、补贴等收入。月平均工资超过当地职工平均工资300%以上的部分，不计入个人缴费工资基数；低于当地职工平均工资60%的，按60%计算缴费工资基数。职工个人缴纳的养老保险费全部记入个人账户，形成个人账户基金，用于退休后个人账户养老金的发放。目前，个人账户实际上是“空账”运行，每年按照一年期存款利率计算收益。据估算，个人“空账”部分累计超过1.4万亿元。从2001年开始，在辽宁开始试点做实个人账户，到目前，辽宁、吉林、黑龙江、山西、上海等十三个省、市开展做实个人账户试点，截至2010年，做实的个人账户资金超过1500亿元。

3. 灵活就业人员的缴费基数和缴费比例。按照现行政策，城镇个体工商户等灵活就业人员参加基本养老保险的缴费基数为当地上年度职工月平均工资，缴费比例为20%，其中8%记入个人账户。实际上，为了鼓励灵活就业人员参加基本养老保险，不少地方规定灵活就业人员可以在当地上年度职工月平均工资60%至300%之间选择缴费基数。虽然如此，按照20%的比例缴纳养老保险费对收入不固定的灵活就业人员来说，仍然太高，缴费压力大，不利将灵活就业人员纳入职工基本养老保险覆盖范围中来。

第十三条　国有企业、事业单位职工参加基本养老保险前，视同缴费年限期间应当缴纳的基本养老保险费由政府承担。

基本养老保险基金出现支付不足时，政府给予补贴。

【释义】　本条是关于政府财政对社会保险基金承担补贴的规定。

基本养老保险制度具有社会财富再分配的作用，有助于实现社会公平。除雇主和雇员缴费外，政府财政预算资金也应当承担相应的责任。从世界范围情况看，多数国家财政预算资金都对基本养老费用承担一定比例的支付责任。我国建立基本养老保险制度的时间比较短，制度还在完善过程中，各级政府财政虽然承担了基本养老保险的运行管理费用，但对基本养老保险费用分担还没有制度化、规范化。本条对财政承担基本养老保险制度转轨成本和基本养老保险基金支付不足时的兜底责任作了规定。

1. 关于视同缴费年限期间的基本养老保险费负担。现行基本养老保险制度建立以前，我国企业职工实行的是企业养老制度，个人不缴费，退休后由国家和企业负担职工的退休金。1991 年国务院发布了《关于企业职工养老保险制度改革的决定》，改革养老保险由国家、企业包下来的办法，实行国家、企业和个人三方共同负担，职工个人也要缴纳一定的费用。1995 年国务院发布了《关于深化企业职工养老保险制度改革的通知》，进一步明确了基本养老保险费由企业和个人共同负担，实行社会统筹和个人账户相结合，确立了基本养老保险待遇与缴费年限和缴费工资挂钩的制度。为了做好制度顺利转轨，保护实施前职工的利益，明确实行个人缴费制度前，职工的连续工龄可视同缴费。由于视同缴费期间，作为用人单位的国有企业和事业单位并没有为职工缴纳社会保险费，职工个人也没有缴费，但职工退休时养老保险基金要支付统筹养老金、个人账户养老金，这部分费用应当由政府承担。承担的转制成本主要包括两部分：一部分是个人账户“空账”部分。按照制度设计，个人账户资金实行积累，用于个人退休后个人账户养老金的支出，但由于财政没有支付部分积累制度的转轨成本，这部分资金实际上用于支付当期基本养老金，形成“空账”。另一部分是由于国企改革，职工提前退休所需要支付的基本养老金。

关于事业单位社会保险制度改革的转制成本。目前，事业单位职工实行退休养老制度，个人不缴费，退休后由财政或者单位负担退休金。目前，事业单位养老保险制度正在改革，按照企业职工养老保险的制度模式建立事业单位养老保险制度，实行社会统筹和个人账户相结合，筹资方式为单位和个人缴费，基本养老金由基础养老金与个人账户养老金组成。根据目前的规定，事业单位基本养老保险基金的管理使用是独立的，转制成本都由财政负担。原来由财政或者事业单位直接负担的退休职工退休金，变成了由基本养老保险基金支付，事业单位按照职工工资总额缴费，不足的部分由财政兜底。如果做实个人账户，职工视同缴费期间个人账户的资金由财政补贴。

这里的视同缴费期间是指实行个人缴费制度前，职工在国有企业、事业单位工作的工龄。

2. 关于基本养老保险基金出现支付不足时的政府责任。按照现行的政策，基本养老保险基金主要由用人单位和个人缴费形成，但在基金出现支付不足时，政府要承担兜底责任，这是政府对基本养老保险基金的一般责任，目前，我国正处于人口红利时期，劳动力人口占总人口比重超过70%，老年抚养比高，而且正处于工业化、城镇化过程中，就业增加，缴费人群数量不断上升，加上工资水平处于上升时期，基本养老保险费征缴收入上升较快，从全国范围看，基本养老保险基金不会出现支付不足的问题。但是，由于我国经济发展不平衡，劳动力向东部沿海经济发达地区流动，加上基本养老保险统筹层次比较低，基本养老保险基金不能调剂使用，中西部地区和一些老工业城市，基本养老保险费征缴收入已不敷当期养老金待遇支出，有的地方财政对基本养老保险基金已承担比较重的补贴责任。如2007年上海市财政补贴基本养老金缺口近

50亿元,2008年对社保基金的补贴超过170亿元,主要是补贴基本养老基金。

第十四条　个人账户不得提前支取,记账利率不得低于银行定期存款利率,免征利息税。个人死亡的,个人账户余额可以继承。

【释义】 本条是关于个人账户养老金的规定。

在20世纪80年代智利第一个实行个人账户制度以前,各国养老保险制度实行的是现收现付模式,就是通过在职人员缴费来赡养退休人员,实现养老责任的代际转移,在财务上实现养老资金的当期平衡。现收现付模式实现了高收入人群向低收入人群的再分配,体现了社会保险的互济作用和再分配功能。养老保险制度的建立,对于促进西方国家工业化的进程,缓和社会矛盾和实现社会公平,发挥了重要作用,具有历史进步意义。20世纪70年代,工业化国家受人口老龄化和石油危机之困,经济增长放缓,社会保障对财政和经济的压力增大,引起对现收现付模式的养老保险制度的批评,1981年智利率先对现收现付的养老保险制度进行改革,实行全部积累的个人账户模式。从20世纪90年代开始,一些拉美国家参照智利改革的经验,开始对本国养老保险制度进行改革,引进个人账户,实行部分或者全部积累。1994年世界银行发表正式向各国推荐包括部分积累模式在内的三支柱方案,即第一支柱是现收现付的社会养老保险制度,第二支柱是由私人机构管理、强制性储蓄的个人账户制度,第三支柱是个人自愿性养老储蓄。到目前,大约20多个国家对现收现付制度进行了结构性的改革,实行部分或者全部积累。

我国基本养老保险实行的是社会统筹和个人账户相结合的模式,个人缴纳的基本养老保险费记入个人账户,作为退休后养老金的一部分,补充退休养老费用。建立个人账户实际上是强制个人储蓄,体现养老保险中的个人责任,主要目的是通过养老费用的部分积累应对人口老龄化的压力。在实现社会养老保险前,我国实行的是企业退休养老制度,为了配合经济改革的需要,从20世纪90年代起,开始对企业退休养老制度进行改革,受当时正在兴起的世界养老保险制度改革思想的影响,1995年我国提出建立社会统筹和个人账户相结合的基本养老保险制度,1997年我国明确了社会统筹和个人账户相结合的部分积累模式。但是,这一制度刚建立就遇到亚洲金融危机,我国经济发展受到影响。同时,国有企业大规模战略性改革重组,下岗和失业人员剧增,社会统筹养老基金收不抵支,为了确保当期养老金和失业金的发放,许多地方挪用应当进入个人账户的资金,形成个人账户"空账"运行。从2001年开始,我国在部分省、市推行逐步做实个人账户,到目前,全国累计做实个人账户基金超过1500亿元,估算的"空账"规模超过1.4万亿元。

1. 个人账户养老金不得提前支取。根据国家规定,目前职工按照工资收入的8%缴纳养老保险费,记入个人账户。个人账户养老金是个人工作期间为退休后养老积蓄的资金,是基本养老保险待遇的重要组成部分,是国家强制提取的,退休前个人不得提前支取，尤其是在目前名义账户下，这部分资金实际上用于支付当期退休人员的基本养老待遇，如果提前支取，养老保险基金会有很大的资金缺口，基金支出会出现困难。

关于农民工退保的问题。目前，我国正处于工业化、城镇化过程中，进入城镇就业的农村居民数量庞大，由于在城镇就业的农村居民流动性大，养老保险统筹层次低，基本养老保险关系不能转移接续，一些地方允许农民工退保，将农民工个人账户积累的资金退还本人，终止养老保险关系。这种做法实际上损害了农民工的社会保险权益，影响了农民工参保的积极性，也影响了我国城镇化的进程。按照本法规定，在城镇就业、与用人单位建立劳动关系的农村居民应当与城镇职工一样参加职工基本养老保险。本法对跨统筹地区就业农民工的基本养老保险关系转移接续作了规定，保护了在城镇就业的农村居民的社会保险权利。社会保险经办机构应当做好法律、法规的宣传工作，引导在城镇就业的农村居民参加基本养老保险。

2. 个人账户记账利率。个人账户养老金从缴费到退休后支取长达数十年，通货膨胀的风险无法避免。根据统计，1980 年到 2008 年间我国的平均通货膨胀率约为 5.9%，最高的 1994 年达 24.1%。通货膨胀会降低个人账户资金的购买力，造成个人账户资金的贬值，如果不能实现保值增值，个人账户资金的养老保障作用就会受到影响。因此，实行个人账户制度，如何实现个人账户资金的保值增值，显得非常重要。目前个人账户养老金是参考同期银行存款利率计算利息，不能实现保值增值。如2008年我国养老保险基金的收益率为2%，低于当年5.9%的通货膨胀率。如果做实个人账户，应当允许个人账户资金进行投资，按照投资回报率计算收益。如果是名义账户，可以参考职工平均工资增长率、物价指数等因素确定。由于实践中个人账户多为空账，个人账户是否做实，如何确定记账利率还存在争议，本条规定记账利率不得低于银行定期存款利率，留下政策调整空间，等待进一步明确。

关于免利息税。目前个人存款按照规定应当缴纳利息税。个人账户资金相当于强制性个人储蓄，由于个人账户资金用于退休后养老费用，不同于普通储蓄，所以本法规定免征利息税，体现国家对社会保险事业的支持。

3. 个人账户养老金余额可以继承。个人账户养老金是个人工作期间为退休后养老积蓄的资金，具有强制储蓄性质，属于个人所有，个人死亡的（包括退休前和退休后），个人账户养老金余额可以继承。需要说明的是，2006年1月1日后个人账户资金全部由个人缴纳形成，在此以前，个人账户中一部分资金是个人缴纳，一部分是由单位缴费中划入的。根据国家规定，个人死亡的，其个人账户余额中的个人缴费部分可以继承，单位缴费部分不能继承，应当并入统筹基金。

第十五条　基本养老金由统筹养老金和个人账户养老金组成。

基本养老金根据个人累计缴费年限、缴费工资、当地职工平均工资、个人账户金额、城镇人口平均预期寿命等因素

确定。

【释义】 本条是关于基本养老金构成的规定。

基本养老金是参保人员退休后生活的主要保障,关系广大参保人员的切身利益。从根本上说,基本养老金的水平取决于经济发展水平,同时也与基本养老保险制度的模式和养老金的替代率直接相关。我国基本养老保险实行的是社会统筹和个人账户相结合的模式,用人单位缴纳的养老保险费记入统筹基金,个人缴纳的养老保险费记入个人账户。由此,基本养老金就由两部分组成:一部分是由统筹基金支付的统筹养老金,另一部分是由个人账户支付的个人账户养老金。基本养老金的构成反映了我国基本养老保险制度的理念——社会互济和个人责任相结合。

1. 关于社会统筹养老金。社会统筹养老金来自于由用人单位缴费和财政补贴等构成的社会统筹基金,根据个人累计缴费年限、缴费工资、当地职工平均工资等因素确定,既体现社会互济,又与个人缴费挂钩,鼓励多缴多得,体现激励作用。目前,社会统筹养老金月标准为当地上年度在岗职工月平均工资和本人指数化月平均工资的平均值为基数,缴费每满1年发给1%。计算公式为:统筹养老金 =(参保人员退休时当地上年度月平均工资 + 本人指数化月平均缴费工资)÷ 2 × 缴费年限 × 1%。按照目前的制度设计,职工60岁退休,缴费35年,统筹养老金的目标替代率为35%。法律没有明确具体的计算方式,只规定了确定基本养老保险金的因素,方便政策对基本养老保险金计发方式进行调整。

2. 个人账户养老金。个人账户养老金是基本养老金的重要组成部分，是个人为自己养老储蓄的资金，体现养老保险中的个人责任。按照现行的制度规定，个人账户养老金月标准为个人账户储存额除以计发月数，计发月数根据职工退休时个人账户金额、城镇人口平均预期寿命和本人退休年龄等因素确定。根据2000年第五次人口普查统计，我国城镇人口平均预期寿命为71.4岁，如果60岁退休，计发月数为139，如果55岁退休，计发月数为170。按照目前的制度设计，职工60岁退休、缴费35年，个人账户养老金的目标替代率为23.5%。

第十六条　参加基本养老保险的个人，达到法定退休年龄时累计缴费满十五年的，按月领取基本养老金。

参加基本养老保险的个人，达到法定退休年龄时累计缴费不足十五年的，可以缴费至满十五年，按月领取基本养老金；也可以转入新型农村社会养老保险或者城镇居民社会养老保险，按照国务院规定享受相应的养老保险待遇。

【释义】　本条是关于享受基本养老保险待遇的条件的规定。

参加基本养老保险的个人，履行了缴费义务，就应当享受相应的养老保险待遇。从国外的情况看，养老保险制度模式不同，享受基本养老保险待遇的条件也不同。在一些普惠制的国家，个人不缴费，国民达到法定退休年龄就可以享受养老金待遇，如挪威、丹麦、加拿大、澳大利亚等。但多数国家享受养老保险待遇都要与个人缴费相联系,个人缴费是享受养老保险待遇的前提。我国养老保险制度实行的是缴费模式,享受基本养老待遇与缴费年限挂钩。在我国,享受养老保险待遇必须符合两个条件:一是必须达到法定退休年龄;一是累计最低缴费满十五年。

1. 必须达到法定退休年龄。达到退休年龄是享受基本养老保险待遇的基本条件之一。退休年龄是根据劳动力资源的状况、人口平均预期寿命、劳动人口的抚养比以及养老保险基金的承担能力等多重因素确定。目前,工业化国家规定的退休年龄一般在60—65岁。20世纪80年代,由于经济危机和人口老龄化,一些工业化国家养老基金发生支付危机,为了减轻养老基金支付的压力,一些国家将退休年龄延长,如德国、英国、比利时等国将女职工退休年龄提高到与男职工一样,德国还将退休年龄从女60岁、男63岁提高到65岁,美国将退休年龄从62岁提高到65—67岁。瑞典、荷兰等国家还鼓励退休后继续就业。延长退休年龄一方面增加劳动力的供给,有利于促进经济增长,从而增加养老基金的收入;另一方面也缩短了领取养老金的年限,减少了养老基金的支出。根据国际劳工组织的研究,退休年龄从60岁提高到65岁,可减少50%的退休金支付。

我国法定退休年龄是1978年5月第五届全国人大常委会第二次会议批准的《国务院关于安置老弱病残干部的暂行办法》和《国务院关于工人退休、退职的暂行办法》所规定的退休年龄。企业职工退休年龄为:男职工为年满60周岁,女干部为55周岁,女工人为50岁;从事井下、高空、高温、特别繁重体力劳动或者其他有害身体健康的工作,男年满55周岁、女年满45周岁连续工作满十年的;连续工作满十年,由医院证明并经劳动鉴定委员会确认,完全丧失劳动能力的,退休年龄为男年满50周岁,女年满45周岁;因工致残,由医院证明,并经劳动鉴定委员会确认,完全丧失劳动能力的。有观点认为我国法定退休年龄普遍偏低。目前全国人口平均预期寿命达71.4岁,城镇人口平均预期寿命达75.2岁,而且人口老龄化速度加快,老年人口抚养比降低,基本养老保险基金支付压力大,企业和个人缴费负担重,应当根据人口老龄化的趋势,逐步延迟退休年龄;还有的意见认为男女退休年龄应当一致。因为随着技术的发展和就业形式的变化,在就业方面区分性别差异没有必要,而且女性平均预期寿命长于男性。由于延迟退休年龄涉及的问题比较复杂,加上我国目前劳动力资源充足,就业压力大,因此,本法没有明确法定退休年龄,目前退休年龄还是按照国家有关规定执行,这样也可以给今后改革留下空间。

2. 最低缴费年限为十五年。缴费满十五年是享受基本养老保险待遇的"门槛"。1951年我国试行的《劳动保险条例》规定享受退休金的最低条件是参加工作10年以上。1997年国务院改革企业职工基本养老保险制度时,将按月领取基本养老金的最低缴费年限规定为十五年。按照目前基本养老待遇的制度设计,个人退休后基本养老保险待遇与个人的缴费挂钩,多缴多得,但缴费期限过短,最后计算下来的基本养老金可能非常少,不能保证个人退休后的基本生活,失去了养老保险的作用。同时,规定最低缴费年限,明确了个人的缴费责任,也可以保证养老保险基金的支付能力。在立法过程中,有的意见认为应当降低缴费年限,这样可以将更多的劳动者纳入基本养老保险覆盖范围,符合建立基本养老保险制度的目的。目前我国正在城镇化过程中,大量的农村居民进城务工,他们就业不稳定,过高的缴费年限会将相当一部分人挡在基本养老保险的制度之外,如果规定他们与城镇职工一样参加基本养老保险,缴纳基本养老保险费,就应当降低"门槛",允许少缴少得,这样才公平。而且,从国外的情况看,各国的最低缴费年限并不一致,有二十年的,也有十年的,低的还有五年。所以应当考虑到我国实际国情,将最低缴费年限降低到五年或者十年。考虑到最低缴费十五年的规定已实行多年,从国际上看,养老保险最低缴费年限还有延长的趋势,最后,本法维持了现行最低缴费满十五年的规定。

需要说明的是,规定最低缴费年限为十五年,并不是缴满十五年就可以不缴费。对职工来说,缴费是法律规定的强制性义务,只要与用人单位建立劳动关系,就应当按照国家规定缴费。同时,个人享受基本养老保险待遇与个人缴费年限直接相关,缴费年限越长、缴费基数越大,退休后领取的养老金就越多。

3. 缴费不足十五年的,可以缴费至满十五年。按照现行的政策,缴费不足十五年的,个人账户储存的养老金一次性支付本人,终止基本养老保险关系。这个制度不尽合理,在实际执行中,许多地方允许退休时缴费不足十五年的一次性补缴或者继续缴费至十五年,按月享受基本养老保险待遇。据统计,截止到 2009 年 11 月,全国 23 个省(自治区、直辖市)规定了基本养老保险继续缴纳制度。此外,有的地区在省级规定中不允许继续缴费,但所辖部分地、市允许继续缴费。继续缴费的方式主要有三类:一是按月缴纳,共有 15 个省(自治区、直辖市);二是一次性缴纳,有北京、吉林、海南等;三是按月缴纳与一次性缴纳相结合,有四川、广州、厦门、青岛等。本法吸收了地方好的经验,规定缴费不足十五年的,可以缴费至满十五年将更多的人纳入养老保险制度保障的范围。

4. 缴费不足十五年的,也可以转入新型农村社会养老保险和城镇居民社会养老保险。按照现行的政策,缴费不足十五年的,也可以领取一次性养老保险待遇。在立法过程中,有的意见认为,养老保险的目的是保障退休人员的基本生活,一次性领取养老保险待遇起不到养老保障的作用。而且只领取个人账户资金,单位为职工参保而缴纳的养老保险费职工无法受益,也不公平,应当允许按照"多缴多得、少缴少得"的原则享受养老保险待遇。但是,反对的意见认为,缴费不足十五年就享受长期待遇,可能导致基金难以为继,从国外的情况看,实行缴费型养老保险制度的国家,大都规定了缴费年限,这是基于缴费与待遇领取长期资金平衡的精算结果,如果允许少缴少得,任意短的缴费都可以领取长期待遇,要么是基金入不敷出,产生巨大的缺口;要么个人只能领取很少一点养老金,根本不足以维持基本生活。经研究,目前我国新型农村社会养老保险正在积极推进,城镇居民社会养老保险也在许多地方开始实施,对于缴费不足十五年的,可以采取转入新型农村社会养老保险或者城镇居民社会养老保险的办法,解决其养老保障问题。目前,一些地方已经采取这种转移接续办法。所以,本法规定缴费不足十五年的,也可以转入新型农村社会养老保险或者城镇居民社会养老保险,按照国务院规定享受相应的养老保险待遇。如何转入新型农村社会养老保险或者城镇居民社会养老保险,如何享受养老保险待遇,需要国务院具体规定。但总的原则是要保护参保人员的权益,不能因为从一个制度转入另一个制度而损害参保人员的权利。

第十七条　参加基本养老保险的个人,因病或者非因工死亡的,其遗属可以领取丧葬补助金和抚恤金;在未达到法定退休年龄时因病或者非因工致残完全丧失劳动能力的,可以领取病残津贴。所需资金从基本养老保险基金中支付。

【释义】　本条是关于参加基本养老保险的个人因病或者非因工致残完全丧失劳动能力、死亡时的待遇的规定。

基本养老保险基金主要用于参保人员的基本养老金支出。除此之外,基本养老保险基金还承担参保人员因病或者非因工死亡的丧葬补助金和遗属抚恤金,以及在未达到法定退休年龄时因病或者非因工致残完全丧失劳动能力时病残津贴的支付责任。

1. 因病或者非因工死亡的,其遗属可以领取丧葬补助金和遗属抚恤金。丧葬补助金是职工死亡后安葬和处理后事的补助费用。遗属抚恤金是职工死亡后给予其家属的经济补偿和精神安慰。个人参加基本养老保险,单位和自己缴纳基本养老保险费,主要是为了其退休后能够享受基本养老待遇,个人退休前和退休后因病或者非因工死亡的,其个人账户的余额可以作为遗产由遗属继承,单位缴纳的基本养老保险费进入统筹基金,作为社会互济资金,遗属不能主张继承权。但是,为了体现参保人员对统筹基金的贡献,本法规定,其遗属可以领取丧葬补助金和抚恤金,作为参保人员死亡的丧葬补助费用和遗属抚恤费用,这样规定,体现了基本养老基金对参保人员的关怀,有助于增加基本养老保险制度的吸引力。丧葬补助金和遗属抚恤金也是职工参保享受养老保险待遇的一部分。这一制度最先由 1951 年制定的《劳动保险条例》规定。目前全国没有统一的标准,从一些地方的规定看,丧葬补助金,一般按照职工死亡时当地上年度职工月平均工资的一定月数计发,也有的按职工死亡当月本企业养老保险人均缴费工资的一定月数计发。遗属抚恤金各地的规定不一样,有的没有抚恤金,只规定按月发给供养亲属救济费,有的规定了一次性的抚恤金,还规定按月发给遗属生活补助费。本法没有规定丧葬补助金和抚恤金的标准,本法通过后国务院或者有关部门可以作出统一规定。遗属的范围一般包括死者的配偶、子女、依靠死者生前供养的父母,以及依靠死者生活的其他亲属。因病或者非因工死亡的丧葬补助金和遗属抚恤金,由基本养老保险基金支付。

2. 在未达到法定退休年龄时因病或者非因工致残完全

丧失劳动能力的，可以领取病残津贴。病残津贴是基本养老保险基金对未达到法定退休年龄时因病或者非因工致残、完全丧失劳动能力的参保人员的经济补偿。参保人员未达到法定退休年龄，不能享受养老保险待遇，如果完全丧失劳动能力，不能工作，生活就失去了经济来源，只能依据其他家庭成员，如果参保人员同时是家庭的主要经济来源，整个家庭就会陷入困境。这个问题应当加以解决。参保人员参加了基本养老保险，缴纳了保险费，对养老保险基金作出了贡献，在其失去生活来源时，养老保险基金应当承担一定的责任。因此，本法规定可以领取病残津贴，体现了养老保险基金对参保人员的责任，是养老保险制度的一大进步。病残津贴是一个新制度，目前还没有相应的津贴标准。《工伤保险条例》对因工致残丧失劳动能力伤残津贴的标准作了规定，职工因工致残被鉴定为一级至四级伤残的，从工伤保险基金按月支付伤残津贴，标准为：一级伤残为本人工资的90%，二级伤残为本人工资的85%，三级伤残为本人工资的80%，四级伤残为本人工资的75%；职工因工致残被鉴定为五级、六级伤残难以安排工作的，由用人单位按月发给伤残津贴，标准为：五级伤残为本人工资的70%，六级伤残为本人工资的60%。国务院或者有关部门可以参照上述规定作出病残津贴标准的规定。

第十八条　国家建立基本养老金正常调整机制。根据职工平均工资增长、物价上涨情况，适时提高基本养老保险待遇水平。

【释义】 本条是关于基本金养老金调整机制的规定。

基本养老保险待遇水平不仅取决于每个退休人员缴费基数和缴费年限,还取决于退休养老期间的国家的经济发展水平。基本养老金标准应当随着经济发展逐步提高,让退休人员也能享受经济发展成果。随着人口平均预期寿命的延长,职工退休后可能会生活十年、二十年甚至更长时间,在这个过程中,通货膨胀不可避免,同样数量的养老金,购买力在下降,如果不及时进行调整,退休人员的实际养老保险待遇是在下降的。因此,需要随着经济发展,建立基本养老金正常调整机制:一是要使退休人员能够分享经济发展的成果;二是要保障退休人员基本养老保险的待遇水平不降低。2005 年国务院制定的《关于完善企业职工基本养老保险制度的决定》就明确规定,建立基本养老金正常调整机制。根据职工工资和物价变动等情况,国务院适时调整企业退休人员基本养老金水平,调整幅度为省、自治区、直辖市当地企业在岗职工平均工资年增长率的一定比例。基本养老金调整机制主要考虑的两个因素是:职工平均工资增长情况和物价上涨情况。

1. 职工平均工资增长情况。工资是劳动者参与社会财富分配的主要形式,职工平均工资增长情况反映了劳动者分配的社会财富增加水平。基本养老保险是养老责任的代际转移,建立基本养老保险的目的,就是让退休人员与在职职工一样也能够参与社会财富分配,分享经济发展成果。因此,职工平均工资增长情况是调整基本养老金标准的重要指标。改革开放以来,我国职工平均工资增长幅度较大,从 1978 年到

2007 年,我国职工平均工资年均增长率为 13.62%,2008 年、2009 年职工平均工资增长幅度都超过两位数,广大劳动者在创造我国经济持续快速增长奇迹的同时,也享受到经济发展的成果。随着在岗职工平均工资的增长,退休人员的基本养老金也应当相应增长,从 2005 年开始,国家连续 6 年调整退休人员养老金标准,养老金水平有了大幅度提高,保证了广大退休员的生活。据统计,2009 年我国在岗职工月平均工资为 2435 元,退休人员月平均养老金为 1200 元,2010 年上半年,我国在岗职工月平均工资为 2768 元,退休人员月平均养老金 1300 多元。养老金标准随着在职职工工资水平的增长在同步增长。

2. 物价上涨情况。物价上涨情况是调整基本养老金的另一个重要考虑因素,因为物价上涨尤其是居民生活消费品的价格上涨直接影响养老金的购买力,进而影响退休人员的生活水平。数据显示,近年来居民消费品价格一直呈上涨趋势,除 2009 年消费者物价指数(CPI)为 -0.9%,2007 年为 4.7%,2008 年为 5.9%,2010 年上半年为 2.6%,全年有可能超过 3%。物价上涨,要保证养老金的购买力不下降,保证退休人员生活水平不降低,就要相应地调整基本养老金标准。从长期看,通货膨胀趋势不可逆转,同等数量的养老金的购买力会不断下降,国家应当根据物价上涨的情况,及时调整基本养老金标准,保证退休人员的生活。

第十九条　个人跨统筹地区就业的,其基本养老保险关

系随本人转移，缴费年限累计计算。个人达到法定退休年龄时，基本养老金分段计算、统一支付。具体办法由国务院规定。

【释义】 本条是关于基本养老保险关系转移接续制度的规定。

基本养老保险关系转移接续难是我国现行基本养老保险制度存在的突出问题之一。在基本养老保险统筹层次不高的情况下，基本养老保险关系不能转移接续，缴费年限不能累计计算，损害了参保人员的权利，直接影响了职工参保的积极性，甚至出现已参保农民工的“退保潮”。目前我国正致力于建立社会主义市场经济体制，统一的人力资源市场是市场经济体制的重要组成部分，由于养老保险关系不能转移接续，也影响了人才的流动和统一的人力资源市场的建立。在这方面，欧盟国家的经验给我们提供了有益的启示。欧盟不存在统一的养老保险体系，各成员国养老保险制度存在很大差异，在养老保险模式、最低缴费年限、缴费标准和待遇水平等方面大不相同。欧盟在尊重各成员国养老保险制度差异的基础上，按照“缴费年限合并计算，待遇分段支付”的原则，确立了各成员国养老保险转移接续的具体办法，实现了不同养老保险制度之间的衔接，促进了劳动力的自由流动。根据欧盟法令的规定，跨国就业的劳动者，可以只执行一个成员国的养老保险政策，通常情况下劳动者参加就业国的养老保险；劳动者在各成员国的缴费年限连续累计计算；在养老保险待遇计算上，各成员国分别按照劳动者在本国的缴费年限支付该劳动者的养老保险待遇。

目前,我国正致力于提高基本养老保险的统筹层次,按照本法规定,基本养老保险要做到省级统筹,目标要做到全国统筹,实现统筹基金在全国范围调剂使用,以提高统筹基金的使用效率,降低养老保险的费率水平,减轻企业的缴费负担。即使实现全国统筹,由于各地工资水平不同,缴费基数不同,个人对基金所做的贡献也不同,在不同区域就业的人员,退休后领取的养老金也应当分段计算。

1. 关于缴费年限累计计算。由于领取基本养老保险待遇有最低缴费年限,而且养老金的多少与缴费年限长短相联系,多缴一年,多得一个百分点的养老金,因此,缴费年限对于参保人员享受权利至关重要。现实中,在地方财政“分灶吃饭”的情况下,由于基本养老统筹基金不能调剂使用,如果流动就业人员的缴费年限累计计算,就要求退休地承担养老金的支付责任,因此才出现养老保险关系转移接续困难,缴费年限不能累计计算,导致劳动者在不同统筹地区就业,可能在每个统筹地区缴费都不足十五年,无法享受养老保险待遇,损害了参保人员的权利。为此,本法规定个人跨统筹地区就业的,其基本养老保险关系随本人转移,缴费年限累计计算。如果按照目前的转移制度,统筹基金部分随个人转移,累计缴费年限应当不会有问题,当然,实现了全国统筹,缴费年限累计计算就理所当然,不会有障碍。

2. 关于基本养老金分段计算、统一支付。由于我国经济发展不平衡,各地收入水平差距比较大,用人单位和个人的缴费基数差距也比较大，如果不分段计算，可能导致不公平，或者会导致劳动者选择收入较高的地区退休。确定分段计算的原则，将劳动者的缴费多少与享受待遇挂钩，更公平合理。即使实现了全国统筹，分段计算的原则也应当坚持。根据目前的政策，分段计算是指参保人员以本人各年度缴费工资、缴费年限和待遇取得地对应的各年度在岗职工平均工资计算其基本养老保险金。为了方便参保人员领取基本养老金，本法规定了统一支付的原则，就是无论参保人员在哪里退休，退休地社会保险经办机构应当将各统筹地区的缴费年限和相应的养老保险待遇分段计算出来，将养老金统一支付给参保人员。

2009 年 12 月，人力资源和社会保障部与财政部联合出台了《城镇企业职工基本养老保险关系转移接续暂行办法》，规定参保人员跨省流动就业的，其基本养老保险关系应随同转移，参保人员达到基本养老保险待遇领取条件的，其在各地的参保缴费年限合并计算，个人账户储存额累计计算。并对基本养老保险关系的具体转移办法作了规定：(1)参保人员返回户籍所在地(指省、自治区、直辖市)就业参保的，户籍所在地的相关社保经办机构应为其及时办理转移接续手续。(2)参保人员未返回户籍所在地就业参保的，由新参保地的社保经办机构为其及时办理转移接续手续。但对男性年满 50 周岁和女性年满 40 周岁的，应在原参保地继续保留基本养老保险关系，同时在新参保地建立临时基本养老保险缴费账户，记录单位和个人全部缴费。参保人员再次跨省流动就业或在新参保地达到待遇领取条件时，将临时基本养老保险缴费账户中的全部缴费本息，转移归集到原参保地或待遇领取地。但参保人员经县级以上党委组织部门、人力资源和社会保障行政部门批准调动，且与调入单位建立劳动关系并缴纳基本养老保险费的，不受以上年龄规定限制，应在调入地及时办理基本养老保险关系转移接续手续。

跨省流动就业的参保人员达到待遇领取条件时，按下列规定确定其待遇领取地：(1)基本养老保险关系在户籍所在地的，由户籍所在地负责办理待遇领取手续，享受基本养老保险待遇；(2)基本养老保险关系不在户籍所在地，而在其基本养老保险关系所在地累计缴费年限满10年的，在该地办理待遇领取手续，享受当地基本养老保险待遇；(3)基本养老保险关系不在户籍所在地，且在其基本养老保险关系所在地累计缴费年限不满10年的，将其基本养老保险关系转回上一个缴费年限满10年的原参保地办理待遇领取手续，享受基本养老保险待遇；(4)基本养老保险关系不在户籍所在地，且在每个参保地的累计缴费年限均不满10年的，将其基本养老保险关系及相应资金归集到户籍所在地，由户籍所在地按规定办理待遇领取手续，享受基本养老保险待遇。

第二十条　国家建立和完善新型农村社会养老保险制度。

新型农村社会养老保险实行个人缴费、集体补助和政府补贴相结合。

【释义】 本条是关于建立和完善新型农村社会养老保险制度和新型农村养老保险筹资方式的规定。

1. 关于新型农村社会养老保险。新型农村社会养老保险是与20世纪90年代开展的以个人缴费为主、完全个人账户的农村社会养老保险相对而言的，是指在基本模式上实行社会统筹与个人账户相结合，在筹资方式上实行个人缴费、集体补助、政府补贴相结合的社会养老保险制度。1991年，经国务院同意，民政部开始选择部分县市进行农村社会养老保险试点，在总结经验的基础上，民政部于1992年1月正式下发了《县级农村社会养老保险基本方案（试行）》，明确资金筹集坚持以个人交纳为主，集体补助为辅，国家给予政策扶持的原则。国家予以政策扶持，主要是通过对乡镇企业支付集体补助予以税前列支体现。1995年10月，国务院办公厅转发了民政部《关于进一步做好农村社会养老保险工作的意见》，要求各地加强领导，积极推进农村社会养老保险制度建设。到2007年底，全国有28个省、自治区、直辖市的1805个县（市、区、旗）开展了农村养老保险工作，5171万农民参保，积累保险基金412亿元，392万参保农民领取养老金。由于是以个人缴费为主，财政没有补贴，待遇低，农民参保的积极性不高。从2003年，我国开始积极推动各地开展探索建立个人缴费、集体补助、政府补贴为筹资机制的新型农村社会养老保险试点。到2008年6月，全国25个省、自治区、直辖市的305个县（市、区、旗）开展了试点，取得较好的效果。在此基础上，2009年9月，国务院出台了《关于开展新型农村社会养老保险试点的指导意见》,提出年满16周岁、未参加城镇职工基本养老保险的农村居民,可以自愿参加新型农村社会养老保险,新型农村社会养老保险实行政府主导和农民自愿相结合,引导农村居民普遍参保。按照指导意见的要求,2009年试点覆盖面为在全国10%的县(市、区、旗),以逐步扩大试点。这项政策出台后,地方政府推进的积极性非常高,推进的步伐远超过指导意见的要求,有的省在所有县(市)同时推开。2010年试点覆盖面扩大到全国23%的县(市)。

建立新型农村社会养老保险制度,是加快建立覆盖城乡居民的社会保障体系的要求。目前,我国正在向工业化、城镇化迈进,传统的家庭结构发生重大变化,农村家庭养老的模式受到冲击,农民的养老问题越来越突出。建立新型农村社会养老保险制度,解决了农村居民老有所养问题,改变几千年来农民依靠家庭养老和土地养老的现状,是一个巨大的历史进步,是继取消农业税和对农业直接补贴之后又一项重大的惠农措施,对于缩小城乡差别,改革城乡二元结构,促进农村改革、发展和稳定具有重要的意义。

2. 关于新型农村社会养老保险的筹资方式。新型农村社会养老保险与原来的农村社会养老保险最主要的区别就是筹资方式上增加了政府补贴。根据指导意见,新型农村社会养老保险实行个人缴费、集体补助和政府补贴相结合的筹资方式:(1)关于个人缴费。指导意见规定,参加新农保的农村居民应当按规定缴纳养老保险费。缴费标准目前设为每年100元、200元、300元、400元、500元5个档次,地方可以根据实际情况增设缴费档次。参保人自主选择档次缴费，多缴多得。国家依据农村居民人均纯收入增长等情况适时调整缴费档次。(2)关于集体补助。指导意见规定，有条件的村集体应当对参保人缴费给予补助，补助标准由村民委员会召开村民会议民主确定。鼓励其他经济组织、社会公益组织、个人为参保人缴费提供资助。(3)关于政府补贴。指导意见规定，政府对符合领取条件的参保人全额支付新农保基础养老金，其中中央财政对中西部地区按中央确定的基础养老金标准给予全额补助，对东部地区给予50%的补助。目前中央确定的基础养老金标准为每人每月55元。地方政府应当对参保人缴费给予补贴，补贴标准不低于每人每年30元；对选择较高档次标准缴费的，可给予适当鼓励，具体标准和办法由省(区、市)人民政府确定。对农村重度残疾人等缴费困难群体，地方政府为其代缴部分或全部最低标准的养老保险费。

第二十一条　新型农村社会养老保险待遇由基础养老金和个人账户养老金组成。

参加新型农村社会养老保险的农村居民，符合国家规定条件的，按月领取新型农村社会养老保险待遇。

【释义】　本条是关于新型农村社会养老保险待遇的规定。

1. 关于新型农村社会养老保险待遇。养老保险待遇由基础养老金和个人账户养老金组成。(1)关于基础养老金。中央确定的基础养老金标准为每人每月55元。地方政府可以根据实际情况提高基础养老金标准，如北京市基础养老金标准为每人每月 280 元。对于长期缴费的农村居民，可适当加发基础养老金，提高和加发部分的资金由地方政府支出。国家根据经济发展和物价变动等情况，适时调整全国新农保基础养老金的最低标准。(2)关于个人账户养老金。国家为每个新型农村社会养老保险参保人建立终身记录的养老保险个人账户。个人缴费，集体补助及其他经济组织、社会公益组织、个人对参保人缴费的资助，地方政府对参保人的缴费补贴，全部记入个人账户。个人账户储存额目前每年参考中国人民银行公布的金融机构人民币一年期存款利率计息。个人账户养老金的月计发标准为个人账户全部储存额除以 139(与现行城镇职工基本养老保险个人账户养老金计发系数相同)。参保人死亡，个人账户中的资金余额，除政府补贴外，可以依法继承；政府补贴余额用于继续支付其他参保人的养老金。

2. 养老金待遇领取条件。根据指导意见规定，年满 60 周岁、未享受城镇职工基本养老保险待遇的农村有户籍的老年人，可以按月领取养老金。新农保制度实施时，已年满 60 周岁、未享受城镇职工基本养老保险待遇的，不用缴费，可以按月领取基础养老金，但其符合参保条件的子女应当参保缴费；距领取年龄不足 15 年的，应按年缴费，也允许补缴，累计缴费不超过 15 年；距领取年龄超过 15 年的，应按年缴费，累计缴费不少于 15 年。

第二十二条　国家建立和完善城镇居民社会养老保险

制度。

省、自治区、直辖市人民政府根据实际情况,可以将城镇居民社会养老保险和新型农村社会养老保险合并实施。

【释义】 本条是关于城镇居民社会养老保险的规定。

城镇居民社会养老保险是一些地方探索建立的由城镇非就业居民参加的一项社会养老保险制度。在制度模式上也是实行个人账户与基础养老金相结合,筹资方式是实行个人缴费、集体补助与政府补贴相结合。目前城镇居民社会养老保险还不是一项成熟的社会保险制度,没有全国统一的制度安排。本法顺应社会发展的需要,实现全体公民养老保险金覆盖,对建立和完善城镇居民社会养老保险提出原则要求。

1. 关于城镇居民社会养老保险的制度模式、筹资方式和待遇。从一些地方实施的情况看,城镇居民社会养老保险也是实行社会统筹和个人账户相结合的制度模式,筹资方式基金是由参保的城镇居民个人和财政补贴构成。基础养老金由财政负担,个人缴费和各级政府对参保人员缴费补贴进入个人账户。如陕西省《关于开展城镇居民社会养老保险试点的指导意见》规定,参加城镇居民社会养老保险的个人应按年度缴纳养老保险费。缴费标准目前设为每年200元、400元、600元、800元、1000元、1500元6个档次,各市可根据实际情况增设缴费档次。参保人员自主选择缴费档次,多缴多得。政府对参保人员缴费给予财政补贴,补贴标准为每人每年60元。对按600元标准缴费者每人每年增加补贴20元,800元标准缴费者增加补贴30元,1000元及以上标准缴费者增加补贴 40 元。财政补贴资金由省、市、县三级共同承担。其中省级承担 50%，市、县分担比例由各市自行确定。关于对残疾人的补贴；重度残疾人参保按最低缴费标准，由省财政全额补贴；中度或者轻度残疾人参保缴费可由市、县财政给予适当补贴，补贴标准由各市自行确定，所需资金由市、县财政负担。政府为每个参加城镇居民社会养老保险的参保人员建立养老保险个人账户。个人缴费、各级政府对参保人员缴费补贴及其他收入全部记入个人账户。个人账户储存额每年参考中国人民银行公布的金融机构人民币一年期存款利率计息。养老保险待遇由基础养老金和个人账户养老金组成，支付终身。城镇居民社会养老保险制度实施时，年满 60 周岁及以上人员，个人不再缴费，按月领取基础养老金；制度实施时年满 45 周岁及以上人员按年度缴费直至年满 60 周岁（含补缴）；以及制度实施时 45 周岁以下人员按年度缴费，且缴费年限在 15 年以上并年满 60 周岁（含补缴），按月领取养老金。基础养老金月标准原则上按不低于 100 元确定，具体由各市结合实际确定。个人账户养老金的月计发标准为个人账户全部储存额除以 139。参保人员死亡后，个人账户中的个人缴费余额（含利息），可依法继承。

城镇居民社会保养保险制度是我国基本养老保险制度的重要组成部分，它为一些收入较低，不能以灵活就业人员身份参加职工基本养老保险的城镇居民提供了参加养老保险的途径，实现了基本养老保险制度的全覆盖和所有公民的老有所养，是加快建立覆盖城乡居民的社会保障体系的要求。

2. 关于城镇居民社会养老保险和新型农村社会养老保险的合并实施。一些省、市在统筹城乡社会发展过程中，将城镇居民社会养老保险和新型农村社会养老保险作统一安排，建立城乡居民社会养老保险制度。如浙江省《关于建立城乡居民社会养老保险制度的实施意见》规定，具有本省户籍，年满 16 周岁（全日制学校在校学生除外），非国家机关、事业单位、社会团体工作人员，未参加职工基本养老保险的城乡居民，均可在户籍地参加城乡居民社会养老保险。将城镇居民社会养老保险和新型农村社会养老保险统筹安排、合并实施的还有北京、重庆等地。

第三章 基本医疗保险

第二十三条 职工应当参加职工基本医疗保险，由用人单位和职工按照国家规定共同缴纳基本医疗保险费。

无雇工的个体工商户、未在用人单位参加职工基本医疗保险的非全日制从业人员以及其他灵活就业人员可以参加职工基本医疗保险，由个人按照国家规定缴纳基本医疗保险费。

【释义】 本条是关于职工基本医疗保险覆盖范围和缴费的规定。

职工基本医疗保险是针对城镇所有用人单位和职工，以强制参保为原则的一项基本医疗保险制度。这一制度建立于20世纪90年代。在计划经济体制下，我国在城市实施的是劳保医疗和公费医疗制度。1993年，党的十四届三中全会提出了在20世纪末建立起社会主义市场经济体制基本框架的目标，确定在城镇建立社会统筹与个人账户相结合的职工医疗保险制度。国务院从1994年起，在江苏镇江和江西九江进行城镇职工医疗保险制度改革试点，试点后来扩大到二十多个省区的近四十多个城市。同时，国家将实施职工基本医疗保险制度纳入法制轨道，1995年制定的劳动法明确规定国家建立社会保险制度，使劳动者在年老、患病、工伤、失业、生育等情况下获得帮助和补偿,从而以国家立法的形式确立了我国建立包括基本医疗保险制度在内的五大社会保险制度。此后,国务院于1998年12月发布了《关于建立城镇职工基本医疗保险制度的决定》,决定在全国范围内进行城镇职工医疗保险制度改革。目前,城镇职工基本医疗保险制度已经在全国普遍建立,覆盖范围包括国家机关、企业事业单位职工和退休人员,并逐步扩大到灵活就业人员。截止到2010年6月底,参加职工基本医疗保险人数达22713万人,其中在职职工人数为17000万人,已退休人员5713万人。

1. 职工应当参加职工基本医疗保险。对于有用人单位的职工来说,其参加职工基本医疗保险是强制性的,必须参加。国务院《关于建立城镇职工基本医疗保险制度的决定》明确规定,城镇所有用人单位及其职工都要参加基本医疗保险,包括:企业(国有企业、集体企业、外商投资企业、私营企业等)、机关、事业单位、社会团体、民办非企业单位及其职工。医疗保险实行属地管理,所有用人单位及其职工都要按照属地管理原则参加所在统筹地区的基本医疗保险,执行统一政策,实行基本医疗保险基金的统一筹集、使用和管理。铁路、电力、远洋运输等跨地区、生产流动性较大的企业及其职工,可以相对集中的方式异地参加统筹地区的基本医疗保险。

关于缴费。基本医疗保险费由用人单位和职工双方共同负担。用人单位缴费率控制在职工工资总额的6%左右,职工缴费率一般为本人工资收入的2%。具体缴费比例由各统筹地区根据实际情况确定。目前,用人单位缴费率全国平均为7.43%,较高的如上海、北京分别达到10%和9%,最低的统筹地区为3%;个人缴费全国平均为2%。基本医疗保险基金由统筹基金和个人账户构成。职工个人缴纳的基本医疗保险费,全部计入个人账户。用人单位缴纳的基本医疗保险费分为两部分:一部分用于建立统筹基金,一部分划入个人账户。划入个人账户的比例一般为用人单位缴费的30%左右。

2. 灵活就业人员参加职工基本医疗保险。随着我国经济体制改革的进一步深化和产业结构的调整,以非全日制、临时性和弹性工作等灵活形式就业的人员逐步增加,这部分人的医疗保障问题日益突出。为解决灵活就业人员的医疗保障问题,本条明确规定无雇工的个体工商户、未在用人单位参加职工基本医疗保险的非全日制从业人员以及其他灵活就业人员可以参加职工基本医疗保险,按照国家规定缴纳基本医疗保险费。这里应当指出的是,灵活就业人员参加职工基本医疗保险实行自愿原则,这部分人员可以根据个人意愿决定是否参加基本医疗保险,这一点与用人单位的职工参加基本医疗保险的强制原则是不同的。原劳动和社会保障部于2003年出台了《关于城镇灵活就业人员参加基本医疗保险的指导意见》,规定灵活就业人员参加基本医疗保险要坚持权利和义务相对应、缴费水平与待遇水平相挂钩的原则。在参保政策和管理办法上既要与城镇职工基本医疗保险制度相衔接,又要适应灵活就业人员的特点。已与用人单位建立明确劳动关系的灵活就业人员,要按照用人单位参加基本医疗保险的方法缴费参保。其他灵活就业人员,要以个人身份缴费参保。

灵活就业人员参加基本医疗保险的缴费率原则上按照当地的缴费率确定。缴费基数可参照当地上一年职工年平均工资核定。灵活就业人员缴纳的医疗保险费纳入统筹地区基本医疗保险基金统一管理。

第二十四条 国家建立和完善新型农村合作医疗制度。

新型农村合作医疗的管理办法,由国务院规定。

【释义】 本条是关于国家建立和完善新型农村合作医疗制度的规定。

新型农村合作医疗制度是由政府组织、引导、支持,农民自愿参加,个人、集体和政府多方筹资,以大病统筹为主的农民医疗互助共济制度,是与改革前传统的农村合作医疗制度相对而言的。传统的农村合作医疗在改革开放前曾在保障农民获得基本卫生服务方面发挥了重要的作用,也为世界各国、特别是发展中国家解决普遍存在的问题提供了一个范例,不仅在国内受到农民群众的欢迎,而且在国际上得到好评。随着我国经济和社会的快速发展,传统的合作医疗制度遇到了许多新的问题,已不能适应新形势下为广大农民提供医疗保障的需要。2002 年 10 月,《中共中央、国务院关于进一步加强农村卫生工作的决定》明确指出:要逐步建立完善以大病统筹为主的新型农村合作医疗制度。到 2010 年,新型农村合作医疗制度要基本覆盖农村居民,使之成为覆盖全体农村居民的社会医疗保险制度。从 2003 年开始,国务院按照“财政支持、农民自愿、政府组织”的原则组织进行试点。到 2008

年，全国所有有农业人口的县（市、区）都建立了新型农村合作医疗制度，截至2009年底，参合人数达到8.33亿，年度筹资达944.35亿，受益人次达7.59亿，支出基金达922.92亿，成为世界上覆盖人口最多的一项基本医疗保障制度。

新型农村合作医疗制度的主要政策包括：

（1）基本原则。一是自愿参加，多方筹资。农民以家庭为单位自愿参加新型农村合作医疗，遵守有关规章制度，按时足额缴纳合作医疗经费；乡（镇）、村集体要给予资金扶持；中央和地方各级财政每年要安排一定专项资金予以支持。二是以收定支，保障适度。新型农村合作医疗制度要坚持以收定支、收支平衡的原则，既保证这项制度持续有效运行，又使农民能够享有最基本的医疗服务。要随着农村社会经济的发展和农民收入的增加，逐步提高新型农村合作医疗制度的社会化程度和抗风险能力。

（2）组织管理。新型农村合作医疗制度一般采取以县（市）为单位进行统筹。条件不具备的地方，在起步阶段也可采取以乡（镇）为单位进行统筹，逐步向县（市）统筹过渡。县级人民政府成立由有关部门和参加合作医疗的农民代表组成的农村合作医疗管理委员会，负责有关组织、协调、管理和指导工作。

（3）筹资标准。新型农村合作医疗制度实行个人缴费、集体扶持和政府资助相结合的筹资机制。目前，新型农村合作医疗的筹资水平约为年人均55元，原则上农民个人每年的缴费标准不低于10元，经济条件好的地区可相应提高缴费标准。有条件的乡村集体经济组织应对本地新型农村合作医疗制度给予适当扶持。

(4)政府补贴。政府对所有参加新型合作医疗的农民给予不低于40元的补贴,其中中央财政对中西部除市区以外参加新型农村合作医疗的农民每年每人补贴20元,地方财政的资助额要不低于20元。中央财政对东部省份也按中西部地区一定比例给予补贴。许多地方根据当地经济社会发展情况,适时提高补贴标准。

(5)资金管理。农村合作医疗基金是由农民自愿缴纳、集体扶持、政府资助的民办公助社会性资金,按照以收定支、收支平衡和公开、公平、公正的原则进行管理,专款专用,专户储存,不得挤占挪用。农村合作医疗基金由农村合作医疗管理委员会及其经办机构进行管理。农村合作医疗基金中农民个人缴费及乡村集体经济组织的扶持资金,原则上按年由农村合作医疗经办机构在乡(镇)设立的派出机构(人员)或委托有关机构收缴,存入农村合作医疗基金专用账户。

(6)对农村合作医疗基金的监管。农村合作医疗经办机构要定期向农村合作医疗管理委员会汇报农村合作医疗基金的收支、使用情况;要采取张榜公布等措施,定期向社会公布农村合作医疗基金的具体收支、使用情况,保证参加合作医疗的农民的参与、知情和监督的权利。

新型农村合作医疗制度的建立,有效缓解了广大农民的“看病难、看病贵”“因病返贫”等问题,减轻了疾病医疗负担,为促进农村经济社会发展发挥了重要的作用。为保证新型农村合作医疗制度的持续健康发展，本条授权国务院制定新型农村合作医疗的管理办法，在总结试点经验的基础上，对新型农村合作医疗的各项具体管理制度进行规范。目前，国务院已经将制定新型农村合作医疗管理条例列入立法计划。

第二十五条　国家建立和完善城镇居民基本医疗保险制度。

城镇居民基本医疗保险实行个人缴费和政府补贴相结合。

享受最低生活保障的人、丧失劳动能力的残疾人、低收入家庭六十周岁以上的老年人和未成年人等所需个人缴费部分，由政府给予补贴。

【释义】　本条是关于国家建立和完善城镇居民基本医疗保险制度的规定。

城镇居民基本医疗保险制度是以大病统筹为主，针对城镇非从业居民的一项基本医疗保险制度。2007 年 7 月 10 日，国务院发布了《关于开展城镇居民基本医疗保险试点的指导意见》，决定为实现基本建立覆盖城乡全体居民的医疗保障体系的目标，从 2007 年起开展城镇居民基本医疗保险试点，争取 2009 年试点城市达到 80% 以上，2010 年在全国全面推开，逐步覆盖全体城镇非从业居民。2010 年 6 月 1 日，人力资源和社会保障部又颁布了《关于做好 2010 年城镇居民基本医疗保险工作的通知》，要求今年各地要在全面建立城镇居民医疗保险制度的基础上，巩固和扩大覆盖面，提高参保率，城镇居民医疗保险参保率要达到 80%，有条件的地方要力争达到 90%，并将在校大学生全部纳入城镇居民医疗保险。此外，为适应就业形式多样化和人员流动加剧、城镇化速度加快的形势，国家在鼓励灵活就业人员参加城镇职工基本医疗保险的基础上，也鼓励符合条件的灵活就业人员、农民工等流动就业人员选择参加城镇居民医疗保险。对自愿选择参加城镇居民医疗保险的灵活就业人员和农民工，不得以户籍等原因设置参保障碍。通过确定简捷规范的工作程序，方便灵活就业人员、农民工等流动就业人员参保和享受待遇。

1. 城镇居民基本医疗保险的主要政策

（1）基本原则。开展城镇居民基本医疗保险试点工作的原则是：第一，坚持低水平起步，根据经济发展水平和各方面承受能力，合理确定筹资水平和保障标准，重点保障城镇非从业居民的大病医疗需求，逐步提高保障水平；第二，坚持自愿原则，充分尊重群众意愿，不搞强制，通过政策引导群众参保；第三，明确中央和地方政府的责任，中央确定基本原则和主要政策，地方制定具体办法，对参保居民实行属地管理；第四，坚持统筹协调，做好各类医疗保障制度之间基本政策、标准和管理措施等的衔接。

（2）参保范围。城镇中不属于城镇职工基本医疗保险制度覆盖范围的中小学阶段的学生（包括职业高中、中专、技校学生）、少年儿童和其他非从业城镇居民都可自愿参加城镇居民基本医疗保险。2008 年，国务院办公厅发布了《关于将大学生纳入城镇居民基本医疗保险试点范围的指导意见》，决定将各类全日制普通高等学校（包括民办学校）、科研院所中接受普通高等学历教育的全日制本专科生、全日制研究生纳入城镇居民基本医疗保险试点范围，按照属地原则参加学校所在地城镇居民基本医疗保险。

（3）筹资水平。试点城市根据当地的经济发展水平以及成年人和未成年人等不同人群的基本医疗消费需求，并考虑当地居民家庭和财政的负担能力，恰当确定筹资水平；探索建立筹资水平、缴费年限和待遇水平相挂钩的机制。从许多地区实践和测算的平均数值看，要保证基金支付比例在50%以上，筹资水平大体在城镇居民家庭人均可支配收入的2%左右。

（4）管理制度。原则上与职工基本医疗保险的规定一致，由人力资源和社会保障部门所属的医疗保险经办机构统一管理，居民参保实行属地管理。

2. 城镇居民基本医疗保险实行个人缴费和政府补贴相结合。城镇居民基本医疗保险以个人缴费为主，政府给予适当补贴。为了引导和帮助广大城镇居民积极参保，借鉴新型农村合作医疗的成功经验，城镇居民基本医疗保险实行了政府补贴的政策，对试点城市的参保居民，政府每年按不低于人均40元给予补贴，其中，中央财政从2007年起每年通过专项转移支付，对中西部地区按人均20元给予补贴。从2008年起，政府对参保居民的人均补贴标准由40元提高到80元，其中，中央财政对中西部地区的人均补贴标准由20元提高到

40 元，对东部地区的补贴标准也参照新型农村合作医疗的补贴办法相应提高。2010 年，政府对参保居民的人均补贴标准又进一步提高到 120 元，其中中央财政对中西部地区按人均 60 元给予补贴，对东部地区的补贴标准同比例提高。地方财政负担确有困难的，提高补贴标准可以分两年到位。需要说明的是，现行有关文件均规定城镇居民基本医疗保险实行“家庭缴费”，本条之所以改为“个人缴费”，主要是有的意见提出，不是所有的家庭成员都参加居民基本医疗保险，已经就业的参见职工基本医疗保险，没有就业的才参加居民基本医疗保险，所以改为“个人缴费”更准确。

一些试点城市在国家统一规定的补贴标准的基础上，根据当地财政的情况，提高了对部分参保居民的补贴标准。如广州市政府 2008 年颁布了《广州市城镇居民基本医疗保险试行办法》，规定老年人参保的，每人每年政府补贴 500 元，从而提高了老年居民参保的积极性。

3. 对困难人群参保给予特别保障。在上述一般补助的基础上，对享受最低生活保障，或者重度残疾的未成年人参保所需的个人缴费部分，政府原则上每年再按不低于人均 10 元给予补贴，其中，中央财政对中西部地区按人均 5 元给予补贴；对其他享受最低生活保障的人、丧失劳动能力的残疾人、低收入家庭六十周岁以上的老年人等困难居民参保所需个人缴费部分，政府每年再按不低于人均 60 元给予补贴，其中，中央财政对中西部地区按人均 30 元给予补贴。中央财政对东部地区参照新型农村合作医疗的补贴办法给予适当补贴。

第二十六条　职工基本医疗保险、新型农村合作医疗和城镇居民基本医疗保险的待遇标准按照国家规定执行。

【释义】　本条是关于职工基本医疗保险、新型农村合作医疗和城镇居民基本医疗保险的待遇标准的规定。

1. 职工基本医疗保险的待遇标准。根据国家现行的规定，职工基本医疗保险的统筹基金和个人账户要划定各自的支付范围，分别核算，不得互相挤占。个人账户主要支付门诊费用、住院费用中个人自付部分以及在定点药店购药费用。个人账户归个人使用，可以结转和继承。统筹基金用于支付住院医疗和部分门诊大病费用。统筹基金支付有起付标准和最高支付限额，起付标准原则上控制在当地职工年平均工资的10%左右，最高支付限额原则上控制在当地职工年平均工资的4倍左右。起付标准以下的医疗费用，从个人账户中支付或由个人自付。起付标准以上、最高支付限额以下的医疗费用，主要从统筹基金中支付，其支付比例目前全国平均为80%左右。统筹基金的具体起付标准、最高支付限额以及在起付标准以上和最高支付限额以下医疗费用的个人负担比例，由统筹地区根据以收定支、收支平衡的原则确定。

一些统筹地区在国家确立的待遇标准的基础上，根据本地区的具体情况，本着以收定支、收支平衡的原则，对本地区的职工基本医疗保险待遇标准作了进一步的细化规定。如北京市规定，在一个结算期内职工和退休人员发生的医疗费用，按医院等级和费用数额采取分段计算、累加支付的办法，由基本医疗保险统筹基金和个人按照以下比例分担：(1)在三级医院发生的医疗费用:起付标准至1万元的部分,统筹基金支付80%,职工支付20%; 超过1万元至3万元的部分,统筹基金支付85%,职工支付15%;超过3万元至4万元的部分,统筹基金支付90%,职工支付10%;超过4万元的部分,统筹基金支付95%,职工支付5%。(2)在二级医院发生的医疗费用:起付标准至1万元的部分,统筹基金支付82%,职工支付18%;超过1万元至3万元的部分,统筹基金支付87%,职工支付13%;超过3万元至4万元的部分,统筹基金支付92%,职工支付8%;超过4万元的部分,统筹基金支付97%,职工支付3%。(3)在一级医院以及家庭病床发生的医疗费用:起付标准至1万元的部分,统筹基金支付85%,职工支付15%;超过1万元至3万元的部分,统筹基金支付90%,职工支付10%;超过3万元至4万元的部分,统筹基金支付95%,职工支付5%;超过4万元的部分,统筹基金支付97%,职工支付3%。退休人员个人支付比例为职工支付比例的60%。

2. 新型农村合作医疗待遇标准。根据国务院办公厅于2003年、2004年分别转发的卫生部等部门制定的《关于建立新型农村合作医疗制度的意见》等文件的规定,新型农村合作医疗主要补助参合农民的大额医疗费用或者住院医疗费用。其中,住院费用的支付水平均为35%。有条件的地方,可实行大额医疗费用补助与小额医疗费用补助结合的办法,既提高抗风险能力又兼顾农民受益面。对参加新型农村合作医疗的农民,年内没有动用农村合作医疗基金的,安排进行一次常规性体检。农村合作医疗报销基本药物目录由各省、自治区、直辖市制订。各县(市)根据筹资总额,结合当地实际,科学合理地确定农村合作医疗基金的支付范围、支付标准和额度,确定常规性体检的具体检查项目和方式,防止农村合作医疗基金超支或过多结余。同时,鼓励参合农民充分利用乡镇以下医疗机构的服务。

3. 城镇居民基本医疗保险的待遇标准。根据2007年7月国务院发布的《关于开展城镇居民基本医疗保险试点的指导意见》,城镇居民基本医疗保险基金重点用于参保居民的住院和门诊大病医疗支出,有条件的地区可以逐步试行门诊医疗费用统筹。在支付政策上,城镇居民基本医疗保险只建立统筹基金,不建立个人账户,基金主要用于支付住院医疗和部分门诊大病费用。基金支付比例原则上低于职工基本医疗保险,但高于新型农村合作医疗,一般可以达到50%至60%左右。有条件的地方可以探索门诊普通疾病医疗费用统筹的保障办法,划出部分资金,专项用于支付一般门诊费用。2010年,为进一步减轻大病重病患者的医药费用负担,按照人力资源和社会保障部颁布的《关于做好2010年城镇居民基本医院保险工作的通知》的要求,基金最高支付限额要提高到居民可支配收入的6倍以上。同时要逐步提高住院医疗费用基金支付比例,原则上参保人员住院政策范围内医疗费用基金支付比例要达到60%,二级(含)以下医疗机构要达到70%。要求开展门诊统筹工作,2010年要在60%的统筹地区建立城镇居民医保门诊统筹。医疗保险基金结余较多的地方,可采取多种方式,加大对医疗负担过重的大病重病患者的保障力度。对儿童重大疾病患者,可以通过探索到指定医疗机构诊治、医疗保险基金对医疗机构按病种限额或定额结算、适当降低个人自付比例等方式,进一步减轻个人负担。同时,将城镇居民医保参保人员住院分娩和产前检查发生的符合规定的医疗费用纳入城镇居民医保基金支付范围。

目前,城镇居民基本医疗保险正处于试点阶段,一些试点地区根据本地情况制定了城镇居民基本医疗保险的规定,其中对待遇标准也作了明确的规定。如广州市政府 2008 年颁布的《广州市城镇居民基本医疗保险试行办法》规定:参保人员享受住院、门诊特定项目和指定慢性病医疗待遇,基金年度累计最高支付限额为上年度本市城镇单位职工年平均工资的 2 倍。首次参保缴费或年度中断缴费后重新参保缴费的参保人,在广州市一级定点医疗机构就医的,未成年人及在校学生的基金支付比例为 80%,非从业居民及老年居民的比例为 70%;在二级定点医疗机构就医的,未成年人及在校学生的基金支付比例为 70%,非从业居民及老年居民的比例为 60%;在三级定点医疗机构就医的,未成年人及在校学生的基金支付比例为 60%,非从业居民及老年居民的比例为 50%。连续两年及两年以上参保缴费的,原参加广州市城镇职工基本医疗保险或城镇灵活就业人员医疗保险的人员,在停保后 3 个月内转换按本办法参保缴费的,居民医疗保险基金对各等级医院的支付比例分别增加 5 个百分点。

第二十七条　参加职工基本医疗保险的个人,达到法定

退休年龄时累计缴费达到国家规定年限的，退休后不再缴纳基本医疗保险费，按照国家规定享受基本医疗保险待遇；未达到国家规定年限的，可以缴费至国家规定年限。

【释义】 本条是关于参加职工基本医疗保险的个人退休时享受基本医疗保险待遇的规定。

1. 参加职工基本医疗保险的个人，达到法定退休年龄时累计缴费达到国家规定年限的，退休后不再缴纳基本医疗保险费，按照国家规定享受基本医疗保险待遇。这一制度的确立，体现了职工基本医疗保险互助共济的特点，也体现了权利与义务相一致的原则。职工在年轻、健康时参加医疗保险，由其个人和所在单位共同缴纳医疗保险费，一方面是承担了社会责任，为医疗保险基金能够发挥统筹调剂，均衡医疗费用负担，分散医疗风险的功能做出了贡献；另一方面也为自己在年老、多病时积累了医疗保险基金，其退休后有权享受相应的医疗保险待遇，不需要再尽缴费的义务。

(1)最低缴费年限，是指职工实现退休后继续享受医疗保险待遇，不需要再缴纳基本医疗保险费所应达到的最低缴纳医疗保险费的年限。目前对最低缴费年限没有全国的统一规定，由各统筹地区根据本地情况来确定。从目前各地方规定的情况看，一般为男职工三十年，女职工二十五年，但也有一些经济条件比较好的地方规定的年限门槛比较低，如北京市规定，累计缴纳基本医疗保险费男满二十五年、女满二十年的，按照国家规定办理了退休手续，按月领取基本养老金或者退休费的人员，享受退休人员的基本医疗保险待遇，不再缴纳基本医疗保险费。

(2)法定退休年龄。国务院于1978年6月颁布了《国务院关于安置老弱病残干部的暂行办法》和《国务院关于工人退休、退职的暂行办法》,对退休年龄的问题作出了规定。党政机关、群众团体、企业、事业单位的干部,男年满六十周岁,女年满五十五周岁,参加工作年限满十年的,可以退休。男年满五十周岁,女年满四十五周岁,参加工作年限满十年的,经过医院证明完全丧失工作能力的,可以退休。企业、事业单位和党政机关、群众团体的工人,男年满六十周岁,女年满五十周岁,连续工龄满十年,或者从事井下、高空、高温、特别繁重体力劳动或者其他有害身体健康的工作,男年满五十五周岁、女年满四十五周岁,连续工龄满十年的,应该退休。男年满五十周岁,女年满四十五周岁,连续工龄满十年,由医院证明,并经劳动鉴定委员会确认,完全丧失劳动能力的,应该退休。

2. 参加职工基本医疗保险的个人,退休时未达到国家规定年限的,可以缴费至国家规定年限。职工由于这样那样的原因,可能在达到法定退休年龄时,其缴纳基本医疗保险的年限未达到国家规定的最低缴费年限。对这样的职工,为了更好地保障他们在退休后的医疗待遇,本条规定允许其采用补缴的方式缴费至国家规定年限,补缴的费用包括其实际缴费年限与国家规定的最低缴费年限相差的期间内,应当由用人单位和个人缴纳的全部医疗保险费用。如《北京市基本医疗保险规定》规定,本规定施行(2001年4月1日)前参加工作施行后退休,缴纳基本医疗保险费不满最低缴费年限的,由本人一次性补足应当由用人单位和个人缴纳的基本医疗保险费后，享受退休人员的基本医疗保险待遇，不再缴纳基本医疗保险费。云南省规定，参保人退休时缴费年限未达到本省规定的最低年限的，应以本人退休前一个月的缴费基数和参保地的单位缴费费率，一次性补缴满上述规定的缴费年限后，享受城镇职工基本医疗保险规定的退休人员医疗保险待遇。

第二十八条　符合基本医疗保险药品目录、诊疗项目、医疗服务设施标准以及急诊、抢救的医疗费用，按照国家规定从基本医疗保险基金中支付。

【释义】　本条是关于基本医疗保险基金支付制度的有关规定。

基本医疗保险基金支付的范围包括参保人员治病所需要的基本用药、基本诊疗项目、医疗服务设施以及急诊、抢救的医疗费用。这些费用只有纳入基本医疗保险药品目录、诊疗项目目录的范围，符合医疗服务设施标准，才能由统筹基金予以支付。国家确定基本医疗保险药品目录、诊疗项目、医疗服务设施标准等，一方面有利于保障参保人员在生病时能够切实享受到必要的医疗待遇；另一方面也有利于加强对基本医疗保险基金的支出管理，保证基金的安全。

1. 基本医疗保险药品目录。基本医疗保险用药范围通过制定《基本医疗保险药品目录》（以下简称《药品目录》）进行管理。纳入《药品目录》的药品，应是临床必需、安全有效、价格合理、使用方便、市场能够保证供应的药品，并具备下列条件之一:(1)《中华人民共和国药典》(现行版)收载的药品;(2)符合国家药品监督管理部门颁发标准的药品;(3)国家药品监督管理部门批准正式进口的药品。此外,以下药品不能纳入基本医疗保险用药范围:(1)主要起营养滋补作用的药品;(2)部分可以入药的动物及动物脏器,干(水)果类;(3)用中药材和中药饮片泡制的各类酒制剂;(4)各类药品中的果味制剂、口服泡腾剂;(5)血液制品、蛋白类制品(特殊适应症与急救、抢救除外);(6)社会保险行政部门规定基本医疗保险基金不予支付的其他药品。

《药品目录》中的西药和中成药在《国家基本药物》的基础上遴选,并分“甲类目录”和“乙类目录”。“甲类目录”的药品是临床治疗必需,使用广泛,疗效好,同类药品中价格低的药品。“乙类目录”的药品是可供临床治疗选择使用,疗效好,同类药品中比“甲类目录”药品价格略高的药品。“甲类目录”由国家统一制定,各地不得调整。“乙类目录”由国家制定,各省、自治区、直辖市可根据当地经济水平、医疗需求和用药习惯,适当进行调整,增加和减少的品种数之和不得超过国家制定的“乙类目录”药品总数的15%。基本医疗保险参保人员使用“甲类目录”的药品所发生的费用,按基本医疗保险的规定支付。使用“乙类目录”的药品所发生的费用,先由参保人员自付一定比例,再按基本医疗保险的规定支付。个人自付的具体比例,由统筹地区规定,报省、自治区、直辖市社会保险行政部门备案。使用中药饮片所发生的费用,除基本医疗保险基金不予支付的药品外,均按基本医疗保险的规定支付。《药品目录》原则上每两年调整一次，各省、自治区、直辖市的《药品目录》也进行相应调整。

2. 基本医疗保险诊疗项目。基本医疗保险诊疗项目是指符合以下条件的各种医疗技术劳务项目和采用医疗仪器、设备与医用材料进行的诊断、治疗项目：（1）临床诊疗必需、安全有效、费用适宜的诊疗项目；（2）由物价部门制定了收费标准的诊疗项目；（3）由定点医疗机构为参保人员提供的定点医疗服务范围内的诊疗项目。基本医疗保险诊疗项目通过制定基本医疗保险诊疗项目范围和目录进行管理。一些非临床诊疗必需、效果不确定的诊疗项目以及属于特需医疗服务的诊疗项目，基本医疗保险不予支付。基本医疗保险支付部分费用的诊疗项目范围包括：（1）诊疗设备及医用材料类，包括应用χ－射线计算机体层摄影装置（CT）、立体定向放射装置（γ－刀、χ－刀）、心脏及血管造影χ线机（含数字减影设备）、核磁共振成像装置（MRI）、单光子发射电子计算机扫描装置（SPECT）、彩色多普勒仪、医疗直线加速器等大型医疗设备进行的检查、治疗项目；体外震波碎石与高压氧治疗；心脏起搏器、人工关节、人工晶体、血管支架等体内置换的人工器官、体内置放材料；各省物价部门规定的可单独收费的一次性医用材料。（2）治疗项目类，包括血液透析、腹膜透析；肾脏、心脏瓣膜、角膜、皮肤、血管、骨、骨髓移植；心脏激光打孔、抗肿瘤细胞免疫疗法和快中子治疗项目。此外，各省社会保险行政部门规定的价格昂贵的医疗仪器与设备的检查、治疗项目和医用材料费用，也纳入支付范围。属于基本医疗保险支付部分费用诊疗项目目录以内的，先由参保人员按规定比例自付后，再按基本医疗保险的规定支付。对于国家基本医疗保险诊疗项目范围规定的基本医疗保险支付部分费用的诊疗项目，各省可根据实际适当调整，但必须严格控制调整的范围和幅度。

3. 基本医疗服务设施标准。基本医疗保险医疗服务设施是指由定点医疗机构提供的，参保人员在接受诊断、治疗和护理过程中必需的生活服务设施。基本医疗保险医疗服务设施费用主要包括住院床位费及门（急）诊留观床位费。对已包含在住院床位费或门（急）诊留观床位费中的日常生活用品、院内运输用品和水、电等费用，基本医疗保险基金不另行支付，定点医疗机构也不得再向参保人员单独收费。基本医疗保险基金不予支付的生活服务项目和服务设施费用，主要包括：(1)就（转）诊交通费、急救车费；(2)空调费、电视费、电话费、婴儿保温箱费、食品保温箱费、电炉费、电冰箱费及损坏公物赔偿费；(3)陪护费、护工费、洗理费、门诊煎药费；(4)膳食费；(5)文娱活动费以及其他特需生活服务费用。其他医疗服务设施项目是否纳入基本医疗保险基金支付范围，由各省（自治区、直辖市）社会保险行政部门规定。基本医疗保险住院床位费支付标准，由各统筹地区社会保险行政部门按照本省物价部门规定的普通住院病房床位费标准确定。需隔离以及危重病人的住院床位费支付标准，由各统筹地区根据实际情况确定。

除了上述三类费用外，急诊、抢救的医疗费用也按照国家规定从基本医疗保险基金中支付。

第二十九条　参保人员医疗费用中应当由基本医疗保险基金支付的部分，由社会保险经办机构与医疗机构、药品经营单位直接结算。

社会保险行政部门和卫生行政部门应当建立异地就医医疗费用结算制度，方便参保人员享受基本医疗保险待遇。

【释义】　本条是关于基本医疗保险费用结算制度的规定。

1. 参保人员医疗费用中应当由基本医疗保险基金支付的部分，由社会保险经办机构与医疗机构、药品经营单位直接结算。这一制度的确立，改变了过去那种参保人员看病，先由本人支付全部医疗费用，然后再就其中应由医疗保险基金支付的部分，去社会保险经办机构报销的做法，参保人员就医时只需支付个人应承担的医疗费，免除了先行垫付医疗费用，特别是数额比较大的医疗费的负担，同时也省去了再去医疗保险经办机构报销的麻烦，极大地方便了参保人员，体现了基本医疗保险服务更加注重以人为本的理念。

上述医疗保险费用直接结算的制度最早确立于十年前。1999 年 6 月，劳动和社会保障部、国家经济贸易委员会、财政部、卫生部、国家中医药管理局联合发布文件，规定属于基本医疗保险基金支付的医疗费用，应全部纳入结算范围，一般由社会保险经办机构与定点医疗机构和定点零售药店直接结算。暂不具备条件的，可先由参保人员或用人单位垫付，然后由社会保险经办机构与参保人员或用人单位结算。随着我国基本医疗保险制度的不断发展和完善,在全国的范围内统一实施由社会保险经办机构与定点医疗机构和定点零售药店直接结算应由基本医疗保险基金支付的医疗费用这一制度的条件和时机已经成熟,因此本条明确规定了这一制度。目前,包括北京在内的十多个省、自治区、直辖市都已实现了住院医疗费用的即时结算,多数地区门诊医疗费用也已实现即时结算。在推行即时结算过程中,"社保卡"的发行和应用提供了有力支撑。截至 2010 年 6 月,全国已批准 140 多个统筹地区发卡 1.9 亿张,持卡人员达 7500 多万人。

2. 社会保险行政部门和卫生行政部门应当建立异地就医医疗费用结算制度,方便参保人员享受基本医疗保险待遇。

随着我国经济社会的快速发展,各地区之间人员流动往来日益频繁,发生异地就医的情况比较普遍。所谓异地就医,是指参加基本医疗保险的人员在自己所在的统筹地区以外的中国境内地区就医的情况。例如,一些退休老人离开自己原来的居住地,来到子女所在的地区生活。因为其是在原居住地参加的基本医疗保险,那么他退休后随子女到新的居住地生活,在新居住地就医看病的,就属于异地就医。发生异地就医的各种情形中,以职工退休后到异地居住的情况最为普遍。当前我国已经进入到老龄化的社会,有一亿四千多万的老年人,其中不少是参加了城镇职工基本医疗保险的退休人员。这些人员中有一部分随子女到异地居住,成为发生异地就医情况的主要群体。目前群众反映的异地就医难的一个主要原因是异地就医报销医疗费难，影响了参保人员享受基本医疗保险待遇。为了解决这一问题，本法明确要求社会保险行政部门和卫生行政部门应当建立异地就医医疗费用结算制度，方便参保人员享受基本医疗保险待遇。

当前，国家有关部门正在大力推进基本医疗保险区域统筹，建立异地协作机制，方便确需异地就医参保人员的医疗费用结算。2009 年，人力资源和社会保障部、财政部联合发布了《关于基本医疗保险异地就医结算服务工作的意见》，规定要切实加强和改进以异地安置退休人员为重点的基本医疗保险异地就医结算服务，总的指导思想是，以人为本、突出重点、循序渐进、多措并举，以异地安置退休人员为重点，提高参保地的异地就医结算服务水平和效率，加强就医地的医疗服务监控，大力推进区域统筹和建立异地协作机制，方便必须异地就医参保人员的医疗费用结算，减少个人垫付医疗费，并逐步实现参保人员就地就医、持卡结算。同时，各地应积极提高统筹层次，有条件的地区实行市（地）级统筹，在同一统筹地区范围内统一基本医疗保险的政策、标准和管理、结算方式，实行统一结算，减少异地就医结算。基本医疗保险异地就医结算制度包括以下几种情况：(1)参保人员短期出差、学习培训或度假等期间，在异地发生疾病并就地紧急诊治发生的医疗费用，一般由参保地按参保地规定报销。(2)参保人员因当地医疗条件所限需异地转诊的，医疗费用结算按照参保地有关规定执行。参保地负责审核、报销医疗费用。有条件的地区可经地区间协商，订立协议，委托就医地审核。(3)异地长期居住的退休人员在居住地就医，常驻异地工作的人员在工作地就医，原则上执行参保地政策。参保地经办机构可采用邮寄报销、在参保人员较集中的地区设立代办点、委托就医地基本医疗保险经办机构代管报销等方式，改进服务，方便参保人员。（4）对经国家组织动员支援边疆等地建设，按国家有关规定办理退休手续后，已按户籍管理规定异地安置的参保退休人员，要探索与当地医疗保障体系相衔接的办法。具体办法由参保地与安置地协商确定、稳妥实施。

为保障基本医疗保险异地就医结算的有效实施，需要加快基本医疗保险信息系统建设，有条件的地区实行城市间或区域间的信息、资源共享和联网结算。统筹地区经办机构要为在本地就医的异地参保人员和其参保地经办机构提供相应服务，对医疗服务进行监控。市（地）级统筹地区经办机构要加强对县（区）级经办机构的指导，做好医疗保险政策、信息系统建设、经办管理、医疗服务管理和技术标准等方面的衔接，保证异地就医结算服务工作顺利开展。省级人力资源社会保障等部门及经办机构在国家政策指导下，负责统一组织协调并实施省内参保人员异地就医结算服务工作，规范异地就医结算的业务流程、基金划转及基础管理等工作。同时，通过加强医疗保险信息系统建设，推行社会保障“一卡通”，逐步扩大联网范围，实现持卡结算。确有需要且有条件的省（自治区、直辖市）可建立异地就医结算平台。建立异地就医协作机制的地区，相关协作服务费标准由协作双方协商确定，所需经费列入同级财政预算。

第三十条　下列医疗费用不纳入基本医疗保险基金支付范围：

（一）应当从工伤保险基金中支付的；

（二）应当由第三人负担的；

（三）应当由公共卫生负担的；

（四）在境外就医的。

医疗费用依法应当由第三人负担，第三人不支付或者无法确定第三人的，由基本医疗保险基金先行支付。基本医疗保险基金先行支付后，有权向第三人追偿。

【释义】　本条是关于不纳入基本医疗保险基金支付范围的医疗费用的规定。

1. 应当从工伤保险基金中支付的。工伤保险是社会保险体系中立法最完善、制度最成熟、模式最统一的一项制度，也是世界上最早产生和最早进行国家立法的一项社会保险，其通过由职工所在的用人单位缴纳保险费的方式建立工伤保险基金，保障职工在受工伤时得到及时救治，并享受其他工伤保险待遇。工伤保险待遇针对伤残对象的不同，大体可分为四类：即工伤医疗康复待遇、辅助器具配置待遇、伤残待遇和死亡待遇。在工伤医疗康复待遇中，治疗工伤所需的挂号费、医疗康复费、药费、住院费等费用符合工伤保险诊疗项目目录、工伤保险药品目录、工伤保险住院服务标准的，从工伤保险基金中支付。为避免上述范围内的医疗费用支付与职工基本医疗保险基金支付的范围产生交叉，本条明确规定工伤职工因治疗工伤所需支付的医疗费用，凡是按照上述规定应当由工伤保险基金支付的，基本医疗保险基金不予支付。

2. 应当由第三人负担的。这主要是指由于第三人侵权，导致参保人员的人身受到伤害而产生的医疗费用。如参保人员被第三人打伤而入院治疗，由此产生的医疗费用，按照我国民法通则、侵权责任法等的规定，应由侵权人负担，基本医疗保险基金不予支付。如果此种情况下，侵权人（第三人）不支付该参保人员的医疗费，或者因侵权人逃逸等无法确定侵权人是谁的，为了保证受害的参保人员能够获得及时的医疗救治，本条规定由基本医疗保险基金先行支付该参保人员的医疗费用。基本医疗保险基金先行支付后，医疗保险经办机构从受害的参保人员那里取得代位追偿权，有权向第三人，即侵权人就其应当支付的医疗费用进行追偿。应当指出二点：一是这里规定的"第三人"既包括自然人，也包括法人或者其他组织；二是这里规定的"第三人不支付"的情形既包括第三人有能力支付而拒不支付的，也包括第三人没有能力而不能支付或者不能立即支付的。

3. 应当由公共卫生负担的。公共卫生是指政府组织全社会共同努力，改善社会卫生条件，预防控制传染病和其他疾病流行，培养良好卫生习惯和文明生活方式，达到预防疾病、促进人民群众身体健康所提供的医疗服务。公共卫生关系人民群众整体利益，主要由政府提供。政府应当向公民提供的基本公共卫生服务包括：计划免疫、妇幼保健、应急救治、采供血以及传染病、慢性病、地方病的预防控制等。我国现阶段的基本公共卫生服务，主要是由国家在上述范围内确定若干服务项目,免费向城乡居民提供。国家基本公共卫生服务项目所需费用纳入政府预算安排。2009 年,中央财政基本公共卫生服务专项补助资金为 104 亿元,我国人均基本公共卫生服务经费标准为不低于 15 元,到 2011 年将达到不低于 20 元。基本公共卫生服务的内容是根据居民的健康需要和政府的财政承受能力确定的。在保障国家确定的基本公共卫生服务均等化(即每个公民都能平等地获得)的基础上,鼓励地方政府根据当地经济水平和突出的公共卫生问题,适当增加基本公共卫生服务内容。目前,我国已经把一些突发公共卫生事件,如非典型肺炎等的应急救治费用纳入基本公共卫生服务的范围。此外,在一些危害比较大的传染病的防治工作中,对一些特定病人的治疗也列入基本公共卫生服务的范围。例如,根据《艾滋病防治条例》的规定,对农村艾滋病病人和城镇经济困难的艾滋病病人,由政府免费提供抗艾滋病病毒治疗药品。因此,凡是现阶段基本公共卫生服务能向公众免费提供的项目,不作为基本医疗保险基金支付的范围。

4. 在境外就医的。改革开放以来,中国公民大量走出国门,旅游、探亲、学习培训、从事商务活动等。这些公民虽然参加了基本医疗保险,其在境外就医发生的医疗费用,基本医疗保险基金也不予支付,可以通过参加所在国的医疗保险或者购买商业保险的方式予以解决。现在不少国家均要求外国人入境居留 3 个月以上的,必须购买商业医疗保险,用以支付可能发生的医疗费用。因此,参保人员在境外就医发生的医疗费用,可以通过购买商业保险的方式予以支付。这里所说的

“境外”包括我国以外的其他国家，以及我国香港、澳门特别行政区和台湾地区。

上述四项医疗费用，即使符合基本医疗保险药品目录、诊疗项目和医疗服务设施标准的要求，也不纳入基本医疗保险基金支付的范围。

第三十一条　社会保险经办机构根据管理服务的需要，可以与医疗机构、药品经营单位签订服务协议，规范医疗服务行为。

医疗机构应当为参保人员提供合理、必要的医疗服务。

【释义】 本条是关于社会保险经办机构通过与医疗机构、药品经营单位签订服务协议，规范医疗服务行为的规定。

为了保证基本医疗服务质量，加强基本医疗服务管理，社会保险经办机构可以根据管理服务的需要，与医疗机构、药品经营单位签订服务协议，规范医疗服务行为。与经办机构签订了服务协议的医疗机构、药品经营单位，称为定点医疗机构和定点药店。社会保险经办机构要根据中西医并举，基层、专科和综合医疗机构兼顾，方便参保人员就医的原则，负责确定定点医疗机构和定点药店，并同定点医疗机构和定点药店签订合同，明确各自的责任、权利和义务。在确定定点医疗机构和定点药店时，要引进竞争机制，参保人员可选择若干定点医疗机构就医，也可持处方在若干定点药店购药。基本医疗保险实行定点医疗机构和定点药店管理，是在总结国内外经验的基础上提出的。它有利于提高医疗卫生资源的利用效率，促进医疗机构合理竞争，提高医疗服务质量和降低医疗服务成本，控制医疗费用过快增长，保证医疗保险基本的收支平衡。目前，世界上大多数国家也采取这种做法来强化医疗服务管理，控制医疗保险费用支出。

1. 定点医疗机构。定点医疗机构是指经统筹地区社会保险行政部门审查，并经社会保险经办机构确定的，为基本医疗保险参保人员提供医疗服务的医疗机构。参保人员在获得定点资格的医疗机构范围内，提出个人就医的定点医疗机构选择意向，由所在单位汇总后，统一报送统筹地区社会保险经办机构。社会保险经办机构根据参保人的选择意向统筹确定定点医疗机构。获得定点资格的专科医疗机构和中医医疗机构，可作为统筹地区全体参保人员的定点医疗机构。除获得定点资格的专科医疗机构和中医医疗机构外，参保人员一般可再选择三至五家不同层次的医疗机构，其中至少应包括一至二家基层医疗机构。参保人员对选定的定点医疗机构，可在一年后提出更改要求，由统筹地区社会保险经办机构办理变更手续。参保人员应在选定的定点医疗机构就医，并可自主决定在定点医疗机构购药或持处方到定点零售药店购药。除急诊和急救外，参保人员在非选定的定点医疗机构就医发生的费用，基本医疗保险基金不予支付。参保人员在不同等级的定点医疗机构就医，个人负担医疗费用的比例可有所差别，以鼓励参保人员到基层定点医疗机构就医。

社会保险经办机构要与定点医疗机构签订包括服务人群、服务范围、服务内容、服务质量、医疗费用结算办法、医疗费用支付标准以及医疗费用审核与控制等内容的协议，明确双方的责任、权利和义务。协议有效期一般为一年。任何一方违反协议，对方均有权解除协议，但须提前三个月通知对方和有关参保人，并报统筹地区社会保险行政部门备案。社会保险经办机构要加强对定点医疗机构参保人员医疗费用的检查和审核。定点医疗机构有义务提供审核医疗费用所需的全部诊治资料及账目清单，对不符合规定的医疗费用，社会保险经办机构不予支付。

医疗机构取得定点资格以后，应严格按照服务协议的要求，为参保人员提供合理、必要的医疗服务。社会保险行政部门应会同卫生、物价等部门加强对定点医疗机构服务和管理情况的监督检查，防止医疗机构为降低医疗成本而减少必需的医疗服务，确保参保人员获得基本医疗保险规定的、诊疗疾病所必需的、合理的医疗服务。同时，也要通过加强监督检查防止医疗机构采取与参保人员串通等不正当手段骗取医疗保险基金，以保障基金的安全。对违反规定的定点医疗机构，社会保险行政部门可视不同情况，责令其限期改正，或通报卫生行政部门给予批评，或取消定点资格。

2. 定点药店。定点零售药店是指经统筹地区社会保险行政部门审查，并经社会保险经办机构确定的，为基本医疗保险参保人员提供处方外配服务的零售药店。统筹地区社会保险经办机构在获得定点资格的零售药店范围内确定定点零售药店，统发定点零售药店标牌，并向社会公布，供参保人员选择购药。

社会保险经办机构要与定点零售药店签订包括服务范围、服务内容、服务质量、药费结算办法以及药费审核与控制等内容的协议，明确双方的责任、权利和义务。协议有效期一般为一年。任何一方违反协议，对方均有权解除协议，但须提前通知对方和参保人员，并报社会保险行政部门备案。社会保险经办机构要加强对定点零售药店处方外配服务情况的检查和费用的审核。定点零售药店有义务提供与费用审核相关的资料及账目清单，对违反规定的费用，社会保险经办机构不予支付。

取得定点资格的药店要严格按照服务协议的要求，为参保人员购买药品提供良好的服务。社会保险行政部门要组织药品监督管理、物价、医药行业主管部门等有关部门，加强对定点零售药店处方外配服务和管理的监督检查。对违反规定的定点零售药店，社会保险行政部门可视不同情况，责令其限期改正，或取消其定点资格。

第三十二条　个人跨统筹地区就业的，其基本医疗保险关系随本人转移，缴费年限累计计算。

【释义】　本条是关于个人基本医疗保险关系转移接续制度的规定。

随着我国社会经济的快速发展，劳动者在不同地区之间的流动日益普遍。为了保证这部分人的基本医疗保险权益，本条明确了个人跨统筹地区就业的，其基本医疗保险关系随本人转移的制度。

已经参加城镇基本医疗保险的参保人员跨统筹地区就业的，其医疗保险关系随同转移，缴费年限累计计算。关于基本医疗关系转移接续手续的办理，按照2009年12月，人力资源和社会保障部、卫生部、财政部联合发布的《流动就业人员基本医疗保障关系转移接续暂行办法》的规定，城镇基本医疗保险参保人员跨统筹地区流动就业，新就业地有接收单位的，由单位按照《社会保险登记管理暂行办法》的规定办理登记手续，参加新就业地城镇职工基本医疗保险；无接收单位的，个人应在中止原基本医疗保险关系后的3个月内到新就业地社会保险经办机构办理登记手续，按当地规定参加城镇职工基本医疗保险或城镇居民基本医疗保险。城镇基本医疗保险参保人员跨统筹地区流动就业并参加新就业地城镇基本医疗保险的，由新就业地社会保险经办机构通知原就业地社会保险经办机构办理转移手续，不再享受原就业地基本医疗保险待遇。

本条强调了“缴费年限累计计算”，是为与本法第二十七条规定的个人“达到法定退休年龄时累计缴费达到国家规定年限的，退休后不再缴纳基本医疗保险费，按照国家规定享受基本医疗保险待遇”相衔接，确保退休人员不因跨多个统筹地区工作而影响其退休后的基本医疗保险待遇。

为方便跨统筹地区就业的人员办理基本医疗保险关系转移手续，《流动就业人员基本医疗保障关系转移接续暂行办法》要求社会保险经办机构要指定窗口或专人，办理流动就业人员的基本医疗保险登记和关系接续等业务；加强信息系统建设，及时记录更新流动人员参保缴费的信息，保证参保记录的完整性和连续性。此外，各地方社会保险经办机构要加强沟通和协作，共同做好基本医疗保险关系转移接续管理服务工作，简化手续，规范流程，共享数据，方便参保人员接续基本医疗保险关系和享受待遇。

建立基本医疗保险关系转移接续制度，一方面有利于维护跨统筹地区就业人员的医疗保险权益，使他们不会因为跨统筹地区就业而使自己已经参加的医疗保险关系中断，从而影响享受相应的医疗保险待遇；另一方面通过这一制度的建立，也有助于加快建立完善的医疗保险体系，扩大医疗保险覆盖面，促进人才和劳动力的合理流动，优化人力资源配置，体现社会公平，保证医疗保险制度的可持续发展。

第四章 工伤保险

第三十三条 职工应当参加工伤保险,由用人单位缴纳工伤保险费,职工不缴纳工伤保险费。

【释义】 本条是关于工伤保险的参保范围和缴费的规定。

1. 工伤保险的参保范围。工伤保险主要覆盖企业和有雇工的个体工商户,此外还有一部分事业单位、社会团体、民办非企业单位、基金会、律师事务所、会计师事务所等组织也参加工伤保险。

关于企业。企业是以营利为目的的经济性组织,包括法人企业和非法人企业,是本法的主要调整对象,包括在中国境内的各种形式的企业。按照所有制划分,有国有企业、集体企业、私营企业、外资企业;按照所在地域划分,有城镇企业、乡镇企业;按照企业的组织结构分,有公司、合伙、个人独资企业等。

关于有雇工的个体工商户。是指雇用2—7名学徒或者帮工、在工商行政管理部门进行登记的自然人。由于各地个体工商户的发展水平不同,在工伤保险制度实施之初,有雇工的个体工商户参加工伤保险的具体步骤和实施办法授权由各省、自治区、直辖市人民政府规定。随着劳动用工制度的逐步完善,近年来有雇工的个体工商户有了很大发展,涉及的行业逐步增多,工伤风险程度逐步增强,应当纳入工伤保险的覆盖范围,全国统一参加工伤保险。

关于事业单位、社会团体、基金会和民办非企业单位。目前,事业单位、社会团体、基金会和民办非企业单位中有一部分参加了工伤保险,按照《关于事业单位、民间非营利组织工作人员工伤有关问题的通知》,事业单位、民间非营利组织工作人员(社会团体、基金会和民办非企业单位)因工作遭受事故伤害或者患职业病的,其工伤范围、工伤认定、劳动能力鉴定、待遇标准等按照《工伤保险条例》的有关规定执行。其中,不属于财政拨款支持范围或没有经常性财政拨款的事业单位、民间非营利组织,参加统筹地区的工伤保险。依照或者参照国家公务员制度管理的事业单位、社会团体的工作人员,执行国家机关工作人员的工伤政策。除此以外的事业单位、民间非营利组织,可以参加统筹地区的工伤保险,也可按照国家机关工作人员的有关工伤政策执行。具体办法由省级人民政府根据当地经济社会发展和事业单位、民间非营利组织的具体情况确定。

关于灵活就业人员(自雇劳动者)。由于参加工伤保险的前提是建立劳动关系,并且工伤保险实行雇主责任制,由用人单位单方缴费,个人不缴费,因此未将自雇劳动者纳入工伤保险的覆盖范围。

2. 工伤保险费缴纳。工伤保险实行用人单位单方缴费制度。用人单位单方缴费体现了工伤保险的雇主责任制。

工伤是因职业带来的风险造成的,因此,用人单位有义务保障本单位职工的基本权利,使其在遇到工伤事故时能够在就医、生活等方面有所保障。但是,如果职工发生工伤后的待遇保障全部由用人单位来承担,将导致用人单位的经营风险过高,不利于社会经济的健康发展。为使用人单位既能履行保障本单位职工合法权益的义务,同时又能分散经营风险,本条规定由用人单位为本单位职工缴纳工伤保险费,职工在受到工伤事故伤害时由工伤保险基金为其支付相应的工伤保险待遇。本条在规定用人单位缴费义务的同时,也明确规定职工不缴纳工伤保险费,以防止用人单位采取各种手段,变相将工伤保险费分摊给职工个人。

第三十四条　国家根据不同行业的工伤风险程度确定行业的差别费率,并根据使用工伤保险基金、工伤发生率等情况在每个行业内确定费率档次。行业差别费率和行业内费率档次由国务院社会保险行政部门制定,报国务院批准后公布施行。

社会保险经办机构根据用人单位使用工伤保险基金、工伤发生率和所属行业费率档次等情况,确定用人单位缴费费率。

【释义】　本条是关于工伤保险费率如何确定的规定。

工伤保险费率实行以支定收、收支平衡的原则来确定,既要保证各项工伤保险待遇及各项合法项目的支出,同时又不要使基金有过多的积累。工伤保险费率的确定与用人单位的所属行业和工伤发生率等情况挂钩，这一点与养老、医疗、失业保险费率的确定方式不同。

实行“行业差别费率”和“行业内费率档次”确定工伤保险费率的初衷，主要是利用费率杠杆促进企业的工伤预防和安全生产。由于各行业在产业结构、生产类型、生产技术条件、管理水平等方面存在差异，表现出不同的职业伤害风险，为了体现保险费用公平负担，促使事故多的行业改进生产条件、提高生产技术、搞好安全生产，很多国家都实行了差别费率制度。据有关资料介绍，日本工伤保险现行有 50 多个费率；加拿大对企业的费率可以上下浮动 20% 左右，最高可达 30% ，对事故率高的企业给予惩罚，对事故率低的企业予以奖励，鼓励企业改善劳动条件，减少事故与职业病的发生。本法也规定，国家根据不同行业的工伤风险程度确定行业的差别费率，并根据工伤保险费使用、工伤发生率等情况在每个行业内确定若干费率档次。

由于影响工伤保险费率的主要因素是工伤保险费的使用，因此行业差别费率和行业内费率档次由国务院社会保险行政部门来制定，报国务院批准后公布施行。为了同时考虑到事故发生率和职业病的发病率对工伤保险的重要影响，按照国务院有关部门的分工，国家安全生产监督管理部门负责安全生产的管理、国家卫生行政管理部门负责职业病的预防与控制，因此，在实际操作中，国务院社会保险行政部门需会同国务院财政部门、卫生行政部门、安全生产监督管理部门来制定行业差别费率及行业内费率档次。

关于行业差别费率，按照《关于工伤保险费率问题的通知》，我国国民经济行业分为三类，分别确定不同的费率，平均缴费率原则上控制在职工工资总额的1%左右。一类行业属于风险较小行业，如金融保险、商业、餐饮业、邮电、广播等，基准费率为0.5%左右；二类行业为中等风险行业，如农林水利、一般制造业，基准费率为1%；三类行业为风险较大行业，如石油开采加工、矿山开采加工等，基准费率为2%左右。

关于用人单位内部浮动费率。目前实行的浮动费率的情况是：在三类行业中，一类行业不浮动，二类和三类行业的用人单位可实行浮动费率，依据是根据用人单位工伤保险费使用、工伤发生率、职业病危害程度等因素，一至三年浮动一次。具体浮动办法是，在行业基准费率的基础上，可上下各浮动两档。上浮第一档为本行业基准费率的120%，第二档为150%；下浮第一档为本行业基准费率的80%，第二档为50%。

本条规定，用人单位缴费费率由社会保险经办机构确定，依据是用人单位使用工伤保险基金、工伤发生率和所属行业费率档次等情况。具体计算方法是：由社会保险经办机构首先确定用人单位的所属行业种类和基准费率，再根据用人单位使用工伤保险基金、工伤发生率的情况确定用人单位内部的浮动费率档次，计算得出用人单位的缴费费率。工伤发生率是指用人单位在某一段时间内，本单位职工发生工伤事故或者患职业病的比例。这样的制度规定，使得工伤发生率越高、工伤保险基金使用越多，用人单位缴费就越多；工伤发生率越低、工伤保险基金使用越少，用人单位缴费越少，促使用人单位不断提高生产技术水平和管理水平，积极进行生产设施改造，加强安全生产意识，从而达到促进安全生产的目的。

第三十五条　用人单位应当按照本单位职工工资总额，根据社会保险经办机构确定的费率缴纳工伤保险费。

【释义】　本条是关于工伤保险费缴费基数和费率的规定。

缴费基数和缴费费率是工伤保险制度的核心内容，是计算用人单位缴纳工伤保险费数额的依据，缴费基数乘以缴费费率之积，即为用人单位应当缴纳的工伤保险费数额。

1. 关于缴费基数。用人单位应当以本单位职工工资总额为缴费基数来缴纳工伤保险费。“本单位职工工资总额”，是指用人单位直接支付给本单位全部职工的劳动报酬总额，有两点需要强调：一是支付的对象是全部职工，包括农民工、临时工等建立了劳动关系的各种用工形式、用工期限的所有劳动者，不仅限于用人单位职工花名册的在册职工。二是工资的构成是劳动报酬总额，包括计时工资、计件工资、奖金、津贴和补贴、加班加点工资以及特殊情况下支付的工资。

另外，在实践过程中，有的行业流动性大，缴费基数不易确定，难以按照工资总额缴纳工伤保险费。对于这类行业，可以在“以支定收、收支平衡”的总原则下，采取灵活有效的方式确定费率，国务院社会保险行政部门将对这类行业缴纳工伤保险费的具体方式作出特别规定，不再适用本款的规定。

2. 关于缴费费率。缴费费率是工伤保险制度的核心问题，决定着能否为工伤职工提供充分保障和救济，能否合理分担用人单位经营风险，能否使工伤保险制度有效运转。工伤保险费率的确定要兼顾参保各方的利益，工伤保险费率过高，将导致用人单位负担过重，影响其参加工伤保险的积极性；工伤保险费率过低，将造成基金支付能力不足，难以对工伤职工形成有效保障。工伤保险缴费费率按照本法第三十四条的规定来确定，先由国务院社会保险行政部门根据不同行业的工伤风险程度确定行业的差别费率，并根据使用工伤保险基金、工伤发生率等情况在每个行业内确定费率档次，再由社会保险经办机构根据用人单位使用工伤保险基金、工伤发生率和所属行业费率档次等情况，确定每一个用人单位应当缴纳的具体费率。目前，全国各行业工伤保险的费率幅度为0.5%—2.0%，原则上控制在1%左右。

第三十六条　职工因工作原因受到事故伤害或者患职业病，且经工伤认定的，享受工伤保险待遇；其中，经劳动能力鉴定丧失劳动能力的，享受伤残待遇。

工伤认定和劳动能力鉴定应当简捷、方便。

【释义】 本条是关于职工享受工伤保险待遇的规定。

1. 享受工伤保险待遇的条件。职工因工作原因受到事故伤害或者患职业病的，经过工伤认定可以享受工伤保险待遇。因工作原因受到事故伤害、患职业病是职工进行工伤认定，享受工伤保险待遇的条件。

第一，工作原因。因工作原因受到事故伤害，是指职工为履行工作职责、完成工作任务而受到事故伤害，是最为普遍的工伤情形。工作时间、工作地点和工作原因是工伤认定的三个基本要素，即“三工原则”，这也是国际上认定工伤的惯例。不同的职业伤害事件与时间、空间要素的关联程度不尽相同，但它们必定与职业活动有着内在的、或直接或间接的紧密联系，因此，工作原因是工伤认定的核心要素。判定是否因工作原因，应当从是否属于本岗工作、是否属于与工作有关的预备性或者收尾性工作、是否属于单位临时指派的工作、是否属于维护国家利益、公共利益的活动等方面考虑。在工伤认定中，要将工作时间、工作地点和工作原因三个要素联系在一起作出判定，但在前两个要素不易界定的情况下，工作原因的判定对于工伤认定具有关键的意义。

第二，事故伤害。职工在工作过程中，可能会遇到暴力、中毒、爆炸等各类事故，一般包括安全事故、意外事故以及自然灾害等各种形式的事故。事故的结果可能是对职工的人身造成伤害，致残或者致病，也可能是下落不明。如果是职工在因工外出期间发生事故下落不明的情况，很难确定职工是已经死亡还是暂时失去联系，本着尽量维护职工权益的基本精神，这种情况也应该认定为工伤。

第三，患职业病。职业病是指职工在职业活动中，因接触粉尘、放射性物质和其他有毒、有害物质等因素而引起的职业性疾病。关于职业病的分类，目前执行的是《职业病目录》，按照该目录的规定，职业病分为十类：尘肺、职业性放射性疾病、职业中毒、物理因素所致职业病、生物因素所致职业病、职业性皮肤病、职业性眼病、职业性耳鼻喉口腔疾病、职业性肿瘤和其他职业病。随着情况的发展变化，职业病的分类和目录也会不断作出调整，是否患有职业病，需经过医疗卫生机构的诊断，对诊断结果有异议的，可以向卫生行政部门申请职业病鉴定，《职业病诊断与鉴定管理办法》对职业病诊断和鉴定的程序、诊断鉴定的主体资格等作出了明确具体的规定。职工经诊断或鉴定确患职业病，并经过工伤认定属于工伤或视同工伤的，可以享受工伤保险待遇。

2. 享受工伤保险待遇的程序。享受工伤保险待遇要经过工伤认定和劳动能力鉴定。

关于工伤认定。工伤认定是指社会保险行政部门依据法律的授权，对职工因事故受到伤害或者患职业病的情形是否属于工伤或者视同工伤给予定性的行政确认行为，是受到事故伤害或者患职业病的职工享受工伤保险待遇的前提。工伤认定的结果包括认定为工伤、视同工伤、非工伤和不视同工伤。工伤认定的程序包括申请、受理、审核、调查核实、作出认定等，并有严格的时限规定。《工伤保险条例》明确规定了应当认定为工伤的情形、视同工伤的情形以及不得认定或视同工伤的情形。《工伤认定办法》也对工伤认定的申请、调查、时限、决定作出、争议处理等作出了具体的规定。

关于劳动能力鉴定。职工发生工伤，经治疗伤情相对稳定后存在残疾，影响劳动能力的，应当进行劳动能力鉴定。劳动能力鉴定是职工享受伤残待遇的重要前提。工伤职工进行劳动能力鉴定有三个条件：一是应在经过治疗，伤情处于相对稳定的状态后进行；二是必须存在残疾，主要表现在身体上的残疾，如某一器官的损伤或是肢体残疾等；三是必须对工作、生活产生了直接的影响，伤残程度已经影响到职工本人的劳动能力。劳动能力鉴定包括劳动功能障碍程度和生活自理障碍程度的等级鉴定：劳动功能障碍分为十个伤残等级，最重的为一级，最轻的为十级；生活自理障碍分为三个等级，分别为生活完全不能自理、生活大部分不能自理和生活部分不能自理。工伤职工经劳动能力鉴定丧失劳动能力的，享受伤残待遇。《工伤保险条例》分别对一至四级伤残、五六级伤残、七至十级伤残的因工致残职工的伤残待遇作出了具体规定，视情况的不同按照规定发给一次性医疗补助金、一次性伤残补助金、一次性伤残就业补助金和伤残津贴。

实践中，存在工伤认定和劳动能力鉴定的程序繁琐、时间较长的现象，导致工伤职工在等待认定、鉴定结果的时间内既不能享受医疗保险待遇，也不能享受工伤保险待遇，难以及时得到救济，尽快就医治疗，给工伤职工的健康和生活造成了很大的影响，也违背了工伤保险制度设立的初衷。因此，本法从工伤认定和劳动能力鉴定程序的角度作出了要求，规定工伤认定和劳动能力鉴定应当简捷、方便，以便于工伤职工及时就医，接受治疗，享受相应待遇。

第三十七条 职工因下列情形之一导致本人在工作中伤亡的，不认定为工伤：

（一）故意犯罪；

（二）醉酒或者吸毒；

（三）自残或者自杀；

（四）法律、行政法规规定的其他情形。

【释义】 本条是关于不认定为工伤情形的规定。

1. 故意犯罪。现行《工伤保险条例》规定，职工因犯罪或者违反治安管理伤亡的，不认定为工伤。本条改变了现有的制度规定，缩小了不认定为工伤的范围，规定职工仅在因故意犯罪导致在工作中伤亡的情形下，才不认定为工伤。之所以作这样的改变，是本着最大限度保护工伤职工合法权益的精神，使尽可能多的工伤职工能够享受到工伤保险待遇。

故意犯罪是指明知自己的行为会发生危害社会的结果，并且希望或者放任这种结果发生，因而构成犯罪的情形。职工因故意犯罪遭受事故伤害，仅指因职工本人实施故意犯罪导致的伤害，不包括侵权第三人实施故意犯罪导致职工受到伤害的情形。在工伤认定的过程中，犯罪职工的主观动机，也就是故意或者过失，对职工受伤性质的定性起着决定性作用。故意犯罪的社会影响恶劣，对国家、社会和公民的财产、利益等损害较大，本着引导公民遵纪守法的精神，对于故意犯罪的恶劣情形，应当对其设定一定的不利后果，将其排除在工伤保险制度之外，不予认定工伤、支付工伤保险待遇。有一点需要注意的是，在涉刑因素工伤案件的认定过程中，由于工伤认定机构的工作人员对相关法律、法规条款内容的掌握理解不一，时常导致对此类案件处理、认定标准不统一，出现不同机构对同一案件得出两种不同的处理结果的现象，引发了诸多争议。对于职工究竟是故意犯罪还是过失犯罪，应当依据司法机关的判决来判断，而不是由工伤认定机构或是社会保险行政部门自行判断，否则将有越权定罪的嫌疑。

对于过失犯罪，当事人应当预见自己的行为可能发生危害社会的结果，因为疏忽大意而没有预见，或者已经预见但轻信能够避免，以致发生不利后果。如果仅仅因为一时的疏忽或大意，就剥夺其享受工伤保险待遇的权利，有失公平，也有违工伤保险的初衷。在刑法中，对过失犯罪和故意犯罪的刑罚截然不同，也是为了体现以惩治恶性犯罪为主的精神，对于因过失导致的犯罪，我们不应剥夺其基本的社会保险权利，将其排除在工伤保险制度之外。对于违反治安管理秩序，尚不构成犯罪的情形，相比犯罪，涉案标的额较小，社会危害较轻，更不应将其排除在工伤保险制度之外。

总之，工伤认定应当从工伤保险的根本目的出发，尽可能地使因工作遭受伤害或患职业病的职工获得医疗救治和经济补偿，对一般的违反安全生产、技术性法规及操作制度，轻微违法，甚至过失犯罪的行为，只要不构成故意犯罪，就不影响工伤认定和享受工伤待遇。

2. 醉酒或者吸毒。关于醉酒。通过对行为人体内酒精含量的检测，如果发现行为人体内的酒精含量达到或超过一定标准，就应认定为醉酒。本法将因醉酒导致伤亡的情形排除在工伤认定的范围之外，主要是考虑国家的一些法律规定禁止醉酒后工作、醉酒后驾车等，因此，由于醉酒导致行为失去控制而引发的各种事故不能作为工伤处理，这样规定也是为了在一定程度上控制职工酒后工作，减少工伤事故的发生。

关于吸毒。现行《工伤保险条例》中，笼统地将“违反治安管理伤亡”的情形排除在工伤认定范围之外，没有特别指出吸毒行为，吸毒行为包含在“违反治安管理”的情形中。由于本法缩小了排除工伤认定的范围，删去了“违反治安管理”的情形，但吸毒仍应排除在工伤认定的范围之外，因此本条在列项时特意明确指出。吸毒是通俗说法，在医学上多称药物依赖和药物滥用，是指不以医疗为目的，采取各种方式滥用麻醉药品与精神药品。吸毒的方式既包括烟吸，也包括口服、鼻吸、肌肉注射和静脉注射等。吸毒对人的身体健康造成了严重损害，造成社会财富的巨大损失和浪费，毒品交易活动加剧了各种违法犯罪活动，扰乱了社会治安，给社会稳定带来巨大威胁。相比醉酒，吸毒在行为人的主观过错、社会危害性等方面，有过之而无不及，因此将其纳入排除工伤认定的情形也比较合理。

3. 自残或者自杀。自残是指通过各种手段和方法伤害自己的身体，并造成伤害结果的行为，自残的最极端情况就是自杀。有的自残、自杀是由于职工本身的精神健康状态不佳导致，有的则是为了获取较高的工伤保险赔付。自残或自杀与工作没有必然的因果联系，职工本人对自己的伤亡存在着主观故意，应当对伤亡自行承担后果，如将这种情形认定为工伤，工伤保险的赔付就会存在较高的道德风险，也有悖工伤保险制度的根本目的。

4. 法律、行政法规规定的其他情形。这是对不认定为工伤情形的兜底性规定。本条对不认定为工伤的三种情形作了列举,但现中情况复杂多变,不可能在法律中一一穷尽,随着社会的发展,也会不断出现新情况、新问题,为了使工伤认定的范围更加科学合理,本法授权法律、行政法规可以对工伤认定的排除作出规定。为了保证工伤保险制度的统一性和严肃性,避免随意扩大排除范围,损害参保职工的合法权益,本法将规定排除工伤认定范围的权利限于法律和行政法规,地方性法规无权作此规定。

第三十八条　因工伤发生的下列费用,按照国家规定从工伤保险基金中支付:

(一)治疗工伤的医疗费用和康复费用;

(二)住院伙食补助费;

(三)到统筹地区以外就医的交通食宿费;

(四)安装配置伤残辅助器具所需费用;

(五)生活不能自理的,经劳动能力鉴定委员会确认的生活护理费;

(六)一次性伤残补助金和一至四级伤残职工按月领取的伤残津贴;

(七)终止或者解除劳动合同时,应当享受的一次性医疗补助金;

(八)因工死亡的,其遗属领取的丧葬补助金、供养亲属

抚恤金和因工死亡补助金；

（九）劳动能力鉴定费。

【释义】 本条是关于工伤保险基金负担的工伤保险待遇的规定。

针对伤残对象的不同，由工伤保险基金负担的工伤保险待遇大体分为四类，即工伤医疗康复类待遇、辅助器具配置待遇、伤残待遇、死亡待遇。

1. 工伤医疗康复类待遇。工伤医疗康复类待遇主要包括以下四项：

一是治疗工伤的医疗费用和康复费用。包括治疗工伤所需的挂号费、医疗费、药费、住院费等费用和进行康复性治疗的费用。有三点需要注意：首先，职工治疗工伤应当在签订服务协议的医疗机构就医，情况紧急时可以先到就近的医疗机构急救；其次，治疗工伤的费用应符合工伤保险诊疗项目目录、工伤保险药品目录和工伤保险住院服务标准；最后，工伤职工治疗非工伤引发的疾病，不享受工伤医疗待遇，按照基本医疗保险的相关规定处理。

二是职工治疗工伤需要住院的，由工伤保险基金按照规定发给住院伙食补助费；经医疗机构出具证明，报经办机构同意，工伤职工到统筹地区以外就医的，所需交通、食宿费由工伤保险基金负担。按照现行《工伤保险条例》的规定，这两项费用应由用人单位支付，为了尽量减轻用人单位的负担，本法将这两项费用纳入了工伤保险基金的支付范围，自本法实施之日起，工伤职工的住院伙食补助费和外地就医所需交通、食宿费由工伤保险基金负担。此外，一次性医疗补助金也存在同样的情况。

三是生活不能自理的，经劳动能力鉴定委员会确认的生活护理费。生活自理障碍是劳动能力鉴定的一个重要内容，是发放生活护理费的依据。生活护理费按照生活完全不能自理、生活大部分不能自理或者生活部分不能自理三个不同等级支付，其标准分别为统筹地区上年度职工月平均工资的50%、40%或者30%。

四是劳动能力鉴定费。劳动能力鉴定是职工配置辅助器具、享受生活护理费、延长停工留薪期、享受伤残待遇等的重要前提和必经程序，劳动能力鉴定费用经常会产生，为了尽量减轻工伤职工的负担，本条规定劳动能力鉴定费也由工伤保险基金来支付。

2. 辅助器具配置待遇。工伤职工因日常生活或就业需要，经劳动能力鉴定委员会确认，可以安装矫形器、义肢、义眼、义齿和配置轮椅等辅助器具，所需费用按照国家规定的标准从工伤保险基金支付。职工遭受工伤事故后，由于身体器官缺损，会造成不同程度的生理功能障碍，进而会导致心理障碍并降低伤残者的生活质量。要恢复或提高工伤职工的身体功能，满足其日常生活和就业的需要，就应当为工伤职工提供安装义肢、矫形器、义眼、义齿和配置轮椅等辅助器具的服务。同时，在实践中也存在一些恶意套取伤残辅助器具装配费的现象，造成了基金的流失，因此，工伤职工应当经劳动能力鉴定委员会确认，才可以享受安装义肢、矫形器、义眼、义齿和配置轮椅等辅助器具的工伤保险待遇。

3. 伤残待遇。由工伤保险基金支付的伤残待遇包括一次性医疗补助金、一次性伤残补助金和一至四级伤残职工的伤残津贴。

一次性医疗补助金。职工因工致残被鉴定为五至十级伤残的，该职工与用人单位解除或者终止劳动关系后，由工伤保险基金支付一次性医疗补助金。需要说明的是，按照现行《工伤保险条例》的规定，一次性医疗补助金由工伤职工所在的用人单位支付，在实践中很多用人单位提出，缴纳工伤保险费，本来就是为了分散用人单位的经营风险，由工伤保险基金替用人单位分担一部分工伤医疗费用，现行的规定并没有使用人单位的负担减轻，影响了制度的吸引力。为使用人单位和工伤保险基金的责任分担更加科学合理，本法明确规定，一次性医疗补助金由工伤保险基金负担。

一次性伤残补助金是指职工因工致残并经劳动能力鉴定委员会评定伤残等级的，按照该伤残等级，从工伤保险基金中对其一次性支付的伤残补助费用，其数额为规定月数的本人工资，并且是一次性支付。工伤职工一经劳动能力鉴定委员会评定伤残等级，即说明其因工伤事故形成一定的劳动功能障碍，这极大地影响了其日后获取经济收入的能力和机遇，也与工伤事故存在重大的因果关系，应当予以赔偿。按照最新的政策，一次性伤残补助金根据伤残级别的不同，分别为7—27个月的职工本人工资，具体为：一级伤残27个月，二级伤残25个月，三级伤残23个月，四级伤残21个月，五级伤残

18个月,六级伤残16个月,七级伤残13个月,八级伤残11个月,九级伤残9个月,十级伤残7个月。

伤残津贴。伤残津贴按照伤残鉴定等级(1—10级)的不同而有所区别。工伤保险基金需要负担一至四级伤残职工按月领取的伤残津贴。一至四级伤残又称为完全丧失劳动能力,对这类伤残职工,与用人单位保留劳动关系,退出工作岗位,由工伤保险基金按月支付伤残津贴,具体标准为:一级伤残为本人工资的90%,二级伤残为本人工资的85%,三级伤残为本人工资的80%,四级伤残为本人工资的75%。伤残津贴实际金额低于当地最低工资标准的,由工伤保险基金补足差额。关于伤残津贴和养老保险的关系,工伤职工达到退休年龄并办理退休手续后,符合领取基本养老保险待遇条件的,停发伤残津贴,按照国家有关规定享受基本养老保险待遇。基本养老保险待遇低于伤残津贴的,由工伤保险基金补足差额;关于伤残津贴和医疗保险的关系,职工因工致残被鉴定为一至四级伤残的,由用人单位和职工个人以伤残津贴为基数,缴纳基本医疗保险费。

4. 死亡待遇。死亡待遇主要包括丧葬补助金、供养亲属抚恤金和因工死亡补助金。

丧葬补助金。职工因工死亡的,伤残职工在停工留薪期内因工导致死亡的,一至四级伤残职工在停工留薪期满后死亡的,其近亲属按照规定从工伤保险基金中领取丧葬补助金。丧葬补助金是安葬因工死亡职工、处理后事的必须费用。丧葬补助金按6个月的统筹地区上年度职工月平均工资的标准计发,计发对象是因工死亡职工的近亲属,一般包括:配偶、父母、子女、兄弟姐妹、祖父母、外祖父母、孙子女、外孙子女。

供养亲属抚恤金。按照因工死亡职工生前本人工资的一定比例计发,计发对象是由因工死亡职工生前提供主要生活来源、无劳动能力的亲属。具体标准为:配偶每月40%,其他亲属每人每月30%,孤寡老人或者孤儿每人每月在上述标准的基础上增加10%。核定的各供养亲属的抚恤金之和不应高于因工死亡职工生前的工资。该项待遇为长期待遇,一旦供养亲属具备、恢复劳动能力或者死亡的,供养亲属抚恤金即停止发放。

因工死亡补助金。按照旧有的制度规定,因工死亡补助金的标准为48个月至60个月的统筹地区上年度职工月平均工资,考虑到职工平均工资增长、物价上涨和基金结余情况等因素,最新的政策提高了因工死亡补助金的标准,改为按照上一年度全国城镇居民人均可支配收入的20倍计发。发放的对象为因工死亡职工的近亲属,当有数个近亲属时,对于工伤职工生前对其进了较多照顾义务的近亲属,应当予以照顾。

关于几种死亡待遇之间的关系有几点需要明确:伤残职工在停工留薪期内因工伤导致死亡的,其近亲属仅享受丧葬补助金;一级至四级伤残职工在停工留薪期满后死亡的,其近亲属可以享受丧葬补助金、供养亲属抚恤金;个人死亡同时符合领取基本养老保险丧葬补助金、工伤保险丧葬补助金和失业保险丧葬补助金条件的,其遗属只能选择领取其中的一项。

第三十九条　因工伤发生的下列费用,按照国家规定由

用人单位支付：

（一）治疗工伤期间的工资福利；

（二）五级、六级伤残职工按月领取的伤残津贴；

（三）终止或者解除劳动合同时，应当享受的一次性伤残就业补助金。

【释义】 本条是关于由用人单位负担的工伤保险待遇的规定。

1. 治疗工伤期间的工资福利。即职工享受停工留薪待遇，职工因工作遭受事故伤害或者患职业病需要暂停工作接受工伤医疗的，在停工留薪期内，除享受工伤医疗待遇外，原工资福利待遇不变，由所在用人单位按月支付。这样规定有利于保证工伤职工的工资福利待遇不因工伤而受到影响，但为了遏制小伤大养、休工无限期的投机现象，《工伤保险条例》对停工留薪的期限作了限定，工伤停工留薪期应当根据伤情的具体情况来确定，一般不超过12个月。停工留薪的时间，由已签订服务协议的治疗工伤的医疗机构提出意见，经劳动能力鉴定委员会确认。伤情严重或者情况特殊需要延长治疗期限的，经设区的市级劳动能力鉴定委员会确认，可以适当延长，但延长不得超过12个月。工伤职工评定伤残等级后，停发原有的工资待遇，按照有关规定享受伤残待遇。

2. 五级、六级伤残职工按月领取的伤残津贴。五级、六级伤残，一般称为大部分丧失劳动能力，对于这类工伤职工，保留其与用人单位的劳动关系，由用人单位安排适当工作，难以安排工作的，由用人单位按月发给伤残津贴，具体标准为：

五级伤残为本人工资的70%，六级伤残为本人工资的60%，并由用人单位按照规定为其缴纳应缴纳的各项社会保险费。伤残津贴实际金额低于当地最低工资标准的，由用人单位补足差额。与完全丧失劳动能力的工伤职工不同，五级、六级伤残职工还存有一部分劳动能力和就业能力，我们鼓励用人单位与其保留劳动关系，安排适当的工作，使其回归社会，实现自己的价值，这对于职工本人、用人单位和整个社会都有十分积极的作用，也是用人单位应当履行的义务。但如果实在难以安排合适的工作岗位，用人单位必须向工伤职工支付伤残津贴，以履行应负的义务。

3. 终止或者解除劳动合同时，按照规定应当享受的一次性伤残就业补助金。职工因工致残被鉴定为五级、六级伤残的，经工伤职工本人提出，该职工可以与用人单位解除或者终止劳动关系，由用人单位支付一次性伤残就业补助金；职工因工致残被鉴定为七至十级伤残的，劳动合同期满终止，或者职工本人提出解除劳动合同的，由用人单位支付一次性伤残就业补助金。实行这项补助，是为了保障这类部分或者大部分丧失劳动能力的工伤职工在与用人单位解除劳动关系后，在寻找到新的工作以前，能够负担基本的生活开支，并有能力继续接受治疗。此外，也由于伤残导致他们今后在就业时可能会与普通求职者存在一些差距，一次性伤残就业补助金是作为对其可能产生的就业弱势的补偿。由于各地的经济发展水平存在较大差异，决定了医疗消费水平和生活水平的差异，一次性伤残就业补助金的具体标准由省、自治区、直辖市人民政府规定，全国没有统一的标准。

第四十条　工伤职工符合领取基本养老金条件的，停发伤残津贴，享受基本养老保险待遇。基本养老保险待遇低于伤残津贴的，从工伤保险基金中补足差额。

【释义】　本条是关于伤残津贴和基本养老保险待遇如何衔接的规定。

伤残津贴与养老保险待遇的衔接，是对伤残等级为一至四级的工伤职工和五六级伤残职工中用人单位难以为其安排工作的工伤职工而言的。这部分工伤职工，已经完全丧失了劳动能力或难以找到合适的工作岗位，丧失了就业的条件，其基本生活依靠伤残津贴而非工资予以保障，因而产生了在退休后是继续享受伤残津贴，还是转而享受养老保险待遇的问题。其他的工伤职工，仍具有部分或大部分劳动能力，主要仍以工资收入保障其生活，工伤保险并不保障这些工伤职工的老年生活，他们退休后只能通过养老保险予以保障，因此他们不存在伤残津贴与养老保险待遇的衔接问题。

《企业职工工伤保险试行办法》规定，一至四级伤残职工应当退出生产、工作岗位，终止与企业的劳动关系，并按规定领取待遇，到达退休年龄时，继续由工伤保险基金支付伤残抚恤金，并将养老保险个人账户部分转入工伤保险基金。由此可看出，按照《企业职工工伤保险试行办法》的规定，一至四级伤残职工办理退休后，在工伤保险渠道继续享受伤残抚恤金直至死亡。而按照现行《工伤保险条例》的规定，一至四级伤残职工,保留与用人单位的劳动关系,退出工作岗位,达到退休年龄并办理退休手续后,停发伤残津贴,享受基本养老保险待遇。基本养老保险待遇低于伤残津贴的,由工伤保险基金补足差额。与《企业职工工伤保险试行办法》相比,《工伤保险条例》对一至四级伤残职工退休后享受待遇渠道的规定发生了实质性变化,确立了以基本养老保险为主、工伤保险为补充的混合保障模式。对于五六级伤残职工中用人单位难以为其安排工作的,《工伤保险条例》未明确规定其退休后的待遇应当如何支付,但根据本条规定,只需工伤职工符合了领取基本养老金的条件,即停发伤残津贴,享受基本养老保险待遇,基本养老保险待遇低于伤残津贴的,由工伤保险基金补足。

对于一至四级伤残职工达到退休年龄后,是应该享受养老保险待遇还是继续享受工伤保险基金发放的伤残津贴,存在着两种不同的观点:一种观点认为,工伤职工应该继续享受工伤保险待遇,因为《企业职工工伤保险试行办法》规定一至四级伤残职工与原用人单位终止劳动关系,因此工伤职工无法继续参加基本养老保险,退休后只能依靠伤残津贴维持生活。另一种观点认为,工伤保险是对劳动者因遭受职业伤害而导致的劳动收入(包括福利待遇)的减少进行补偿,养老保险是对劳动者年老时的生活予以保障,从功能区分来说,工伤保险保障的是工伤职工退休前的生活,而养老保险则保障他们退休后的生活。在工伤职工达到退休年龄,有了其他制度的保障后,理应和其他退休人员一样按照规定领取养老保险待遇。为了保障制度的功能完整和良好衔接，本法采纳了后一种观点，规定工伤职工符合领取基本养老金条件的，停发伤残津贴，享受基本养老保险待遇。对于五六级伤残职工，《工伤保险条例》明确规定用人单位应当为其缴纳各项社会保险费，工伤职工继续依法参加各项社会保险，其中也包括基本养老保险，因此，这部分工伤职工达到退休年龄后理应按照基本养老保险制度的规定，领取基本养老保险待遇，停发伤残津贴。

依法领取伤残津贴的伤残职工在退休时如果未达到领取基本养老保险待遇的条件的，就继续享受工伤保险伤残津贴；如果达到领取基本养老保险待遇的条件的，就享受基本养老保险待遇。但是因为工伤职工被鉴定为一至四级伤残后，只需要继续缴纳基本医疗保险费，不再缴纳基本养老保险费，因此他们的基本养老保险缴费年限一般较短；而难以安排工作的五六级伤残职工以伤残津贴为缴费基数缴纳基本养老保险费，因此缴费一般比较少。按照少缴少得的原则，他们的养老保险待遇较低，可能会低于伤残津贴。为了保障他们在退休后能够维持原来的生活水平，本法规定对于工伤职工退休后享受的基本养老保险待遇低于伤残津贴的，由工伤保险基金补足差额。

第四十一条　职工所在用人单位未依法缴纳工伤保险费，发生工伤事故的，由用人单位支付工伤保险待遇。用人单位不支付的，从工伤保险基金中先行支付。

从工伤保险基金中先行支付的工伤保险待遇应当由用人单位偿还。用人单位不偿还的，社会保险经办机构可以依照本法第六十三条的规定追偿。

【释义】　本条是关于用人单位未依法缴纳工伤保险费，其职工发生工伤时如何支付待遇的规定。

目前，应参加工伤保险而未参加的用人单位的职工发生工伤，引发的争议较多。按照现行《工伤保险条例》的规定，用人单位应当参加工伤保险而未参加，未参加工伤保险期间用人单位职工发生工伤的，由用人单位按照工伤保险待遇项目和标准支付费用。实践中，由于有的用人单位不支付或者无力支付，或用恶意诉讼的办法拖欠工伤职工应得的工伤待遇，造成工伤职工待遇无法落实，从而引发了尖锐的矛盾，社会反响强烈。工伤职工因用人单位的违法行为导致无法享受工伤待遇，工伤的风险直接转嫁给了工伤职工个人，这与工伤保险制度设立的宗旨是相悖的。因此，本条在明确用人单位不缴纳工伤保险费应承担工伤保险待遇责任的同时，对用人单位不支付或者无力支付职工工伤待遇的，规定由工伤基金先行支付，保证工伤职工能够及时得到医疗救治，享受工伤保险待遇。

1. 关于用人单位支付工伤保险待遇的责任。为自己的职工参加工伤保险、缴纳工伤保险费是用人单位的法定义务，因此，职工发生工伤后，如因用人单位未参保导致不能从工伤保险基金中享受工伤保险待遇，则由用人单位向其支付工伤保险待遇。这样规定既是对用人单位不依法参保的一种惩罚，促使其依法参加工伤保险，也是为了使职工不因用人单位的违法而影响其享受工伤保险待遇。

2. 工伤保险先行支付制度。工伤保险先行支付制度，是指在工伤事故发生后，用人单位拒不支付或者无力支付未参保职工的工伤保险待遇时，由工伤保险基金先行支付，再由社会保险经办机构向用人单位追偿的制度。一方面，与用人单位相比，职工属于弱势一方，发生工伤后很难顺利、及时地追回应得的工伤保险待遇，而法律赋予了工伤保险基金很多追偿的措施，甚至还有滞纳金、罚款等手段，相比职工自己去追偿更加有效。另一方面，工伤保险制度是用人单位单方缴费的制度，职工本人难以掌握用人单位为其参保的情况，只能依靠社会保险行政部门履行监督职责督促用人单位依法参保，工伤先行支付制度，实际上也是政府为监督不力的失职行为承担责任的一种体现。将用人单位不支付工伤保险待遇的风险从工伤职工身上转移到工伤保险基金上，由基金先行支付，再向用人单位代为追偿的制度模式，既能够保障工伤职工的待遇支付，也能够有效促使用人单位履行义务。

3. 工伤保险待遇的追偿。目前有关社会保险费的征缴，是通过《社会保险费征缴暂行条例》进行规范的，没有法律对此作出规定。如果用人单位未依法缴纳有关社会保险费，有关机构往往缺乏必要的措施和手段来促使其履行义务。为了保证社会保险费的征缴和追偿，使社会保险费征收机构、社会保险经办机构能够依法履行职责，本法第六十三条规定了针对用人单位未按时足额缴纳社会保险费的，社会保险费征收机构可以使用的强制措施和手段。对于工伤保险基金先行支付的工伤保险待遇，本条规定，用人单位不偿还的，按照未按时足额缴纳社会保险费来对待，社会保险经办机构可以依照本法第六十三条的规定追偿，并按照本法第八十六条的规定加收滞纳金和罚款，即由社会保险经办机构责令其限期偿还工伤保险待遇，除需补缴欠缴数额外，自欠缴之日起，按日加收万分之五的滞纳金；逾期仍未偿还的，由有关行政部门处欠缴数额一倍以上三倍以下的罚款。社会保险经办机构可以向银行和其他金融机构查询其存款账户；并可以申请县级以上有关行政部门作出划拨的决定，书面通知其开户银行或者其他金融机构划拨应偿还的工伤保险待遇。用人单位账户余额少于应偿数额的，社会保险经办机构可以要求该用人单位提供担保，签订延期偿还协议。用人单位不偿还且未提供担保的，社会保险经办机构可以申请人民法院扣押、查封其价值相当于应偿数额的财产，以拍卖所得抵缴工伤保险待遇。有一点需要强调，关于划扣，税收征收管理法中规定，对于逾期仍不缴纳税款的义务人，税务机关可以书面通知其开户银行或者其他金融机构从其存款中扣缴税款及滞纳金。按照职权法定的原则，并结合税收征收管理法的规定，社会保险经办机构在申请划扣时，只限于划扣用人单位应当偿还的工伤保险待遇及滞纳金，不能划扣因逾期不偿还而产生的罚款。

需要说明的是，用人单位在按照规定补缴工伤保险费和滞纳金、罚款后，其职工发生工伤的，工伤保险待遇仍由工伤保险基金支付。这样规定是因为，社会保险行政部门对用人单位依法参保缴费负有一定的监督责任，在用人单位未依法参保、缴费的情况下，社会保险行政部门应当首先对其进行督促，实施法律、行政法规规定的责令限期参加、加收滞纳金、处以罚款、申请人民法院强制执行等强制措施，用人单位在督促下仍不按规定参保缴费的，才启动由用人单位承担工伤保险待遇责任的程序。

第四十二条　由于第三人的原因造成工伤，第三人不支付工伤医疗费用或者无法确定第三人的，由工伤保险基金先行支付。工伤保险基金先行支付后，有权向第三人追偿。

【释义】　本条是关于民事侵权责任和工伤保险责任竞合的规定。

由于第三人侵权导致职工工伤的，同时违反了侵权责任法和社会保险法，根据两个法律的规定，职工可以向侵权的第三人要求民事侵权赔偿，也可以向工伤保险基金要求享受工伤保险待遇，出现民事侵权责任和工伤保险责任的竞合。这是社会保险法立法中的一个重要问题，也曾是侵权责任法立法中的一个热点问题。

1. 国外模式。国际上关于工伤保险与人身损害赔偿的竞合有四种模式：一是取代模式，即由工伤保险取代民事侵权责任，工伤职工只能请求工伤待遇。这种模式程序简便、减少了诉讼，但一般赔偿数额较低，剥夺了当事人请求精神赔偿等的权利。目前，北欧国家、新西兰等采取这种做法。二是工伤职工在侵权损害赔偿与工伤保险待遇之间自由选择一种，这种模式往往能获得较高的赔偿数额，但诉讼时间较长，并受制于被告的赔偿能力。英国和其他英联邦国家早期的雇员赔偿法曾一度采用此种模式，但后来均已废止。三是兼得模式。允许工伤职工在请求侵权民事赔偿的同时享受工伤保险待遇，获得“双份利益”。这种模式对工伤职工十分有利，尤其是在工伤保险待遇和民事赔偿标准偏低的情形下，可以使工伤职工获得充分的赔偿，但大部分观点认为这种模式违反了“填平原则”（即受害人不能因为被侵权而获益），并且加重了基金的负担，采用这种模式的国家很少，最具典型意义的是英国。四是补充模式。民事侵权赔偿和工伤保险待遇互相补充，两种请求所得的数额，不得超过实际损失。这种模式一方面避免工伤职工获得双份利益，节约了基金的开支；另一方面又保证受害人获得完全的赔偿。多数国家如德国、日本、意大利等均采取这种模式。

2. 国内做法。现行法律、行政法规对民事侵权责任和工伤保险责任的关系问题没有作出明确规定。1996 年《企业职工工伤保险试行办法》规定，民事侵权赔偿替代工伤保险，实行民事侵权赔偿在先，工伤保险作补充的竞合救济原则。2001 年职业病防治法规定，职业病病人除依法享有工伤社会保险外，依照有关民事法律，尚有获得赔偿的权利的，有权向用人单位提出赔偿要求。2002 年安全生产法也作了类似的规定。2003 年《工伤保险条例》出台，考虑到行政法规的立法权限问题，并未对因第三人侵权造成工伤的情形作出规定。2003 年《最高人民法院关于审理人身损害赔偿案件适用法律若干问题的解释》中规定，劳动者因工伤事故遭受人身伤害，向人民法院起诉请求用人单位承担民事赔偿责任的，告知其按《工伤保险条例》的规定处理。因用人单位以外的第三人侵权造成劳动者人身损害，赔偿权利人请求第三人承担民事赔偿责任的，人民法院应予支持。现行司法解释的态度似乎可以理解为“双赔”，工伤职工可以同时获得工伤保险待遇和民事侵权赔偿。实践中，很多地方法院都是依照该司法解释执行的。但是，由于没有法律、行政法规的明确规定，“双赔”模式在实践中还存在争议，不同的法院判决并不一致。

3. 有关意见。对于两种法律关系的竞合，如何处理，有不同意见：(1)第一种意见，根据民事侵权赔偿的“填平原则”，认为受伤害的职工只能在民事侵权赔偿和工伤待遇中选择一项，如果享受了工伤保险待遇，工伤保险基金就取得了对第三人的代位追偿权；如果工伤职工追究第三人民事赔偿责任的，不能再享受工伤保险待遇。(2)第二种意见，应当实行工伤保险与第三人侵权赔偿相结合，由工伤保险基金先行支付，民事侵权赔偿超出工伤保险待遇的部分，归工伤职工所有。理由有三：第一，可以使工伤职工得到充分赔偿，又不违反“填平原则”；第二，社会保险具有公益性，应当作为工伤职工最基本的保障，无论什么情况，都应由工伤保险基金先行支付，及时救治；第三，赋予工伤保险基金以代为追偿权，可以节约工伤保险基金的开支。(3)第三种意见，职工应当同时享受工伤保险待遇和民事侵权赔偿。理由有三：第一，目前我国工伤保险待遇与民事侵权赔偿标准普遍偏低，即使“双赔”数额也不多，单赔无法使工伤职工得到充分赔偿；第二，民事侵权赔偿和工伤保险待遇是两种不同的法律关系，享受工伤保险待遇是基于用人单位缴纳了工伤保险费，要求追究民事赔偿是因为第三人实施了人身伤害，侵犯了自己的人身权利，两者并行不悖；第三，第三人侵权损害了工伤职工的身心健康，甚至会对其以后的生活造成严重影响，人的生命是无价的，这种损失难以用准确的数字来衡量，不能适用“填平原则”。

由于对这一问题分歧比较大，社会保险法未对这一问题作出规定，工伤职工可以分别按照侵权责任法和社会保险法要求侵权赔偿和享受工伤待遇，但是，由于实际发生的医疗费用数额明确，且费用凭据只有一份，因此工伤职工只能享受一份。因此，本法规定由于第三人的原因造成工伤的，应当由第三人承担医疗费用，第三人不支付工伤医疗费用或者无法确定第三人的，由工伤保险基金先行支付。工伤保险基金先行支付后，有权向第三人追偿。其中，“第三人不支付”既包括拒不支付的情形，也包括不能支付的情形。

第四十三条　工伤职工有下列情形之一的，停止享受工伤保险待遇：

（一）丧失享受待遇条件的；

（二）拒不接受劳动能力鉴定的；

（三）拒绝治疗的。

【释义】　本条是关于停止享受工伤保险待遇情形的

规定。

工伤职工享受工伤保险待遇的权利与一定的条件和义务相对应。当丧失了享受的条件或不履行义务时,就失去了相应的权利。根据本条规定,工伤职工停止享受工伤保险待遇主要有以下情形:

1. 丧失享受待遇条件的。工伤保险制度保护的对象是特定人群——工伤职工,旨在保障工伤职工遭受意外伤害或者患职业病后丧失或者部分丧失劳动能力时的医疗救治和经济补偿。如果工伤职工在享受工伤保险待遇期间情况发生变化,不再具备享受工伤保险待遇的条件,如劳动能力得以完全恢复的、生活已能够完全自理的、伤残等级有所变化的,就应当停止享受相应的工伤保险待遇。此外,工亡职工的亲属,在某些情形下,也会丧失享受有关待遇的条件,如享受抚恤金的工亡职工的子女达到了一定的年龄或就业的,受供养亲属死亡的,就会导致其丧失享受供养亲属抚恤金的待遇。

2. 拒不接受劳动能力鉴定的。劳动能力不同程度的丧失,使劳动者可能因此不能从事原本适合的正常职业,甚至可能无法再从事任何工作,但也有可能恢复劳动能力继续从事适合他的职业或工作,而这一切都必须通过劳动能力鉴定来确定,劳动能力鉴定结论是确定不同程度的补偿、合理调换工作岗位和恢复工作等的科学依据。如果工伤职工没有正当理由,拒不接受劳动能力鉴定,一方面工伤保险待遇无法确定;另一方面也表明这些工伤职工并不愿意接受工伤保险制度提供的帮助,鉴于此,就不应再享受工伤保险待遇。

3. 拒绝治疗的。提供医疗救治，帮助工伤职工恢复劳动能力、重返社会，是工伤保险制度的重要目的之一，因而职工遭受工伤事故或患职业病后，有享受工伤医疗待遇的权利，也有积极配合医疗救治的义务。如果无正当理由拒绝治疗，就有悖于工伤保险促进职业康复的宗旨。规定拒绝治疗的不得再继续享受工伤保险待遇，是为了促使工伤职工积极医治，尽可能地恢复劳动能力，提高自己的生活质量，而不是一味地消极依靠社会救助。

此外还有一点需要说明，按照旧有工伤保险制度的规定，被判刑收监执行也是工伤职工停止享受工伤保险待遇的情形。这是指公民如果违反刑法构成犯罪而被司法机关依法判处拘役或者有期徒刑、无期徒刑，则根据监狱法的规定收监，执行刑罚进行改造。在这种情形下，剥夺工伤职工继续享受工伤保险待遇的权利，是作为对其行为的一种附加惩罚。这一条也是结合原有制度中“因犯罪导致伤亡的不认定为工伤”来规定的。按照本法的规定，过失犯罪和违反治安管理的行为不再作为排除工伤认定的情形，相应的，被判收监执行也不再作为停止享受工伤保险待遇的条件，理由在本法第三十七条中已作了详细阐述。

第五章　失 业 保 险

第四十四条　职工应当参加失业保险，由用人单位和职工按照国家规定共同缴纳失业保险费。

【释义】　本条是关于失业保险参保范围和失业保险费负担的规定。

失业保险是指国家通过立法强制缴费建立基金，对因失业而暂时中断生活来源的劳动者提供物质帮助的制度。失业保险既是社会保障体系的重要组成部分，又是建立统一的劳动力市场、形成市场就业机制的重要条件。我国失业保险制度建立和实施以来，有效地保障了失业人员的基本生活，促进了失业人员再就业，支持了企业改革，为促进深化改革和维护社会稳定发挥了重要作用。

1. 关于失业保险的特点。一是普遍性。失业保险主要是为了保障劳动者失业后的基本生活而建立的，在确定适用范围时，参保单位应不分行业、所有制性质，不分城镇职工还是农民工。所有参加失业保险的职工，在解除或终止劳动关系后，只要符合条件都有享受失业保险待遇的权利。二是强制性。失业保险是通过国家立法来强制实施的，在失业保险制度覆盖范围内的单位及其职工有参加失业保险并缴费的义务。三是互济性。失业保险基金主要面向社会筹集，由单位、个人资金等共同负担，缴费比例、缴费方式相对稳定。筹集的失业保险资金，全部并入失业保险基金，在统筹地区内统一调度使用以发挥互济功能。

2. 关于失业保险的参保范围。我国失业保险制度建立以来，覆盖范围逐步扩大。1986 年，国务院发布了《国营企业职工待业保险暂行规定》，其适用范围是国营企业中的四类人员：宣告破产企业的职工，濒临破产企业法定整顿期间被精减的职工，企业终止、解除劳动合同的工人和企业辞退的职工。1993 年，国务院发布了《国有企业职工待业保险规定》，其适用范围从原来的四类人员扩大到七类人员，即依法宣告破产的企业的职工；濒临破产的企业在法定整顿期间被精减的职工；按照国家有关规定被撤销、解散企业的职工；按照国家有关规定停产整顿企业被精减的职工；终止或者解除劳动合同的职工；企业辞退、除名或者开除的职工；依照法律、法规规定或者按照省、自治区、直辖市人民政府规定，享受待业保险的其他职工。另外，实行企业化管理的事业单位职工也纳入失业保险范围。1999 年，国务院发布了《失业保险条例》，进一步扩大了失业保险的覆盖范围，将城镇所有企业、事业单位及其职工都纳入了失业保险的范围，并且规定各省级人民政府确定可以确定社会团体及其专职人员、民办非企业单位及其职工、城镇有雇工的个体工商户及其雇工可否纳入失业保险范围。目前，公务员和参照公务员法管理的工作人员未纳入失业保险范围，这符合公务员职业稳定的特点，将来是否纳入，需要深入研究。

逐步扩大覆盖范围是失业保险制度的发展方向。劳动力在不同所有制企业、产业和行业之间的有序流动是实现劳动力资源合理配置的重要手段，是建立市场就业机制和社会主义市场经济体制的需要。扩大失业保险覆盖范围有利于劳动力在市场机制下实现流动。我国失业保险经过多年来的发展，已经建立了较为完善的管理体制，积累了较为丰富的实践经验，加上深化改革的驱动和经济社会发展的需要，将失业保险覆盖到所有职工既是可能的也是必要的。

3. 关于失业保险费负担。失业保险费负担方式一般由各国根据不同历史条件下的国情而定，大致有以下几种方式：政府、用人单位和职工三方负担，用人单位和职工负担，政府和用人单位负担，政府负担等。我国失业保险建立之初，失业保险基金采取了用人单位缴费和财政补贴相结合筹集方式，职工不需要缴纳失业保险费，这与当时的经济发展水平是相适应的。随着我国市场经济体制的建立完善和劳动用人制度的改革发展，失业人数有所增多，用人单位缴费和财政补贴相结合的失业保险基金筹集方式已不适应形势发展，需要建立一种用人单位和职工共同缴费的基金筹集模式。因此，1999年国务院通过的《失业保险条例》规定失业保险基金由下列各项构成：（1）城镇企业事业单位、城镇企业事业单位职工缴纳的失业保险费；（2）失业保险基金的利息；（3）财政补贴；（4）依法纳入失业保险基金的其他资金。

本条将实践中已经比较成熟的失业保险基金筹集模式上

升为法律，明确规定了用人单位和职工承担缴纳失业保险费的义务。用人单位和职工缴纳失业保险费的数额，由国务院根据收支平衡原则予以确定。目前，根据《失业保险条例》规定，城镇企业事业单位按照本单位工资总额的百分之二缴纳失业保险费，城镇企业事业单位职工按照本人工资的百分之一缴纳失业保险费。

第四十五条 失业人员符合下列条件的，从失业保险基金中领取失业保险金：

（一）失业前用人单位和本人已经缴纳失业保险费满一年的；

（二）非因本人意愿中断就业的；

（三）已经进行失业登记，并有求职要求的。

【释义】 本条是关于失业人员领取失业保险金条件的规定。

1. 关于失业人员。失业人员是指在劳动年龄内有劳动能力，目前无工作但正以某种方式在寻找工作的人员，包括就业转失业的人员和新生劳动力中未实现就业的人员。本法所指失业人员只限定为就业转失业的人员。根据有关规定，我国目前的法定劳动年龄是16至60岁，体育、文艺和特种工艺单位按照国家规定履行审批程序后可以招用未满16周岁的未成年人。对企业中男年满60周岁、女年满50周岁的职工和机关事业单位中男年满60周岁、女年满55周岁的职工实行退休制度，对从事有毒、有害工作和符合条件的患病、因工致残职工可以降低退休年龄。按照上述规定，在法定劳动年龄内的人员都可以寻求职业，从事社会生产经营等活动，并取得合法收入。所谓有劳动能力，是指失业人员具有从事正常社会劳动的行为能力。在法定劳动年龄内的人员，若不具备相应的劳动能力，也不能视为失业人员，如精神病人、完全伤残不能从事任何社会性劳动的人员等。目前无工作但正以某种方式寻找工作，是指失业人员有工作要求，但受客观因素的制约尚未实现就业。

2. 关于失业保险基金与失业保险金。失业保险基金是国家通过立法建立的支付失业保险待遇的资金。主要用于保障失业人员基本生活的支出，包括支付失业保险金，支付领取失业保险金期间的医疗补助金，支付领取失业保险金期间死亡的失业人员的丧葬补助金和其供养的配偶、直系亲属的抚恤金等。失业保险基金由用人单位和职工缴纳的失业保险费、失业保险基金的利息、财政补贴和依法纳入失业保险基金的其他资金构成。失业保险实行现收现付，应当通过调整费率实现收支平衡，不能有过多的结余。目前，我国由于失业保险费率缺乏弹性，加之失业保险待遇比较低，失业保险基金大量结余。结余的失业保险基金应当存入财政专户，可以在保证安全的前提下通过投资运营实现保值增值。失业保险金是失业保险经办机构支付给失业人员的，用以保障其基本生活的，从失业保险基金中提取的资金，是最主要的失业保险待遇。

3. 关于失业保险金的领取条件。参加失业保险的职工失业后要领取失业保险金,必须符合一定的条件。

一是失业前用人单位和本人已经按照规定缴纳失业保险费满一年。

二是非因本人意愿中断就业。一般来讲,中断就业的原因分为两种:非自愿中断就业,即失业人员不愿意中断就业,但因本人无法控制的原因而被迫中断就业;自愿中断就业,即失业人员因自愿离职而导致失业。国际上的一般做法是将自愿中断就业的人员排除在享受失业保险待遇的范围之外。本条借鉴国际经验,将自愿离职而失业的人员排除在享受失业保险待遇的范围之外。实践中,非因本人意愿中断就业的一般是指终止劳动合同的,被用人单位解除劳动合同的,被用人单位开除、除名和辞退的,以及因用人单位用工不当而依法与用人单位解除劳动合同的。

三是已进行失业登记,并有求职要求。办理失业登记是失业人员领取失业保险金的必经程序,目的是为了掌握失业人员的基本情况,确认其资格。失业登记是失业人员进入申领失业保险待遇程序的重要标志。失业人员享受失业保险待遇,还须有求职要求。这是考虑到失业保险的一个重要功能是促进失业人员再就业。实现这一目的,一方面需要加快经济发展,创造更多的就业岗位,同时,发展和完善就业服务事业,为失业人员实现再就业提供服务;另一方面也要求失业人员积极主动地利用各种就业机会和就业服务机制,不断提高自身素质,增强竞争就业的能力。可以说,有求职要求是享受失业保险待遇的一个前提,也是失业人员应尽的义务。在社会主义条件下,就业权是公民的一项基本权利,是否就业应由公民根据自己的意愿作出选择。失业人员作为公民的一部分,享有同样的权利。从这个意义上讲,失业人员有选择就业或不就业的自由。要求申领失业保险金的失业人员积极寻找工作,可以使其在得到基本生活保障的同时,积极获取必要的就业服务,争取尽快实现再就业,以便从根本上解决失业问题。基于此,法律确定了这一申领条件。在认定失业人员是否有求职要求时,一般以其是否在职业介绍机构登记求职,并参加再就业活动为衡量的标准。

失业人员必须同时满足上述条件,才能申请领取失业保险金。对不符合条件的,失业保险经办机构应当拒绝其申请,并告知其拒绝的理由。

4. 关于失业保险金的发放。失业人员符合申领失业保险金条件的,失业保险经办机构应当依照规定发放给失业人员失业保险金。根据《失业保险条例》规定,失业保险金由社会保险经办机构按月发放,失业人员凭社会保险经办机构开具的单证到指定银行领取失业保险金。失业保险金按月发放,是保障失业人员基本生活的有效措施,也是失业保险与就业服务工作相衔接的重要方式。按月发放,可以保证失业保险经办机构及时了解失业人员的情况,并根据每个人的不同情况及时与就业服务机构联系,为其提供更有针对性的服务,促进其尽快实现再就业。

第四十六条　失业人员失业前用人单位和本人累计缴费

满一年不足五年的，领取失业保险金的期限最长为十二个月；累计缴费满五年不足十年的，领取失业保险金的期限最长为十八个月；累计缴费十年以上的，领取失业保险金的期限最长为二十四个月。重新就业后，再次失业的，缴费时间重新计算，领取失业保险金的期限与前次失业应当领取而尚未领取的失业保险金的期限合并计算，最长不超过二十四个月。

【释义】 本条是关于领取失业保险金期限的规定。

失业保险金是社会保险经办机构按规定支付给符合条件的失业人员的基本生活费用，是最主要的失业保险待遇，领取失业保险金是参加失业保险的职工的权利。只要失业职工及其失业前所在单位依法参保缴费并达到申领条件，不论个人和其家庭经济状况如何，经办机构都应该为其发放失业保险金。职工参加失业保险的时间有长有短，所缴纳的失业保险费有多有少，为了体现公平原则和权利义务相统一原则，职工失业时所领取的失业保险金应该有合理差别。本条根据失业人员失业前，用人单位和本人累计缴费年限的不同，确定了相应的领取失业保险金期限，同时，还规定了职工再次失业情况下，前后领取期限的合并问题。

1. 关于领取期限。根据失业人员失业前用人单位和本人累计缴费期限，本条规定了三档领取失业保险金的期限，分别为十二个月、十八个月和二十四个月。这三档期限为最长期限，不是实际领取期限，实际期限根据失业人员的重新就业情况确定，可以少于或等于最长期限。例如，本条规定累计缴费满一年不足五年的，领取失业保险金的期限最长为十二个月，如果在六个月内重新就业，就只能领六个月。不能理解为累计缴费时间满一年不足五年的失业人员不论其是否存在重新就业等情况，都能领取十二个月的失业保险金。

2. 关于累计缴费期限。1993 年国务院发布的《国有企业职工待业保险规定》第十二条规定，待业职工领取待业救济金的期限，根据待业职工待业前在企业连续工作时间确定。据此规定，职工领取待业救济金的期限是连续工作时间。1999 年，《失业保险条例》将连续工作时间改为累计缴费时间，主要有两点考虑：一是将履行缴费义务与享受失业保险待遇权利紧密结合。缴费时间越长，领取失业保险金的期限就越长。不按规定缴费的，应在计算其领取期限时作相应扣除，这是强化职工缴费意识的重要手段。二是允许缴费时间累计相加作为确定享受期限的标准，有利于保护失业人员的合法权益。特别是对那些失业前多次转换工作单位，且参加了失业保险的人员来说，更加体现了这一精神。从这点来讲，也有利于促进劳动力合理流动，促进用人单位和职工参加失业保险。社会保险法延续了《失业保险条例》的这一做法，采用了累计计算期限的方式。

3. 关于再次失业情况下失业保险金的领取。职工失业后，按照规定领取失业保险金，在此期间，职工如果重新就业，则其应该停止领取失业保险金，并重新开始缴纳失业保险费，重新计算缴费时间。这样，失业人员实际领取失业保险金的期限有可能会少于可以领取的最大期限，即会存在一个剩余期限。如果职工重新就业后又再次失业，可以根据重新计算的缴费时间来领取失业保险金。除此之外，如果再次失业人员还有前次失业期间的剩余的领取失业保险金期限，则可根据本条规定，将再次失业后领取失业保险金的期限与前次应当领取而未领取的失业保险金期限合并计算。需要注意的是，如果出现合并期限超过二十四个月的情形，根据本条规定，失业人员最长只能领取二十四个月的失业保险金。

第四十七条　失业保险金的标准，由省、自治区、直辖市人民政府确定，不得低于城市居民最低生活保障标准。

【释义】　本条是关于失业保险金标准的规定。

失业保险金是失业保险待遇的主要内容，失业保险金标准的高低关系到失业人员能够领到的失业保险金的多少，关系到失业保险待遇水平的高低。

1. 关于确定失业保险金标准的原则。失业保险金标准的制定需要综合考量经济和社会发展状况及职工工资水平，一般要遵循以下原则：(1)保障失业人员基本生活。失业保险金多是失业人员的主要经济来源，因此，失业保险金必须足以保障失业人员基本的生活费用，否则将失去制度存在的价值。(2)低于失业人员原来工资水平。失业保险的制度导向是促进失业人员积极再就业，如果失业保险金高于原来工资水平或者与原来工资水平一样，会造成变相鼓励失业、放任失业，违背制度宗旨。(3)权利义务相统一。职工参加失业保险的主要义务是缴纳失业保险费。职工失业保险费是按本人工资的一定比例缴纳的，职工所在单位是按本单位工资总额的一定比例缴纳的，同参保人员所缴纳的失业保险费是不同的，与之相适应，失业保险金的标准应当体现这一差别。

2. 关于失业保险金的标准由省级人民政府确定。本条将失业保险金标准的制定授权给省级人民政府，包括省人民政府、自治区人民政府和直辖市人民政府。目前，各省级人民政府大多采用以当地最低工资标准的百分比来确定失业保险金的具体数额。如黑龙江省规定，失业保险金的标准为当地同期最低工资标准的70%；湖南省规定，失业人员每个月领取失业保险金的标准为当地最低工资标准的80%。北京市、福建省等地方还结合累计缴费年限进一步具体化，如北京市规定，失业保险金发放标准为本市最低工资标准的70%至90%，具体标准为：累计缴费时间不满5年的，按最低工资标准的70%发放；累计缴费时间满5年不满10年的，按最低工资标准的75%发放；累计缴费时间满10年不满15年的，按最低工资标准的80%发放；累计缴费时间满15年不满20年的，按最低工资标准的85%发放；累计缴费时间满20年以上，按最低工资标准的90%发放；目前，北京市累计缴费时间满1年不满5年的，失业保险金月发放标准为632元，接下来的几个档次的分别是659元、686元、713元、741元。

3. 不得低于城市居民最低生活保障标准。《失业保险条例》规定，失业保险金的标准应当低于当地最低工资标准、高于城市居民最低生活保障标准的水平。在立法过程中，有的意见认为失业保险金标准低于当地最低工资标准不尽合理，应当根据缴费工资和家庭抚养人口确定。由于意见不一致，最后社会保险法只规定失业保险金标准不得低于城市居民最低生活保障标准，对是否低于当地最低工资标准不再作出规定，可待以后《失业保险条例》修改时再做调整。

最低生活保障是社会救济制度的重要内容，根据1997年《国务院关于在全国建立城市居民最低生活保障制度的通知》的要求，各地区已建立了城市居民最低生活保障制度。城市居民最低生活保障标准由各地人民政府根据当地基本生活必需品费用和财政承受能力自行确定，并且随着生活必需品价格的变化和人民生活水平的提高适时调整。与失业保险相比，最低社会保障仅够维持衣食无着人员的生计，公民获得社会最低保障也无须缴纳任何费用；而失业保险除了保障失业人员的基本生活外，还有促进其就业的功能，并且要求失业人员在失业前缴纳保险费。因此，本条在法律上规定了失业保险金不得低于城市居民最低生活保障标准。

第四十八条　失业人员在领取失业保险金期间，参加职工基本医疗保险，享受基本医疗保险待遇。

失业人员应当缴纳的基本医疗保险费从失业保险基金中支付，个人不缴纳基本医疗保险费。

【释义】 本条是关于失业人员享受基本医疗保险待遇的规定。

社会保险法制定施行前，职工在失业期间不能享受医疗保险待遇，仅能申领医疗补助金。为了保障失业人员失业期间能够享受基本医疗保险待遇，社会保险法对这一制度作出了调整，规定失业人员参加职工基本医疗保险，享受基本医疗保险待遇，由失业保险基金支付基本医疗保险费。

《失业保险条例》规定，失业人员在领取失业保险金期间患病就医的，可以按照规定向社会保险经办机构申请领取医疗补助金，医疗补助金的标准由省、自治区、直辖市人民政府规定。新中国成立之初，我国的医疗保险制度尚不健全，长期实行的公费医疗和劳保医疗制度都是对有工作单位的人员实行的医疗保障，失业人员没有医疗保险保障。随着改革的推进，有的地区为职工建立了医疗保险个人账户，当职工失业后，期间所花费的医疗费用可以按照规定从其在职时所建立的个人账户中支取。但因个人账户的资金非常有限，失业人员承担医疗费用的能力较弱，难以保障失业人员在失业期间的基本医疗需要。在此情况下，从失业保险基金中拿出一部分资金给予失业人员必要的医疗补助，可以在一定程度上减轻失业人员的经济负担。因此，建立失业人员医疗补助金是制度的进步。实践中，医疗补助金一般分为门诊费补助和住院费补助两种形式。如福建省目前规定，失业人员在领取失业保险金期间，其门诊医疗补助金按本人领取失业保险金6%的标准，随失业保险金按月发放。因患病确需到县级以上医院住院治疗的，可由本人或其家属提出书面申请，经失业保险经办机构审核批准，按医疗保险支出规定的住院治疗费20%—60%发给住院医疗补助金，但累计最高不得超过3000元。

1. 失业人员享受基本医疗保险待遇。失业人员虽然根据《失业保险条例》在领取失业保险金期间可以申领医疗补助金，但毕竟医疗补助金的标准较低，保障能力较弱，不足以保障大病重病。职工在就业期间，用人单位和本人已经缴纳了基本医疗保险费，因暂时失业就享受不到基本医疗保险待遇，不尽合理。所以，本法为了使失业人员能有更高水平的医疗保障，对现行的做法作了改变，将申领医疗补助金改为享受基本医疗保险待遇。

2. 失业人员的基本医疗保险费由失业保险基金负担。失业人员参加基本医疗保险、享受基本医疗保险待遇，就应当缴纳基本医疗保险费。但失业人员既已失业，失去主要经济收入来源，如果再让其负担基本医疗保险费，会进一步加剧生活困境。为了更好地保障失业人员的生活和健康，社会保险法规定失业人员的基本医疗保险费由失业保险基金支付，失业人员不需要缴纳基本医疗保险费。需要说明的是，失业保险基金所支付的基本医疗保险费包括个人应当缴纳的部分和用人单位应当缴纳的部分，统筹地区可以对缴纳标准等作出具体规定。

第四十九条　失业人员在领取失业保险金期间死亡的，参照当地对在职职工死亡的规定，向其遗属发给一次性丧葬补助金和抚恤金。所需资金从失业保险基金中支付。

个人死亡同时符合领取基本养老保险丧葬补助金、工伤保险丧葬补助金和失业保险丧葬补助金条件的，其遗属只能选择领取其中的一项。

【释义】 本条是关于失业人员在领取失业保险金期间死亡的失业保险待遇和待遇竞合处理的规定。

1. 关于失业保险丧葬补助金和抚恤金。失业保险丧葬补助金是指对失业人员在领取失业保险金期间死亡的,由失业保险基金支付给其遗属一定数额的用以安排丧葬事宜的资金。抚恤金是指对失业人员领取失业保险金期间死亡的,由失业保险基金发给其亲属的费用。给工作期间死亡的职工的家属发放丧葬补助费及抚恤金,是我国长期以来所坚持的一项福利制度。1953 年,《中华人民共和国劳动保险条例》规定,工人与职员因工死亡时,由该企业行政方面或资方发给丧葬费,其数额为该企业全部工人与职员平均工资三个月;另由劳动保险基金项下,按其供养的直系亲属人数,每月付给供养直系亲属抚恤费,其数额为死者本人工资百分之二十五至百分之五十,至受供养者失去受供养的条件时为止。所谓的供养条件是:一是祖父、父亲、丈夫年满 60 岁或完全丧失劳动能力者;二是祖母、母亲、妻子未从事有报酬的工作者;三是子女、弟妹未满 16 岁,其父母死亡或完全丧失劳动能力者。同时规定,工人与职员因病或非因工负伤死亡时,由劳动保险基金项下付给丧葬补助费,其数额为该企业全部工人与职员平均工资两个月;另由劳动保险基金项下,按其供养直系亲属人数,付给供养直系亲属救济费,其数额为死者本人工资六个月到十二个月。以后,包括丧葬费、抚恤费、遗属生活困难补助费在内的遗属保障制度,作为福利制度之一,得到了很好的落实。

失业保险也引进了向死亡职工的家属提供丧葬补助和抚恤的制度之中。1993 年,国务院发布的《国有企业职工待业保险规定》第十条规定,待业保险基金的开支项目包括待业职工在领取待业救济金期间的丧葬补助费及其供养的直系亲属的抚恤费、救济费。1999 年,《失业保险条例》也保留了这一支出项目。该条例第十条规定,领取失业保险金期间死亡的失业人员的丧葬补助金和其供养的配偶、直系亲属的抚恤金属于失业保险基金的支出项目。本法基本延续了《失业保险条例》所规定的此项制度,规定失业人员在领取失业保险金期间死亡的,参照当地对在职职工死亡的规定,向其遗属发给丧葬补助金和抚恤金。具体数额需要各地参照对在职职工死亡的有关标准来确定。

2. 关于丧葬补助金待遇竞合处理。除了失业保险规定了丧葬补助金外,基本养老保险、工伤保险也规定了丧葬补助金:本法第十七条规定,参加基本养老保险的个人,因病或者非因工死亡的,其遗属可以领取丧葬补助金和抚恤金;第三十八条规定,因工死亡的,其遗属可以按照国家规定从工伤保险基金中领取丧葬补助金、供养亲属抚恤金和因工死亡补助金。在此情况下,就可能发生失业人员死亡的同时符合领取基本养老保险丧葬补助金和失业保险丧葬补助金,或者同时符合领取工伤保险丧葬补助金和失业保险丧葬补助金,或者同时符合领取基本养老保险丧葬补助金、工伤保险丧葬补助金、失业保险补助金的三种情形。如果允许同时领取各个险种的丧葬补助金,显然不合理。因此,不宜规定在领取失业保险金期间死亡的失业人员的遗属同时领取多个险种的丧葬补助金。如果死亡失业人员的遗属同时符合领取多个险种的丧葬补助金，根据本条规定，可以通过比较，自主选择一项保险基金的丧葬补助金。

第五十条　用人单位应当及时为失业人员出具终止或者解除劳动关系的证明，并将失业人员的名单自终止或者解除劳动关系之日起十五日内告知社会保险经办机构。

失业人员应当持本单位为其出具的终止或者解除劳动关系的证明，及时到指定的公共就业服务机构办理失业登记。

失业人员凭失业登记证明和个人身份证明，到社会保险经办机构办理领取失业保险金的手续。失业保险金领取期限自办理失业登记之日起计算。

【释义】　本条是关于领取失业保险金程序的规定。

1. 用人单位出具证明。在有关失业保障以及促进就业的法律、法规及政策日益完善的情况下，失业人员在寻求失业保障时往往需要证明自己的失业人员身份，但在实践中，许多用人单位出于私利拒绝出具其职工失业证明材料。为了保障职工及时获得有关社会保险权益，我国法律早已明确用人单位的提供劳动关系证明材料的义务。劳动合同法第五十条规定，用人单位应当在解除或者终止劳动合同时出具解除或者终止劳动合同的证明，并在十五日内为劳动者办理档案和社会保险关系转移手续。本条第一款进一步明确，及时为失业人员出具终止或者解除劳动关系的证明，并将失业人员的名单告知社会保险经办机构是用人单位的应尽义务。如果用人单位拒不出具终止或者解除劳动关系证明，依照本法可以适用劳动合同法有关法律责任的规定，即由劳动行政部门责令改正，给劳动者造成损害的，承担赔偿责任。

2. 失业人员办理失业登记。办理失业登记是领取失业保险金的重要条件，办理登记一是为了让公共就业服务机构掌握失业人员情况，及时提供就业指导，促进再就业；二是为发放失业保险待遇提供依据和信息。失业登记的主要内容有失业人员的个人情况，原就业情况，失业时间、原因等失业情况。

职工失业后，应当积极到公共就业服务机构办理失业登记，享受国家有关失业保障及鼓励就业政策。根据目前一些地方的实践，办理失业登记后，失业人员可以接受公共职业介绍机构提供的免费职业介绍、职业指导服务；参加适应市场需求的职业培训，并按规定减免培训费用；按规定享受各项就业扶持政策；符合失业保险金申领条件的，按规定申领失业保险金和其他的失业保险待遇。当然，在享受这些权利的同时，还应履行一些义务，应该如实向失业登记机构反映积极求职情况；积极应聘公共职业介绍机构推荐的就业岗位，接受职业指导；积极参加劳动保障部门组织的免费职业培训和各类就业促进项目；接受和配合地区就业援助机构关于失业登记人员求职活动、求职意愿、参加培训等情况调查。

3. 办理领取失业保险金手续。根据目前有关规定和各地实践，失业人员申领失业保险金应填写失业保险金申领表，并出示以下证明材料：本人身份证明；所在单位出具的终止或解除劳动合同的证明；失业登记及求职证明；经办机构规定的其他材料。经办机构受理失业人员领取失业保险金申请后，应当及时对申领者的资格进行审核认定。对审核符合领取失业保险金条件的，按规定计算申领者领取失业保险金的数额和期限，在失业保险金申领表上填写审核意见和核定金额，并建立失业保险金领取台账，同时将审核结果告知失业人员，发给领取失业保险待遇证件。对审核不符合领取失业保险金条件的，也应告知失业人员，并说明原因。失业保险金应按月发放，可以由经办机构开具单证，失业人员凭单证到指定银行领取。失业人员领取失业保险金，经办机构应要求本人按月办理领取手续，同时向经办机构如实说明求职和接受职业指导和职业培训情况。对领取失业保险金期限即将届满的失业人员，经办机构应提前告知本人。

第五十一条　失业人员在领取失业保险金期间有下列情形之一的，停止领取失业保险金，并同时停止享受其他失业保险待遇：

（一）重新就业的；

（二）应征服兵役的；

（三）移居境外的；

（四）享受基本养老保险待遇的；

（五）无正当理由，拒不接受当地人民政府指定部门或者机构介绍的适当工作或者提供的培训的。

【释义】 本条是关于停止领取失业保险待遇情形的规定。

失业人员在领取失业保险金期间，有可能会发生情况变化，致使其丧失继续享受失业保险待遇的条件。在这种情况下，应当停止其享受失业保险待遇。根据我国失业保险的制度宗旨和实际情况，并借鉴国外的有益经验，本条规定在五种情形下失业人员不得继续享受失业保险待遇：

1. 重新就业。职工失业享受失业保险待遇的一个重要条件就是要有求职要求而找不到工作。失业期间，通过加强学习、接受就业培训、接受就业服务机构的职业介绍等，大部分失业人员会重新就业。对个人而言，重新就业后，其身份便转变为从业人员，不再属于失业保险的保障范围，不能再继续享受失业保险待遇。

2. 应征服兵役。在我国，公民不分民族、种族、职业、家庭出身、宗教信仰和教育程度，都有服兵役义务。失业人员在享受失业保险待遇期间，符合条件的，可以应征服兵役，根据有关军事法律、法规、条令享受服役和生活保障。

3. 移居境外。随着全球化时代的到来和国际交往的日益密切，我国公民移居其他国家的数量逐年增多。失业人员移居境外，表明其在国内没有就业意愿，不符合领取失业保险待遇条件，而且其在国外是否就业不好证明。

4. 享受基本养老保险待遇。根据本法规定，基本养老保险实行累计缴费，失业人员失业前参加基本养老保险并按规定缴费的，在其享受失业保险待遇期间，基本养老保险关系暂时中断,其缴费年限和个人账户可以存续,待重新就业后,应当接续基本养老保险关系。失业人员达到退休年龄时缴费满15年可以从享受失业保险待遇直接过渡到享受基本养老保险待遇,基本生活由基本养老保险金予以保障,在这种情况下,应当停止其享受失业保险待遇。

5. 无正当理由,拒不接受当地人民政府指定部门或者机构介绍的适当工作或者提供的培训。建立失业保险制度的目的是为了保障失业人员的基本生活,促进失业人员再就业。在保障失业人员基本生活的同时,政府和社会还应根据失业人员自身特点、求职意愿和市场需求,为其提供就业服务、创造就业条件。在这种情况下,失业人员应主动接受政府和社会提供的就业岗位和培训,尽快实现再就业。这不仅可以从根本上解决失业人员的基本生活问题,也可以减轻失业保险基金的支出。为了鼓励失业人员尽快实现再就业,对无正当理由,拒不接受当地人民政府指定部门或者机构介绍的适当的工作或者提供的培训的,停止其享受失业保险待遇。另外,把握此项规定,关键是要明确什么情况属于无正当理由。一般来讲,无正当理由拒绝介绍的工作应为与失业人员的年龄、身体状况、受教育程度、工作经历、工作能力及求职意愿基本相符的工作。

需要说明的是,违法犯罪人员因其违法犯罪行为接受惩处应当与其社会保险权益区别开来。与《失业保险条例》相比,本条不再规定“被判刑收监执行或者被劳动教养”的失业人员停止享受失业保险待遇。考虑到失业保险金是为了保障失业人员及其家属的基本生活，个人缴费就应当享受相应的待遇，所以对现行做法进行了调整。

第五十二条　职工跨统筹地区就业的，其失业保险关系随本人转移，缴费年限累计计算。

【释义】　本条是关于失业保险关系的转移接续的规定。

1. 关于失业保险基金的统筹层次。失业保险基金统筹层次是指失业保险基金在一定的行政区域内实行统一筹集、管理和使用的制度。我国失业保险基金统筹层次经历了逐步提高的过程。1993 年国务院发布的《国有企业职工待业保险规定》第七条规定："待业保险基金实行市、县统筹，省、自治区可以集中部分待业保险基金调剂使用。直辖市根据需要，可以统筹使用全部或者部分待业保险基金。"根据该条规定，当时的待业保险统筹层次是县级市。1999 年国务院发布的《失业保险条例》第七条规定："失业保险基金在直辖市和设区的市实行全市统筹；其他地区的统筹层次由省、自治区人民政府规定。"根据该条例规定，失业保险基金已经提高到直辖市和地级市。提高失业保险统筹层次，有利于发挥失业保险的互济作用，增强基金承受能力。社会保险法在《失业保险条例》的基础上又进一步规定，失业保险基金逐步实行省级统筹，具体时间、步骤由国务院规定，对失业保险基金进一步提高统筹层次提出了明确要求。

2. 关于失业保险关系转移接续。劳动力作为一种生产要素具有流动性，社会主义市场经济体制的建立、发展和繁荣进一步推动了劳动力在不同地区的流动。这样，在基于行政区划而存在的失业保险统筹地区的情况下，必然会出现职工跨失业保险统筹地区就业的情况。由于失业保险待遇与缴费年限挂钩，职工在不同统筹地区参加失业保险，在失业时能否不致出现权益减损，事关失业人员切身利益和社会对失业保险制度的信心。因此，要建立失业保险跨统筹地区的转移接续制度。

目前，我国有关对失业保险关系转移接续的规定都比较原则。《失业保险条例》第二十二条规定，城镇企业事业单位成建制跨统筹地区转移，失业人员跨统筹地区流动的，失业保险关系随之转迁。2002 年，原劳动和社会保障部办公厅发布《关于单位成建制跨统筹地区转移和职工在职期间跨统筹地区转换工作单位时失业保险关系转迁有关问题的通知》，规定城镇企业事业单位成建制跨统筹地区转移或职工在职期间跨统筹地区转换工作单位的，失业保险关系应随之转迁。其中，跨省、自治区、直辖市的，其在转出前单位和职工个人缴纳的失业保险费不转移；在省、自治区内跨统筹地区的，是否转移失业保险费由省劳动保障行政部门确定。转出地失业保险经办机构应为转出单位或职工开具失业保险关系转迁证明。转出单位或职工应在开具证明后 60 日内到转入地经办机构办理失业保险关系接续手续，并自转出地停止缴纳失业保险费的当月起，按转入地经办机构核定的缴费基数缴纳失业保险费。转出前后的缴费时间合并计算。转入地经办机构应及时办理有关手续，并提供相应服务。

根据《失业保险条例》及原劳动和社会保障部的规定，各地方细化了跨省级行政区域的转移接续制度，规定了省级行政区域内不同统筹地区间的转移接续。如北京市规定：外省、自治区、直辖市成建制转移和调入本市的单位或职工，其转移和调入我市前，单位和职工缴纳的失业保险费不转移，应由单位或职工所在地统筹地区的地、市失业保险经办机构为转出单位和职工开具失业保险关系转迁证明，并注明每名职工累计缴纳失业保险费时间。成建制转入本市的单位应在60日内到市社保中心办理备案手续后，再转入单位参统的区、县社保中心办理失业保险接续手续。调入本市的职工由调入单位在60日内到单位参统的区、县社保中心办理失业保险费接续手续。成建制转入本市的单位或调入的职工，按本市规定缴纳失业保险费的，转入前后的缴纳时间合并计算。

进一步加快推进和完善社会保险关系跨统筹地区转移接续是贯彻社会保险法，完善社会保险制度的一项重要工作。有关部门应当在及时总结各地实行失业保险关系转移接续经验的基础上，适时出台统一的失业保险关系转移接续法规政策。

第六章 生育保险

第五十三条 职工应当参加生育保险，由用人单位按照国家规定缴纳生育保险费，职工不缴纳生育保险费。

【释义】 本条是关于生育保险的参保范围和缴费的规定。

生育保险是国家通过立法，对职工生育给予生活保障和物质帮助的一项保险制度。党和政府十分重视女职工生育期间的保障问题，新中国成立后相继颁布了《劳动保险条例》、《女职工劳动保护规定》、妇女权益保障法、劳动法等一系列保障妇女权益的法律、法规，明确规定了女职工生育期间的各项待遇，为她们提供基本生活保障和医疗服务，解决了她们的后顾之忧。为了适应市场经济体制的建立与发展，1988 年以来我国部分地区开始进行生育保险制度改革的尝试，将原有单位负担和管理的生育保障方式，逐步转变为实行社会统筹。1994 年原劳动部颁布了《企业职工生育保险试行办法》，为保障女职工生育提供了法律依据，试行办法对生育保险的基本原则、实施范围、待遇标准等作了明确规定，成为我国沿用至今的推进生育保险制度改革的主要政策依据。本章关于生育保险的制度设计也参考了该办法的一些规定。

1. 生育保险的覆盖范围。本条规定,职工应当参加生育保险,这里的职工主要指企业职工和机关、社会团体和事业单位的劳动合同制职工。《企业职工生育保险试行办法》第二条规定,本办法适用于城镇企业及其职工。由于该办法由原劳动部颁发,原劳动部职能范围是负责城镇企业职工的社会保险工作,因此,该办法适用于城镇企业及其职工。近年来,特别是医疗保险制度改革以来,生育保险的覆盖范围有扩大的趋势。目前,有 15 个地方规定将机关、事业单位、社会团体、民办非企业单位、个体工商户等单位纳入生育保险覆盖范围。

2. 生育保险费的缴纳。本条规定用人单位按照国家规定缴纳生育保险费。1994 年的《企业职工生育保险试行办法》第四条规定,生育保险根据以支定收,收支基本平衡的原则筹集资金,由企业按照其工资总额的一定比例向社会保险经办机构缴纳生育保险费,建立生育保险基金。生育保险费的提取比例由当地人民政府根据计划内生育人数和生育津贴、生育医疗费等项费用确定,并可根据费用支出情况适时调整,但最高不得超过工资总额的百分之一。企业缴纳的生育保险费作为期间费用处理,列入企业管理费用。由于我国地域辽阔,区域之间发展不平衡。各地的缴纳保险费的标准也不同。目前,我国已经有 27 个省、市、自治区、直辖市颁布并实施了生育保险规定,缴纳保费的标准从职工工资总数的 0.4%—1% 不等,根据 2006—2008 年生育保险基金征缴情况,全国平均为 0.68% 左右。用人单位应该按照各自统筹地区的缴费比例缴纳生育保险费。

在缴费方式上生育保险与工伤保险相同,都是由用人单位缴纳,职工个人不需缴纳。生育保险目的是为了保护职工与其婴儿在产前、产后的全部假期内得到支持和照顾而制定的一项社会保险制度,由企业缴纳更能体现对妇女权益的保障。

第五十四条　用人单位已经缴纳生育保险费的,其职工享受生育保险待遇;职工未就业配偶按照国家规定享受生育医疗费用待遇。所需资金从生育保险基金中支付。

生育保险待遇包括生育医疗费用和生育津贴。

【释义】　本条是关于生育保险待遇的规定。

1. 享受生育保险待遇的范围。享受生育保险待遇的范围包括参保的职工以及参保职工的未就业配偶。关于参保职工的未就业配偶享受生育保险待遇,现行国家政策未作规定,对这一规定在研究讨论过程中也有不同意见。一种意见认为由于职工产假期间将中断工作,不少单位不愿意招用女职工。生育保险制度通过解决女职工生育医疗费用、给予生育津贴,有利于消除用人单位后顾之忧,促进平等就业。如果规定未就业配偶享受生育保险待遇,将直接影响男女平等就业,给女性就业带来冲击。也有人提出,我国居民医保和新农合已经把妇女生育医疗费用纳入了支付范围,开展了中西部地区农村妇女住院分娩补助等行动,未就业妇女的生育保障已经有了制度安排,如果再规定未就业的职工配偶享受生育保险待遇，将与现行制度难以衔接。另外，现在就业状况处于变化之中，对未就业配偶的就业状况很难确认，特别是农民工家属的状况进行准确登记无法做到，难以避免不符合条件的人员重复享受生育保险待遇的情况。另一种意见认为，用人单位为职工缴纳生育保险费是不分男女的，但在享受待遇时只有女职工享受，而男职工无法享受，那么就会使得谁参保、谁受益的原则不能贯彻。况且，我国已经有十多个省对参保男职工的配偶生育可以享受生育保险待遇进行了规定。如《江苏省城镇企业职工生育保险规定》第八条第二款规定，对参加生育保险的男职工，其配偶未列入职工生育保险范围，不能享受生育有关待遇的，在符合计划生育规定生育时，按照当地规定的生育医疗费标准的50%由生育保险基金给予一次性补偿。增加参保职工未就业配偶享受生育保险不会对现行制度造成影响，而且目前多数地方已经有相应的规定，各地可以按照现有规定继续执行。因此，本法明确了职工未就业配偶按照国家规定享受生育医疗费用待遇。

2. 生育保险待遇的内容。生育保险待遇主要包括两项：生育医疗费用和生育津贴。生育医疗费用包括妇女妊娠、分娩、产后的医疗照顾以及实施节育手术时所产生的费用。生育津贴是妇女因生育离开工作岗位，由生育保险基金支付的生活费用。

第五十五条　生育医疗费用包括下列各项：

（一）生育的医疗费用；

（二）计划生育的医疗费用；

（三）法律、法规规定的其他项目费用。

【释义】 本条是关于生育医疗费用项目的规定。

生育医疗费用是指由医院为生育女职工提供的妊娠、分娩、产后的医疗照顾以及职工实施节育手术时所产生的费用。包括：

1. 生育的医疗费用。指女职工在妊娠期、分娩期、产褥期内，因生育所发生的检查费、接生费、手术费、住院费、药费等医疗费用。生育出院后，因生育引起疾病的医疗费，也由生育保险基金支付。这里需要注意的是，在生育期间超出规定的医疗服务费和药费（含自费药品和营养药品的药费）由职工个人负担。

2. 计划生育的医疗费用。职工计划生育手术费用是指职工因实行计划生育需要，实施放置（取出）宫内节育器、流产术、引产术、绝育及复通手术所发生的医疗费用。参保职工在基本医疗保险定点医疗机构和经计划生育行政管理部门、劳动保障部门认可的计划生育服务机构实施计划生育手术，其费用可以由生育保险基金支付。

3. 法律、法规规定的其他项目费用。这是一条兜底条款。目前各地根据自己的经济发展水平，生育人口的数量，规定了不同医疗费支出项目，如《吉林省城镇职工生育保险办法》规定，所在单位参加生育保险并连续缴纳生育保险费的独生子女父母退休后应享受的一次性 2000 元的奖励费，从生育保险基金中支付 500 元。

第五十六条　职工有下列情形之一的，可以按照国家规定享受生育津贴：

（一）女职工生育享受产假；

（二）享受计划生育手术休假；

（三）法律、法规规定的其他情形。

生育津贴按照职工所在用人单位上年度职工月平均工资计发。

【释义】　本条是关于享受生育津贴的情形的规定。

生育津贴指国家法律法规规定对职业妇女因生育而离开工作岗位期间，给予的生活费用，用以保障女职工产假期间的基本生活需要。本条规定生育津贴按照本企业上年度职工月平均工资计发。

1. 女职工生育享受产假津贴。产假是指国家法律、法规规定，给予职工在生育过程中休息的期限。具体解释为女职工在分娩前和分娩后的一定时间内所享有的假期。产假主要作用是使女职工在生育时期得到适当的休息，使其逐步恢复体力，并使婴儿得以受到母亲的精心照顾和哺育。我国在20世纪80年代以前，把怀孕、生育和产后照料婴儿的假期规定为56天。1988年公布《女职工劳动保护规定》后，对原规定作了很大的修改。现法定正常产产假为90天，其中产前假期为15天，产后假期为75天。难产的，增加产假15天。若系多胞胎生育，每多生育一个婴儿增加产假15天。流产产假以4个月划界，其中不满4个月流产的，根据医务部门的证明给予15—30天的产假；满4个月以上流产的，产假为42天。很多地区还采取了对晚婚、晚育的职工给予奖励政策，假期延长到 180 天。

2. 享受计划生育手术休假津贴。公民实行计划生育手术享受国家规定的休假，按照《中华人民共和国卫生部、国家计划生育委员会关于转发〈节育手术常规〉的通知》和《劳动部关于女职工生育待遇若干问题的通知》有关规定执行，具体如下：(1)放置宫内节育器和皮下药物埋植，自手术起休息 2 天，重体力劳动者，在术后一周内不作重体力劳动；(2)取宫内节育器，当日休息 1 天；(3)输精管结扎，休息 7 天；(4)单纯输卵管结扎，休息 21 天；(5)产后结扎输卵管，按产假另加 14 天；(6)人工流产：怀孕不满 3 个月的休息 20 天，3 个月以上不满 4 个月的休息 30 天，4 个月以上的休息 42 天。人工流产同时结扎输卵管，两项休假合并计算。上述休假，如遇特殊情况，由医师决定。

3. 法律、法规规定的其他津贴。这是一条兜底条款，因各地对生育保险都有相应的管理规定，津贴的发放范围也不尽相同，以上两项不能完全包括在里面。

第七章 社会保险费征缴

第五十七条 用人单位应当自成立之日起三十日内凭营业执照、登记证书或者单位印章，向当地社会保险经办机构申请办理社会保险登记。社会保险经办机构应当自收到申请之日起十五日内予以审核，发给社会保险登记证件。

用人单位的社会保险登记事项发生变更或者用人单位依法终止的，应当自变更或者终止之日起三十日内，到社会保险经办机构办理变更或者注销社会保险登记。

工商行政管理部门、民政部门和机构编制管理机关应当及时向社会保险经办机构通报用人单位的成立、终止情况，公安机关应当及时向社会保险经办机构通报个人的出生、死亡以及户口登记、迁移、注销等情况。

【释义】 本条是关于用人单位社会保险登记的规定。

社会保险登记是用人单位履行社会保险义务，缴纳社会保险费的基础，办理社会保险登记及其变更和注销手续是所有用人单位的法定义务。

1. 关于成立登记。所有用人单位一经成立就应当自成立之日起三十日内凭营业执照、登记证书或者单位印章，向当地社会保险经办机构申请办理社会保险登记。按照我国有关法律、法规的规定，公司、非公司企业法人、个人独资企业、合伙企业和个体工商户等营利性组织需在工商行政管理部门办理登记，取得营业执照。事业单位、社会团体、民办非企业单位等非营利组织需在机构编制管理机关、民政部门等有关主管部门办理登记，取得登记证书。上述两类组织办理社会保险登记，须持营业执照或者登记证书。而党政机关、人民团体等依法不属于登记范围的组织不需要办理登记，本身没有营业执照或者登记证书，只需持单位印章办理社会保险登记。

用人单位应当按照要求填写登记表格，向当地社会保险经办机构提交社会保险登记申请。社会保险经办机构应当自收到申请之日起十五日内予以审核；符合要求的，予以登记，发给国务院社会保险行政部门统一印制的社会保险登记证件。目前，社会保险登记事项主要包括：单位名称、住所或地址、单位类型、组织机构统一代码、法定代表人或者负责人、开户银行账号等与社会保险有关的事项。

2. 关于变更登记。用人单位的社会保险登记事项发生变更，应当自变更之日起三十日内持社会保险登记证件到原先办理登记的社会保险经办机构办理变更登记。用人单位应当按照要求填写变更登记表格，向原社会保险登记机构提交变更登记申请，并提供有关登记事项发生变更的证明材料。变更登记表格和有关材料经社会保险经办机构审核，符合要求的，归入用人单位社会保险登记档案。社会保险变更登记的内容涉及社会保险登记证件的内容，需更换社会保险登记证件的，社会保险经办机构应当收回原社会保险登记证件，并按更改后的内容，重新核发社会保险登记证件。

3. 关于注销登记。用人单位发生解散、破产、撤销、合并以及其他情形依法终止时，应当及时向原先办理登记的社会保险经办机构申请办理注销社会保险登记。办理注销登记时，应当提交注销登记申请、法律文书或其他有关注销的文件。经社会保险经办机构核准，注销用人单位的社会保险登记，并缴销社会保险登记证件。在办理注销社会保险登记前，用人单位应当结清应缴纳的社会保险费、滞纳金、罚款。

按照职责分工，工商行政管理部门、民政部门、机构编制管理机关分别掌握着企业、个体工商户等营利性组织，社会团体、民办非企业单位等非营利性组织，党政机关、事业单位、人民团体等纳入编制管理的机构的成立、终止情况，它们及时向社会保险经办机构通报这些情况，可以防止用人单位不依法办理社会保险登记从而逃避社会保险费缴纳义务。公安机关负责户籍管理，因此掌握着公民个人的出生、死亡以及户口登记、迁移、注销等情况，这些情况有助于社会保险经办机构在办理社会保险登记、征缴社会保险费、支付社会保险待遇等业务时核实有关个人信息，避免出现差错。社会保险关系国计民生，社会保险信息真实、准确、及时，对于保障社会保险基金的安全运行，维护参保人的合法权益具有十分重要的意义。有关部门应当切实履行通报义务，打破部门间的信息樊篱，真正实现社会保险信息的互通共享。

第五十八条　用人单位应当自用工之日起三十日内为其

职工向社会保险经办机构申请办理社会保险登记。未办理社会保险登记的，由社会保险经办机构核定其应当缴纳的社会保险费。

自愿参加社会保险的无雇工的个体工商户、未在用人单位参加社会保险的非全日制从业人员以及其他灵活就业人员，应当向社会保险经办机构申请办理社会保险登记。

国家建立全国统一的个人社会保障号码。个人社会保障号码为公民身份号码。

【释义】 本条是关于个人社会保险登记的规定。

参保个人的社会保险登记是其缴纳社会保险费、享受社会保险待遇的基础。《社会保险费征缴暂行条例》只规定了用人单位的社会保险登记，实践中还会涉及职工及灵活就业人员个人的社会保险登记。本条为此分别对职工和灵活就业人员的社会保险登记进行了规定，并明确个人社会保障号码全国统一。

1. 职工由用人单位代为办理个人社会保险登记。用人单位应当自用工之日起三十日内为其职工向社会保险经办机构申请办理社会保险登记。因为按劳动合同法的规定，用人单位自用工之日起即与劳动者建立劳动关系。用工之日，指用人单位实际用工，劳动者实际提供劳动之日。已签订劳动合同但未实际用工的，自实际用工日起建立劳动关系。已实际用工，但未签订劳动合同的，不影响劳动关系的建立。建立劳动关系后，用人单位就有义务为职工办理社会保险登记。用人单位应当在三十日的期限内尽快为职工办理登记。职工个人的社会保险登记不是一次性的，登记事项发生变化的，用人单位应当向社会保险经办机构申请办理变更登记。职工变更用人单位的，新的用人单位应当自用工之日起三十日内为其向社会保险经办机构申请办理登记。

用人单位未办理社会保险登记的，本条规定由社会保险经办机构核定其应当缴纳的社会保险费。这是本法的新规定。对此，《社会保险费征缴暂行条例》只规定了罚款。为了加强社会保险费的征缴，保障职工的社会保险权益，本法除了规定罚款外，还规定由社会保险经办机构核定其应当缴纳的社会保险费。实践中，社会保险经办机构可以通过查阅用人单位职工名册、工资表等资料，获取该用人单位有关职工人数、工资总额等数据，核定其应当缴纳的社会保险费。

2. 灵活就业人员自行办理个人社会保险登记。自愿参加社会保险的无雇工的个体工商户、未在用人单位参加社会保险的非全日制从业人员以及其他灵活就业人员，应当自行向社会保险经办机构申请办理社会保险登记。根据民法通则等法律、法规的规定，个体工商户是在法律允许的范围之内，依法经核准登记，取得营业执照，从事工商业经营的自然人或家庭。个体工商户可以雇工，也可以不雇工。雇工的个体工商户属于个体经济组织，是用人单位的一种，应当依法为雇工缴纳社会保险费。无雇工的个体工商户，可以选择是否参加社会保险；参加社会保险的，应当自行办理社会保险登记。非全日制劳动是灵活就业的一种重要形式。劳动合同法对非全日制用工形式作出了规定，按照这一规定，非全日制从业人员是指以小时计酬为主，在同一用人单位一般平均每日工作时间不超过四小时，每周工作时间累计不超过二十四小时的从业人员。非全日制从业人员有的在用人单位参加社会保险，由用人单位代为办理个人社会保险登记，有的没有在用人单位参加社会保险，应当自行办理社会保险登记。其他灵活就业人员还包括自由职业者等岗位不固定、工作时间不固定、收入不固定、劳动关系不固定的就业人员。

3. 个人社会保障号码即公民身份号码。公民身份号码，就是身份证号码。根据《国务院关于实行公民身份号码制度的决定》（国发〔1999〕15 号）的规定，自 1999 年 10 月 1 日起在全国建立和实行公民身份号码制度，公民身份号码按照 GB 11643—1999《公民身份号码》国家标准编制，由 18 位数字组成：前 6 位为行政区划代码，第 7 至 14 位为出生日期码，第 15 至 17 位为顺序码，第 18 位为校验码。公民身份号码是国家为每个公民从出生之日起编定的唯一的、终生不变的身份代码，在我国公民办理涉及政治、经济、社会生活等权益事务方面广泛使用。由于公民身份号码全国统一编码，以公民身份号码作为个人社会保障号码是实现个人社会保障号码全国统一的简便易行的途径。早在 1999 年原劳动和社会保障部就下发了《关于在劳动和社会保险管理信息系统中使用公民身份号码的通知》（劳社厅函〔1999〕66 号），明确规定，从 1999 年 9 月 30 日开始，“一律使用‘公民身份号码’作为劳动保障部门各类信息系统中全国统一标识的、唯一的个人编码名称”。

第五十九条 县级以上人民政府加强社会保险费的征收工作。

社会保险费实行统一征收，实施步骤和具体办法由国务院规定。

【释义】 本条是关于社会保险费征收的规定。

我国是缴费制的社会保险制度，征收社会保险费是社会保险制度建立的物质基础，没有社会保险费的按时足额征收，就无法形成持续、稳定的社会保险基金，参保人员的社会保险待遇就成了无源之水。因此，社会保险费的征收工作至关重要。目前，社会保险费的征收还存在一些薄弱环节，有关体制机制还未完全理顺。按照本法规定，县级以上人民政府要加强社会保险费的征收工作，强化组织领导、统筹协调，完善薄弱环节，消除体制机制障碍，保证社会保险费的按时足额征收。

所谓社会保险费统一征收是指在一个统筹地区内，由一个机构负责全部五项社会保险费的征收。1999 年国务院颁布的《社会保险费征缴暂行条例》第六条规定，社会保险费实行集中、统一征收。社会保险费的征收机构由省、自治区、直辖市人民政府规定，可以由税务机关征收，也可以由社会保险经办机构征收。目前，五项社会保险费统一征收尚未完全实现。至 2007 年，五项社会保险费全部由经办机构征收的包括 15 个省份和新疆生产建设兵团以及大连、深圳和青岛 3 个计划单列市，占全国的 51.3%。五项社会保险费全部由税务机关征收的有安徽省和宁波、厦门 2 个计划单列市，占全国的

8.1%。五项社会保险费按险种或者市县不同,既有经办机构征收,也有税务机关征收的有 15 个省份,占全国的 40.6%。这种同一地区多头征收的体制存在很大弊端,一是不方便用人单位和个人缴费,二是增加行政成本,降低征缴效率。社会保险法草案审议过程中,有些常委会组成人员建议统一征收机构。但是由于各方面在是统一由经办机构征收,还是由税务机关征收的问题上,存在意见分歧,本法没有规定负责统一征收的具体机构,但明确了社会保险实行统一征收的原则,同时规定,统一征收的实施步骤和具体办法由国务院规定。这样既明确了改革的方向,又为改革留下了足够空间。国务院将按照本法规定,根据实际情况制定实施步骤和具体办法,最终实现统一征收的目标。

第六十条　用人单位应当自行申报、按时足额缴纳社会保险费,非因不可抗力等法定事由不得缓缴、减免。职工应当缴纳的社会保险费由用人单位代扣代缴,用人单位应当按月将缴纳社会保险费的明细情况告知本人。

无雇工的个体工商户、未在用人单位参加社会保险的非全日制从业人员以及其他灵活就业人员,可以直接向社会保险费征收机构缴纳社会保险费。

【释义】　本条是关于用人单位、职工和灵活就业人员如何缴纳社会保险费的规定。

1. 关于用人单位缴费。用人单位首先应当每月按照规定的时间和要求,自行向社会保险费征收机构申报本单位依法应缴纳的社会保险费。在完成自行申报后，用人单位应当按时足额缴纳已申报的社会保险费，非因不可抗力等法定事由不得缓缴、减免。所谓不可抗力是指自然灾害、战争、经济危机等用人单位不能避免和控制的造成用人单位无法按时足额缴纳社会保险费的客观因素。“等”字意味着，法律、法规还可以根据情况规定其他可以缓缴、减免的其他事由。社会保险费的缓缴、减免可以帮助用人单位渡过暂时的难关，避免因用人单位破产而导致职工失业，损害职工利益。但社会保险费的缓缴、减免又不能随意进行，否则会损害社会保险费的按时足额征缴，最终损害参保人员的利益；所以必须依法进行，必须属于不可抗力等法定事由，缓缴、减免决定必须由法定主体按法定程序作出。如果用人单位是因为自身经营不善、管理混乱等自身原因导致无法按时足额缴纳社会保险费的，不得缓缴、减免。对这些情形，法律不予保护，应当按市场法则，优胜劣汰。2008 年，国务院曾决定对受金融危机影响较大的困难中小企业，实行阶段性的缓缴社会保险费或降低费率政策。

2. 关于职工缴费。职工个人应当缴纳的社会保险费由用人单位代扣代缴，用人单位应当按月将缴纳社会保险费的明细情况告知本人。代扣代缴是依照法律规定负有代扣代缴义务的用人单位，从职工工资收入中扣除应缴纳的社会保险费并代为向社会保险费征收机构缴纳的社会保险费缴纳方式。代扣代缴是用人单位的法定义务，用人单位不得拒绝代扣代缴，也不得转由职工自行缴纳。职工对用人单位的代扣代缴行为享有知情权，用人单位代扣代缴后应当按月将缴纳社会保险费的明细情况告知职工本人，例如可在每月发给职工本人的工资单上注明代扣代缴社会保险费的明细情况。

3. 关于灵活就业人员缴费。由于自愿参加社会保险的无雇工的个体工商户、未在用人单位参加社会保险的非全日制从业人员以及其他灵活就业人员，是自行向社会保险经办机构申请办理社会保险登记的，他们没有用人单位，或者用人单位没有缴纳社会保险费的义务，不能通过用人单位代扣代缴。为此，本条规定，灵活就业人员，可以直接向社会保险费征收机构缴纳社会保险费。灵活就业人员缴纳社会保险费应当按照国家规定的标准，根据自己的收入水平，量力而行。同时，由于享受社会保险待遇往往要求达到一定的缴费年限，灵活就业人员缴纳社会保险费也要有一定的连续性、长期性。

第六十一条　社会保险费征收机构应当依法按时足额征收社会保险费，并将缴费情况定期告知用人单位和个人。

【释义】 本条是关于社会保险费征收机构义务的规定。

社会保险费征收机构是负责社会保险费征收的法定机构。按照现行的《社会保险费征缴暂行条例》的规定，社会保险费在省、自治区、直辖市的范围内由一个机构征收，具体征收机构由省、自治区、直辖市人民政府根据本地的实际情况确定，既可以由税务机关征收，也可以由劳动保障行政部门按照国务院规定设立的社会保险经办机构征收。因此，该条规定的社会保险费征收机构目前在有的省份可能是税务机关，在有的省份可能是社会保险经办机构。从性质上看，税务机关是行政机关，社会保险经办机构是法律、法规授权的组织，但都属于本条所称的社会保险费征收机构，都应当履行法律规定的义务，依法、按时、足额征收社会保险费，并将缴费情况定期告知用人单位和个人。

社会保险基金是社会保险制度能够正常运行的物质基础，如果社会保险费征缴不到位，钱收不上来，社会保险待遇就难以按时足额发放。只有社会保险费征收机构加强社会保险费征收工作，依法按时足额征收社会保险费，增强社会保险基金的支撑能力，保证社会保险基金资金充足，才能确保社会保险待遇依法按时足额发放。

1. 应当依法征收社会保险费。依法征收是社会保险费征收机构的基本要求。所谓依法征收，就是征收机构的所有征收行为都必须要有法律、法规依据，并且按照法律、法规规定的原则、标准和程序进行，不得超越职权、多征、少征或者违反法定程序征收。具体而言，社会保险费征收机构除了要依照社会保险费征收的有关法律、法规、规章的规定外，还要遵守行政法的一般原则和有关具体规定。

2. 应当按时征收社会保险费。所谓按时征收，是指社会保险费的征收既不能提前，也不能拖延，而是要在规定的时间内及时征收。提前征收社会保险费，加重了用人单位的经济负担，会给用人单位的生产经营带来负面影响，不利于用人单位的健康发展，最终也会影响社会保险费的征收。拖延征收社会保险费，会使当期征收的社会保险费不足以支付当期的社会保险待遇，损害参保人员的利益，影响社会保险基金的正常运行。

3. 应当足额征收社会保险费。所谓足额征收，是指社会保险费的征收既不能超过应缴数额，也不能少于应缴数额，而是要严格按照依法确定的应缴数额征收。超额征收社会保险费，与提前征收一样，加重了用人单位的经济负担。同样，不足额征收社会保险费，会使当期征收的社会保险费不足以支付当期的社会保险待遇，影响社会保险基金的正常运行。超额征收、不足额征收与提前征收、拖延征收一样都属于违法征收，有关行政部门应当加强监管，杜绝此类行为。

4. 社会保险费征收机构应当将缴费情况定期告知用人单位和个人。规定征收机构的告知义务，一是保障用人单位和个人的知情权；二是便于职工监督用人单位缴费和征收机构征收行为。了解缴纳社会保险费的数额、时间等有关情况，是用人单位和个人作为缴费人的一项最基本的权利。告知用人单位和个人缴费情况，也是对征收机构最基本的要求。保障用人单位和个人的知情权，是社会保险费征收机构不可推卸的义务。征收机构应当按照规定定期将缴费情况以书面形式告知用人单位和个人，不得拖延或者隐瞒情况。同时，征收机构将缴费情况定期告知职工个人，使职工可以将征收机构告知的情况与用人单位告知的情况进行对照，便于职工监督用人单位缴费和代扣代缴是否真实、合法。按照《社会保险费申报缴纳管理暂行办法》，社会保险经办机构征收社会保险费的，应当至少每年向缴费个人发送一次个人账户通知单，至少每半年向社会公告一次社会保险费征收情况，接受社会监督。

第六十二条　用人单位未按规定申报应当缴纳的社会保险费数额的，按照该单位上月缴费额的百分之一百一十确定应当缴纳数额；缴费单位补办申报手续后，由社会保险费征收机构按照规定结算。

【释义】　本条是关于用人单位未按规定申报应当缴纳的社会保险费数额如何处理的规定。

按照本法第六十条的规定，用人单位应当按照规定的时间和要求，自行向社会保险费征收机构申报本单位依法应缴纳的社会保险费。自行申报是用人单位按时足额缴纳社会保险费的基础，用人单位未按规定申报应当缴纳的社会保险费数额，将影响社会保险费的按时征缴。为了防止用人单位故意不按规定申报应当缴纳的社会保险费而逃避缴费义务，本条规定，用人单位未按规定申报应当缴纳的社会保险费数额的，按照该单位上月缴费额的百分之一百一十确定应当缴纳数额。这一数额是在参照用人单位上月缴费额的基础上，适当考虑到社会保险费的增长确定的，是一个推定数额，可能高于用人单位实际应当缴纳的社会保险费数额，也可能低于实际应缴数额。按照《社会保险费申报缴纳管理暂行办法》，没有上月缴费数额的，可暂按该单位的经营状况、职工人数等有关情况确定应缴数额。

用人单位未按规定申报应当缴纳的社会保险费数额的，

社会保险费征收机构除应当依法确定用人单位应缴的社会保险费数额，还应当责令用人单位在指定期限补办申报手续。用人单位补办申报手续后，由社会保险费征收机构按照规定结算。用人单位拒不补办申报手续或者申报不实的，由社会保险费征收机构或者有关行政部门按照规定处理。

第六十三条　用人单位未按时足额缴纳社会保险费的，由社会保险费征收机构责令其限期缴纳或者补足。

用人单位逾期仍未缴纳或者补足社会保险费的，社会保险费征收机构可以向银行和其他金融机构查询其存款账户；并可以申请县级以上有关行政部门作出划拨社会保险费的决定，书面通知其开户银行或者其他金融机构划拨社会保险费。用人单位账户余额少于应当缴纳的社会保险费的，社会保险费征收机构可以要求该用人单位提供担保，签订延期缴费协议。

用人单位未足额缴纳社会保险费且未提供担保的，社会保险费征收机构可以申请人民法院扣押、查封、拍卖其价值相当于应当缴纳社会保险费的财产，以拍卖所得抵缴社会保险费。

【释义】　本条是关于用人单位未按时足额缴纳社会保险费如何处理的规定。

用人单位未按时足额缴纳社会保险费的，社会保险费征收机构可以采取责令限期缴纳或者补足、查询存款账户、划拨社会保险费、要求提供担保、申请人民法院强制执行等方式保证社会保险费的按时足额征收。

1. 责令限期缴纳或者补足。用人单位未按时足额缴纳社会保险费的,社会保险费征收机构首先应当责令其限期缴纳或者补足。由用人单位自己改正违法行为,履行法定义务,是社会成本最小的处理方式。征收机构不能随意省略这一程序,剥夺用人单位自己改正的机会。用人单位也应当利用好这一机会,及时改正错误,避免因拒不改正导致征收机构采取进一步行动而引起更大经济损失。根据本法第八十六条的规定,用人单位未按时足额缴纳社会保险费的,自欠缴之日起,按日加收万分之五的滞纳金;逾期仍不缴纳的,由有关行政部门处欠缴数额一倍以上三倍以下的罚款。

2. 查询存款账户。社会保险费征收机构责令用人单位限期缴纳或者补足,用人单位逾期仍未缴纳或者补足社会保险费的,社会保险费征收机构可以向银行和其他金融机构查询用人单位的存款账户。“银行和其他金融机构”包括商业银行、农村信用社等金融机构。存款账户信息涉及个人隐私、商业秘密等公民、法人和其他组织的重要权利。按照商业银行法的规定,商业银行办理存款业务,应当遵循为存款人保密的原则;对个人储蓄存款,商业银行有权拒绝任何单位或者个人查询、冻结、扣划,但法律另有规定的除外;对单位存款,商业银行有权拒绝任何单位或者个人查询,但法律、行政法规另有规定的除外;有权拒绝任何单位或者个人冻结、扣划,但法律另有规定的除外。为保证社会保险费的按时足额征收,保障职工的社会保险权益,本法授予社会保险费征收机构查询用人单位存款账户的权力。这一权力关系用人单位的重大权益,征收机构应当依法行使,不得滥用。同时,对社会保险费征收机构依法进行的查询,银行和其他金融机构应当予以配合,及时提供用人单位存款账户信息,不得拒绝、拖延。

3. 申请有关部门划拨社会保险费。经查询,用人单位在银行和其他金融机构的存款账户有余额的,社会保险费征收机构可以申请县级以上有关行政部门作出划拨社会保险费的决定,书面通知其开户银行或者其他金融机构划拨社会保险费。相对于查询,划拨属于行政强制执行中的直接强制,是对用人单位财产权的直接剥夺。目前,只有税务机关、海关等有权采取划拨的强制执行方式。因此,行使划拨权必须依法进行,必须慎之又慎。首先由社会保险费征收机构向县级以上有关行政部门提出申请,县级以上有关行政部门经审查认为符合条件的,作出划拨社会保险费的决定,并书面通知其开户银行或者其他金融机构划拨社会保险费。银行或者其他金融机构接到县级以上有关行政部门划拨社会保险费的书面通知后,应当及时将书面通知中确定的金额从用人单位存款账户划拨到指定账户,不得拒绝、拖延。从用人单位存款账户中划拨的金额不得超过用人单位应当缴纳的社会保险费。需要说明的是,如果是税收机关征收,县级以上税收机关可以决定划拨用人单位存款;如果是社会保险经办机构征收,经办机构必须向县级以上社会保险行政部门申请,由县级以上社会保险行政部门决定划拨用人单位的存款。

4. 要求用人单位提供担保。经查询,用人单位在银行和其他金融机构的存款账户余额少于应当缴纳的社会保险费的，社会保险费征收机构可以就该账户余额申请县级以上有关行政部门作出划拨社会保险费的决定，并书面通知其开户银行或者其他金融机构划拨社会保险费。对剩余的社会保险费，社会保险费征收机构可以要求该用人单位提供担保，签订延期缴费协议。用人单位可以提供相当于应当缴纳社会保险费的动产、不动产、有价证券等财产作为担保，保证在延期缴费协议规定的期限内履行缴纳社会保险费的义务。社会保险费征收机构和用人单位签订的延期缴费协议具有法律效力，社会保险费征收机构和用人单位都不得违反。用人单位在延期缴费协议规定的期限内未履行缴纳社会保险费义务的，社会保险费征收机构可以根据延期缴费协议的规定，对用人单位用于担保的财产依法进行处置，以处置所得抵缴社会保险费。

5. 申请人民法院扣押、查封、拍卖。用人单位未足额缴纳社会保险费且未提供担保的，社会保险费征收机构可以申请人民法院启动强制执行程序。人民法院经审查认为符合条件的，可以作出扣押、查封决定，将用人单位价值相当于应当缴纳社会保险费的财产予以扣押、查封，并可以将扣押、查封的财产依法进行拍卖，以拍卖所得抵缴社会保险费。与有关行政部门划拨社会保险费的行政强制执行方式不同，这里的扣押、查封、拍卖属于人民法院强制执行程序。行政决定的强制执行，以行政机关申请人民法院强制执行为原则，法律规定行政机关强制执行的，行政机关可以在法律规定的范围内强制执行。本法只授予有关行政部门划拨的强制执行权,划拨之外的强制执行方式,如需实施,社会保险费征收机构都应当申请人民法院依法强制执行。此外,根据本法第八十六条的规定,社会保险费征收机构还可以自欠缴之日起,按日加收万分之五的滞纳金;用人单位逾期仍不缴纳的,由有关行政部门处欠缴数额一倍以上三倍以下的罚款。

第八章　社会保险基金

第六十四条　社会保险基金包括基本养老保险基金、基本医疗保险基金、工伤保险基金、失业保险基金和生育保险基金。各项社会保险基金按照社会保险险种分别建账，分账核算，执行国家统一的会计制度。

社会保险基金专款专用，任何组织和个人不得侵占或者挪用。

职工基本养老保险基金逐步实行全国统筹，其他社会保险基金逐步实行省级统筹，具体时间、步骤由国务院规定。

【释义】 本条是关于社会保险基金类别、管理原则和统筹层次的规定。

基金是经国家批准成立用于特定目的并独立核算的专项资金。基金有多种类型，有政府性基金，如民航基础设施建设基金、铁路建设基金等；也有依据法律规定设立的用于防御行业风险的专项基金，如依据证券法设立的证券投资者保护基金、依据保险法设立的保险保障基金；还有证券投资基金等商业投资基金。社会保险基金属于广义的基金范畴，但不同于政府性基金、专项基金和商业投资基金，在设立目标、制度意义、基金性质、资金来源和使用范围等方面都有很大区别。所谓社会保险基金是为了保障公民年老、患病、工伤、失业、生育时获得必要帮助，由国家法律确定制度框架，并依法强制实施，由用人单位和个人分别按照缴费基数的一定比例缴纳以及通过其他合法方式筹集的，用于社会保险待遇支出的专项资金。

1. 社会保险基金的类别。在统一的社会保险基金概念下，按照一个社会保险险种设立一个独立基金的原则，分别有职工基本养老保险基金、职工基本医疗保险基金、工伤保险基金、失业保险基金和生育保险基金。由于我国职工基本养老保险和职工基本医疗保险都实行统账结合模式，因此职工基本养老保险基金和职工基本医疗保险还有统筹基金和个人账户基金之分。随着社会保险制度从职工逐步扩展到城乡居民，社会保险基金还有新的类别，包括新型农村社会养老保险基金、城镇居民社会养老保险基金和城镇居民基本医疗保险基金等。当然，由于目前我国各项社会保险基金统筹层次参差不齐，且整体统筹层次较低，因此各类社会保险基金还没有做到全国统一，而是由每个统筹地区形成各自的基金。目前社会保险基金的数量很多。

2. 社会保险基金的财务规则。社会保险基金是广大群众的“保命钱”，直接关系到参保人的切身利益，为了保证基金安全和保值增值，本条确立了社会保险基金的财务管理规则。在收和记录的环节，要求分别建账、分账核算，执行统一的会计制度。在支的环节，要求专款专用，不得侵占或者挪用。

关于分别建账、分账核算。要求各项社会保险基金保持相对独立性，分别建立账户，分别设置会计科目和编制会计报表。各项社会保险在保险目的、覆盖人群、筹资模式、运行模式、支付项目等方面不尽相同，客观上不允许账目混合。不同社会保险保的分别是年老、疾病、工伤、失业、生育等，这些风险大小不同、发生时间有先后，如果账目混合，难以平衡之间的关系。目前各项社会保险覆盖的人群不同，如果账目混合，可能将会导致缴纳的养老保险费用于他人的工伤保险待遇支付。职工基本养老保险实行部分积累制，而工伤、失业、生育保险都实行现收现付制，如果账目混合，必然导致运行模式的混乱。另外，各项社会保险基金的规模都非常大，需要精细化、规范化管理，只有分别建账、分账核算才能切实保护参保人的合法权益。分别建账、分账核算原则上不允许各社会保险基金之间调剂使用。《社会保险基金财务制度》第七条明确要求，各项社会保险基金应当自求平衡，不得相互挤占和调剂。

关于执行统一的会计制度。我国会计法第八条、第五十条规定，国家实行统一的会计制度。国家统一的会计制度，是指国务院财政部门根据本法制定的关于会计核算、会计监督、会计机构和会计人员以及会计工作管理的制度。社会保险基金关系到巨额资金，必须规范财务行为，执行统一的会计制度，规范基金收支行为，才能使社会保险基金的运行情况让人一目了然，更好地接受监督和检查，也才能切实加强对社会保险基金的管理，维护参保人的合法权益。

关于专款专用。社会保险基金作为国家强制性基金，关系到社会的稳定和参保人的“保命钱”，因此专款专用在社会保险中更加重要和突出。专款专用是对所有组织和个人提出的要求，社会保险经办机构、社会保险行政主管部门乃至各级人民政府及其工作人员，都不得违反社会保险基金专款专用的基本原则，社会保险基金主要用于社会保险待遇支出，除了有关国家规定的支出项目外，一律不得支出。除了依照法律法规规定作一定的投资运行外，不得挪作他用，更不得侵占。

3. 社会保险基金的统筹层次。社会保险基金的统筹层次关系到在多大范围内调剂使用社会保险基金，统筹层次越高，基金的规模和调剂使用的范围就越大。我国财政体制的特点是实行各级财政分灶吃饭，社会保险基金由统筹地区的政府承担兜底责任。由哪一级政府承担兜底责任，哪一级政府就可以对基金进行调剂使用。必须明确的是，提高统筹层次不是要实行一个待遇标准，在一个省内经济发展水平不同地区之间的待遇标准可以有差异。

社会保险基金统筹层次低是我国社会保险制度存在的突出问题之一。目前，除基本养老保险基金多数地方做到省级统筹外，其他四项社会保险基金的统筹层次很多还处于县市一级，全国共有一万多个相对独立的社会保险基金，背离了社会保险是社会共济的基本原则，大量分散的社会保险基金也给监管带来很大困难和风险。由于基金统筹层次低，加上地方财政承担兜底责任，造成社会保险关系跨地区转移难。人力资源和社会保障部在2009年才出台职工基本养老保险关系跨地区转移接续的办法，在2009年之前，大量跨地区就业人员由于无法转走养老保险关系而选择退保，有些地方一到年底就引发“退保潮”。提高社会保险的统筹层次，社会保险关系转移的障碍将大大减少，转移难问题也将大大缓减，有利于劳动者合理有序流动，合法权益得到保障。统筹层次低带来的问题主要有：第一，各统筹地区根据当地实际情况确立社会保险制度的具体做法，使得各地在社会保险基金征缴、经办、运营及待遇支付等方面存在很大差异，这不仅给参保人社会保险关系转移接续带来客观障碍，还使得不同统筹地区之间的参保人待遇水平及用人单位负担等方面不平衡，有的还引起地区之间不当竞争，引发社会矛盾。第二，不符合社会保险的大数法则。社会保险覆盖人群只有达到一定大的数量后，基金的收入和支出才能保持相对稳定的态势，才能达到动态平衡。统筹层次低导致覆盖人群少，基金收入有限，给自身平衡带来很大不确定因素，难以抗御风险。第三，运行成本高、效率低。统筹层次低使各统筹地区形成了各自的管理制度和机构，通过提高统筹层次，可以整合机构，发挥整体优势，降低运行成本。统筹层次低，使基金结余分散，不能有效运营，难以实现增值保值目标。只有提高统筹层次，才能形成一定规模的基金结余，投资运营更规范，渠道更畅通和稳健。当然，提高统筹层次存在客观障碍，最大的障碍来自财政分灶吃饭问题，一旦提高统筹层次，必然会上收基金收入，形成“富帮穷”，一些基金结余较多的地方就有抵触情绪。在实际操作中，在强调全国一盘棋、大局意识的同时，如何平衡各地利益需要进一步研究。

党的十七大报告明确提出“提高统筹层次”的要求，对于提高社会保险基金统筹层次已成各界共识，但在五项社会保险基金是否同步提高、职工基本养老保险基金统筹到什么层次和统筹的内容、提高统筹层次的意义等还有不同认识。社会保险法（草案）曾规定职工基本养老保险和其他四项社会保险都实行省级统筹。有的认为，不同险种的大数法则要求不同，职工基本养老保险实行部分积累制，统筹层次要求较高，而医疗、工伤、失业和生育保险实行现收现付制，有没有必要实行省级统筹还需要进一步研究。社会保险法将职工基本养老保险与其他四项社会保险的统筹层次作了不同规定，职工基本养老保险应当尽快实现全国统筹，而其他四项社会保险逐步做到省级统筹。

关于职工基本养老保险的统筹层次。社会保险法（草案）规定，职工基本养老保险实行省级统筹。多数意见认为，职工基本养老保险应当实行全国统筹，统筹层次低已成为阻碍劳动力流动和损害公平竞争的负面因素，实践中多数省份已做到省级统筹，草案应作更积极、更有前瞻性的规定，明确提出全国统筹的目标。考虑到提高统筹层次的必要性，社会保险法明确了职工基本养老保险的目标是逐步实行全国统筹。

有的建议明确规定职工基本养老保险中基础养老金实行全国统筹，个人账户实行省级统筹。基础养老金属于社会统筹资金，是参保人共有资金，有共济互助的作用，而个人账户是参保人个人财产，两者性质不尽相同，提高统筹层次的主要对象应当是基础养老金部分，对于个人账户部分为了资金安全和投资运营的效率，也应适当提高统筹层次。考虑到本条重在规范养老保险基金统筹层次的提高和确定方向，至于养老保险基金中哪一部分实行全国统筹，应根据实际情况和平衡各省积极性来确定。

第六十五条　社会保险基金通过预算实现收支平衡。

县级以上人民政府在社会保险基金出现支付不足时，给予补贴。

【释义】 本条是关于社会保险基金的收支平衡和政府补贴责任的规定。

社会保险基金是主要由用人单位和参保人缴纳、用于社会保险待遇发放的专项资金，具有相对独立性，不同于用人单位和参保人的财产，不同于社会保险经办机构的资产，也不同于财政资金和其他财政性基金。实现收支平衡是社会保险基金良性、健康发展的标志，关系到社会保险制度的可持续性。

1. 关于通过预算实现收支平衡。做到收支平衡，才能保证按时足额发放社会保险待遇，增强社会保险制度的公信力和吸引力，才能做到基金充裕但适度结余，保证社会保险基金自我发展、自我运行，不至于给财政造成负担。收支平衡不仅是社会保险基金每一年度的目标，也是长远目标。就目前而言，社会保险基金收入主要有：社会保险费缴纳、国家财政补助和基金收益。支出主要是社会保险待遇支出。社会保险经办机构的运行成本、管理成本由财政负担，不属于基金支出项目。收支平衡并不是做到收和支的完全相同,而是以支定收,大致平衡,略有结余。为保证收支平衡目标的实现,应当通过预算手段,事先做出征缴计划、财政补助及其他资金来源计划,同时做出社会保险待遇支出计划及其他法定支出计划,使收支情况一目了然,有利于工作做在前,预先做出准备。发现收大于支了,在充分考虑支付发展趋势后,应当通过费率调整机制适当降低费率,减轻社会负担。发现支大于收了,应当动用以往基金结余、加大财政投入、进一步扩面或者在社会可承受范围内通过费率调整机制适当提高费率。

理解本条第一款需要注意以下几点:第一,收支平衡是指每项社会保险基金的收支平衡,进而实现整个社会保险基金的收支平衡。各项社会保险基金是单独核算、分别运行的,不能相互调剂和挤占,因此各项社会保险基金、各个社会保险基金都应当做到收支平衡。第二,收支平衡主要是对实行现收现付制的社会保险基金提出的。我国工伤保险、失业保险和生育保险都实行现收现付制,当期收入用于当期支出,收支平衡是其应有之义。职工基本养老保险实行部分积累制,统筹部分实行现收现付,需要做到收支平衡,而个人账户部分实行积累制度,不用于当期支付,而是储蓄式积累,待参保人达到退休年龄后按月发放给参保人本人。由于个人账户的收和支并不是同步发生的,其收支平衡不同于其他社会保险和统筹部分的收支平衡,不是代际之间或者同代人之间的收支平衡,而是参保人年轻时缴费与年老时享受待遇之间的收支平衡。第三,有意见认为,预算并不能做到收支平衡。预算本身确实不能使基金做到收支平衡,但预算是促进基金收支平衡的重要手段。预算是法定的,保证了基金必须做到收支平衡,否则是违法。通过预算,能以公开、透明的方式表现基金是否做到收支平衡。直接能使基金收支平衡的,主要是收支环节,集中为费率调整机制和财政补助力度。一旦基金入不敷出时,财政应加大补助,来实现收支平衡。

2. 关于政府的兜底责任。财政与社会保险基金的关系各国有不同模式。有的实行普惠制社会保险,通过收税筹集资金,因此财政资金是社会保险基金的主要来源。多数实行缴费制社会保险,社会保险基金主要由用人单位和参保人的缴费组成,同时财政也承担相应责任。少数实行储蓄式社会保险,社会保险基金完全由个人缴费组成,国家只是建立制度和制定规则,不直接提供经费支持。我国实行的是缴费制社会保险制度,财政对社会保险主要承担责任。在立法过程中,主要争议是国家财政对社会保险基金承担什么样的责任。

对财政应当对社会保险基金在出现不足时承担的兜底责任,本款作了明确规定。社会保险制度是国家建立并强制缴费的制度,应当由国家信用来担保社会保险制度的正常运行,社会保险基金一旦发生支付不足,出现支付缺口时,应当由财政予以补贴。财政兜底责任,应当主要由统筹地区政府财政承担。政府除了承担兜底责任外,对社会保险基金是否还要承担其他补贴责任。实践中,政府财政还承担了养老保险待遇增长的支出、做实个人账户的支出、城乡居民社会养老医疗保险的补贴支出等。在修改过程中,有的认为政府应当加大对社会保险事业的支持力度，建议财政支持日常化、常态化，明确政府财政投入的比例。有的建议本法应当明确财政责任，包括对社会保险待遇支付的经常性承担份额、低收入者等缴费困难人群的补贴、社会保险转制成本等。有的则反对将财政支持日常化、常态化，认为兜底责任就能最终解决问题。经对上述意见的研究，本法除了本款规定的兜底责任外，还在第十三条规定了国有企业、事业单位职工参加基本养老保险前，视同缴费年限期间应当缴纳的基本养老保险费由政府承担。基本养老保险基金出现支付不足时，政府给予补贴。第二十条规定了新型农村社会养老保险实行个人缴费、集体补助和政府补贴相结合。第二十五条规定，城镇居民基本医疗保险实行个人缴费和政府补贴相结合。享受最低生活保障的人、丧失劳动能力的残疾人、低收入家庭六十周岁以上的老年人和未成年人等所需个人缴费部分，由政府给予补贴。力图将政府的补贴责任具体化、制度化。在第七十二条中规定了社会保险经办机构的运行费用、管理费用由财政承担。

第六十六条　社会保险基金按照统筹层次设立预算。社会保险基金预算按照社会保险项目分别编制。

【释义】　本条是关于社会保险基金按照统筹层次设立预算的规定。

1. 关于设立预算的意义。国家预算是关于政府收入和支出的基本计划。国家预算的编制和确定都需要依照法定程序进行,具有强制性特点,一经有权机关批准,必须执行,非经法定程序,不得改变。国家预算反映了政府要开展的工作和完成的任务,是监督和控制政府使用财政资金的重要途径。国家预算体现的强制性、公开性、透明性有利于财政资金的规范使用。社会保险基金不同于财政资金,将社会保险基金纳入国家预算管理体系,通过对社会保险基金筹集和使用实行预算管理,有利于加强对社会保险基金的管理和监督,有利于保证社会保险基金的安全,有利于提高社会保险基金的运行效益,有利于促进社会保险制度的可持续发展,使社会保险基金管理乃至社会保险制度的规范化、科学化都上了一个新台阶。

社会保险基金数量庞大,关系到参保人员的切身利益和社会稳定,将其规范化管理,纳入预算是必要的。这项工作正在稳步开展,本条为社会保险基金进行预算管理提供了法律依据。为了规范公共资金的使用,建立健全我国预算管理体系,党的十四届三中全会通过的《中共中央关于建立社会主义市场经济体制若干问题的决定》中提出,要建立起与社会主义市场经济基本适应、相对规范的包括公共支出预算、国有资产经营预算和社会保障预算在内的预算管理体系。之后,一些省份开始探索建立包括社会保险基金在内的社会保障预算。2010 年,国务院颁布了《关于试行社会保险基金预算的意见》,要求各地根据规定并结合本地实际,编制 2010 年度社会保险基金预算。社会保险基金预算工作迈出了关键性一步。正在修改的预算法也明确将社会保障预算纳入调整范围。

2. 按统筹地区编制预算。我国国家预算实行一级政府一级预算体制，分别设立中央、省、市、县、乡五级预算。我国现行社会保险制度建立之初，由地方先行改革，在国家统一的社会保险制度框架内，由各地结合本地实际对具体制度进行探索。各项社会保险基金的统筹层次不一，在不同行政区域内形成大大小小的基金，有的是县统筹，有的是地市统筹，有的是省内统筹。统筹层次的核心意义在于统筹到哪一级就由相应的那一级政府对基金承担兜底责任。因此，社会保险基金的预算与财政预算层级不是一一对应，而是由统筹地区设立社会保险基金预算，在预算中明确统筹地区内各级政府的责任。社会保险基金预算由统筹地区设立，体现了事权与财权的统一。

3. 按社会保险项目分别编制。社会保险基金预算不仅独立于国家财政预算、国有资本经营预算，其内部也按不同险种分别编制预算。为了保证各项社会保险基金的安全、完整，从财务制度上要求各项社会保险基金分别建账、分账核算、专款专用，从预算管理上也要求各项社会保险基金按险种规范收支内容、标准和范围，分别编制预算。社会保险基金预算包括职工基本养老保险、职工基本医疗保险、工伤保险、失业保险、生育保险等，并分别有相应的基金收入预算和基金支出预算项目。社会保险基金预算编制应当采用科学规范的方法，提高预算编制的预见性、准确性、完整性和科学性。按照国务院《关于试行社会保险基金预算的意见》的规定，编制收入预算应当考虑的因素有:统筹地区上年度基金预算执行情况、本年度经济社会发展水平预测以及社会保险工作计划等因素,包括社会保险参保人数、缴费人数、缴费工资基数等。编制支出预算应当考虑的因素有:统筹地区本年度享受社会保险待遇人数变动、经济社会发展状况、社会保险政策调整、社会保险待遇标准变动等。

第六十七条 社会保险基金预算、决算草案的编制、审核和批准,依照法律和国务院规定执行。

【释义】 本条是社会保险基金预算中具体权限的规定。

在预算中,主要涉及预算草案和决算草案的编制、审核、批准等几个环节。根据预算法的规定,预算草案是指未经法定程序审查和批准的政府年度收支计划,编制由具体实施收支计划的部门承担,主要是根据本部门或者本机构的实际情况,拟订本部门或者本机构的年度收支计划。预算草案的审核由本级政府财政部门承担,主要是依法对各部门预算初步草案进行审查和汇总,统一编制出本级政府的预算草案。预算草案的批准主要由各级人大负责,使预算草案成为正式预算。决算草案是对本年度预算收支执行情况的最终反映,一般由财政部门负责编制本级政府的决算草案,经本级人民政府审核后,报同级人大批准。

将社会保险基金纳入预算管理后,就有预算、决算草案的编制、审核和批准权限分配问题。根据预算法第七十六条的规定,社会保障预算按照预算外资金管理,管理办法由国务院规定。目前,统筹地区社会保险基金预算与一般财政预算不尽相同。根据《关于试行社会保险基金预算的意见》的规定,由社会保险经办机构编制预算草案,在税务机关征收社会保险费的地区,由社会保险经办机构与税务机关编制,本级政府人力资源和社会保障部门作为主管部门,对各险种预算草案进行审核汇总。财政部门负责审核。最后由财政部门与人力资源和社会保障部门联合报本级人民政府审批。全国社会保险基金预算由人力资源和社会保障部汇总编制,财政部审核,由财政部和人力资源和社会保障部联合向国务院报告。待条件成熟后,由国务院适时向全国人大报告。社会保险基金决算草案的编制、审核、批准与预算草案程序相同。社会保险法草案曾明确规定统筹地区的基金预算按照国务院规定执行,全国的基金预算报国务院批准。在修改过程中,有意见认为,公共预算应当首先适用预算法的规定,不能只是按照国务院的规定执行。如果将社会保险基金预算写得太具体,将实施时间不长,尚在摸索、试行阶段的做法固定下来,不利于将来总结经验,及时作出调整。另外,正在修改的预算法拟明确将社会保障基金预算作为政府预算的组成部分,并要求社会保障预算的编制、执行和实施步骤,由国务院依照本法作出规定。有的则认为,不宜修改为依照预算法执行,目前对社会保险基金性质及预算管理制度还有不同意见,一时也难以做到完全按预算法的管理制度执行。

考虑到国务院已经出台了《关于试行社会保险基金预算的意见》,相关工作正在积极稳妥地推进,同时预算法正在修改，有关社会保险预算的具体办法，还需进一步实践的讨论，从发展方向看，社会保险基金预算、决算草案的管理权限，也应当同其他政府预算、决算一样。因此，本条作了笼统规定，这样规定既有明确指引，有利于执行，也有利于今后社会保险基金预算管理的进一步改革完善。

第六十八条　社会保险基金存入财政专户，具体管理办法由国务院规定。

【释义】　本条是关于社会保险基金财政专户的规定。

社会保险基金收入和结余存放关系到基金的安全。1996 年前，社会保险基金由社会保险经办机构管理，存放在社会保险行政主管部门在商业银行开设的账户中。为了加强预算外资金的管理，1996 年国务院颁布了《关于加强预算外资金管理的决定》，规定各部门和单位的预算外资金必须上缴同级财政专户，支出由同级财政按预算外收支计划和单位财务收支计划统筹安排，从财政专户中支出，实行收支两条线。同时规定，社会保险基金在国家财政建立社会保障预算之前，先按预算外资金管理制度进行管理。从 1997 年开始，社会保险基金存入财政专户进行管理。

目前，财政专户是指各级财政部门在指定商业银行开设的，用于对预算外资金收支进行统一核算和集中管理的专门账户。社会保险基金存入财政账户的具体做法是：实行由社会保险经办机构征收社会保险费的，可以在商业银行中开设收入户，并定期将收入户中征缴的社会保险费缴存财政专户，收入户只收不支,月末无余额。实行由税务机关征收社会保险费的,不在商业银行中设收入户,直接缴入国库,再由国库转入财政专户。

在立法过程中,对社会保险基金应存入财政专户还是国库有不同认识。有的意见反对将社会保险基金存入财政专户,认为现行做法不合理,社会保险法应当明确将基金存入国库。理由有:第一,社会保险基金不是财政收入,不应与其他财政收入相混同。《关于加强预算外资金管理的决定》中将社会保险金作为预算外资金管理是权宜之举。随着社会保险基金管理工作的推进,应厘清社会保险基金的性质,明确将基金直接缴入国库。第二,为了解决政府资金分散管理问题,我国进行了国库集中收付改革。当时由于国库缺乏将所有预算资金的收入和支出全部纳入国库单一账户管理的条件,作为一项过渡性措施设立了财政部门的财政专户,同时取消了税务部门、各执法单位在商业银行中的过渡性账户。但财政专户只是阶段性、过渡性产物。目前,国库已经具备了将所有预算资金的收入和支出全部纳入国库单一账户管理的条件,国库集中收付改革可以实现。从改革目的和各国发展趋势看,财政专户应当予以取消。第三,财政专户模式下过渡账户过多、中间环节过多。过渡账户多,社会保险费往往会滞留在各过渡账户中,使资金汇总周期大大拉长,使截留、挪用基金的风险大大增加。中间环节多,降低了效率,增加了管理成本,浪费社会资源。如果调整为国库模式,在收缴社会保险费环节,将不存在过渡账户,几乎没有中间环节,社会保险费直接进入国库。社会保险费发放，也没有过渡账户，直接从国库发放到参保人的银行账户中。第四，财政专户模式不够安全。保证基金安全是社会保险基金管理工作中的重中之重。现行财政专户管理模式有三个方面安全漏洞：中介环节多，信息不透明，基金容易被部门截留、挪用；财政专户开设在商业银行，商业银行是市场经营主体，有可能会因经营不善而倒闭、破产；商业银行在支付环节没有义务和责任予以审核，为了拉存款，存在“寻租”的可能。第五，财政专户模式信息不透明。在现行制度下，财政专户和社会保险基金收入户、支出户都开设在商业银行，而且是各级层层设立，众多的账户分属于不同部门、分设在不同商业银行，很难做到信息透明，这给全国社会保险基金统计工作带来困难，同时也带来安全等问题。最后，由财政专户模式转为国库模式的成本较低。近年来，国库网络建设非常快，央行国库研发了与税务、财政、商业银行联结的、全国统一的、运行良好的国库横向联网系统，已经实现了税收、非税等收入直接缴入国库，实现支出直接拨付最终收款人的银行账户，实行收支信息的实时逐笔或者定时批量的高效传递。目前，全国已经有二十多个省进行了国库直接办理集中支付业务试点，各地参加国库横向联网系统只要开发连接端口或者改造已有联网系统即可实现，相应成本并不高。因此，建议将现行财政专户模式转为国库模式，社会保险基金应当存入国库并由国库进行支付。

有的意见则认为，目前社会保险基金存入财政账户机制运行得较好，建立了较为健全的财务管理制度、会计核算制度、征缴管理机制、支付操作流程、监督控制机制等，财政专户模式可以有效确保社会保险基金安全。同时认为，实行财政专户模式还有以下理由：第一，财政专户模式能够满足支付管理的需要。支付业务是商业银行的主体业务，中国人民银行作为央行，不应介入由市场主体办理的微观经济业务。一般预算内资金和政府性基金都由商业银行办理具体的资金支付业务，社会保险基金也不例外。第二，能够真正实现保值增值。财政专户模式下是通过市场机制获得收益，是真正意义上的保值增值，而国库模式下，由国库支付利息，这将减少应缴财政的相应收益，实质上是财政补贴，不是真正意义上的保值增值。第三，近年来，我国中央财政和地方财政加大了对社会保险基金的财政投入，既然需要财政投入，财政部门就应当参与管理，就要对社会保险基金的全部情况都要掌握，财政专户模式能够保证财政部门对社会保险基金的管理。

从科学、合理、规范、效率角度看，将社会保险基金存入国库的理由较为充足，这应是发展的方向。但由于意见分歧比较大，同时考虑到社会保险基金存入国库还是财政专户，是政府部门的职责分工问题，可以由国务院根据实际情况和需要确定。同时，财政专户概念也不是一成不变的，以后国库下设专门的财政专户也不是完全没有可能。因此，本条基本维持了现行做法，具体管理办法和是否需要调整，授权国务院作出规定，也给改革留了一定余地。

第六十九条 社会保险基金在保证安全的前提下，按照国务院规定投资运营实现保值增值。

社会保险基金不得违规投资运营，不得用于平衡其他政府预算，不得用于兴建、改建办公场所和支付人员经费、运行费用、管理费用，或者违反法律、行政法规规定挪作其他用途。

【释义】 本条是关于社会保险基金保值增值的规定。

社会保险基金是“保命钱”，安全性是首要原则，在通货膨胀的趋势下，在保证安全的同时，实现增值保值显得非常必要。在各项社会保险中，职工基本养老保险、职工基本医疗保险以及城乡居民社会养老保险中都有个人账户，属于部分积累模式。同时，其他社会保险基金也出现大量结余。从长期看，通货膨胀是必然的，对于部分积累型的养老保险而言，缴费和待遇的领取相隔长达几十年，如果不能实现保值增值，保险待遇水平将大打折扣。要使社会保险基金保值增值，就必须使基金收益率跑赢通货膨胀率，因此存银行、买国债都由于回报率低而难以达到增值保值目的，将基金予以投资运营是必然选择。将大量社会保险基金搁置起来，也是一种资源浪费。同时，投资运营有风险，必须严格按照规定进行。

1. 按照国务院规定投资运营。投资运营必然有市场风险，甚至有亏损风险，因此为了保证基金安全，最大限度降低市场风险，国家对社会保险基金能否投资运营有一个发展的过程。开始时，只允许社会保险基金结余存银行、买国债。1997 年《国务院关于建立统一的企业职工基本养老保险制度的决定》和 2000 年《关于完善城镇社会保障体系的试点方案》中都规定，社会保险基金结余和个人账户基金应当由省级社会保险经办机构统一管理，除预留支付费用外，全部用于购买国家债券和存入银行。近年来，随着社会保险基金规模的不断扩大，迫于基金增值保值的压力，国家对社会保险基金的投资运营有所松动。2007 年颁布的《做实企业职工基本养老保险个人账户中央补助资金投资管理暂行办法》规定，将政府补助职工基本养老保险做实个人账户的资金，委托全国社会保障基金理事会投资运营，截止到 2008 年年底，累计金额为 327 亿元。目前，有关部门正在积极研究起草个人账户其他部分的投资运营管理办法，通过规范和建立投资运营机制，促进基金的保值增值。本条授权国务院对投资运营作出规定，也是考虑到投资运营的现实必要性和存在的风险，有利于国务院根据具体情况分步骤、有选择地、稳妥地推进相应工作。

2. 禁止性规定。随着我国社会保险基金结余量的增加，基金又比较分散，保证基金安全的要求越来越高。为了加强对基金监管，严格加以规范，本条第二款作了禁止性规定。(1)不得违规投资运营。国家允许社会保险基金投资运营，是非常谨慎和逐步开展的，对于投资运营的资金、运营方式、运营主体、投资渠道和结构等都有严格要求。为了最大限度地降低投资风险，将风险控制在可控范围内，防止出现大幅亏损，影响基金安全，必须严格按照国家规定通过稳健渠道投资运营，不得以任何形式违规投资运营。(2)不得用于平衡其他政府预算。社会保险基金是专项资金，专款专用，单独核算,不能与财政资金混同。政府预算中有政府公共预算、政府性基金预算、国有资本经营预算以及社会保障基金预算,各级政府都不得将社会保险基金用于平衡其他政府预算。(3)不得用于兴建办公场所和支付经办机构运营费用。办公场所的修建应当符合国家规定标准,其资金来源应当是财政专项资金。经办社会保险有一定的费用支出,包括办公场所、人员经费、基本运行费用、管理费用等,为了保证基金的完整性和安全性,也体现政府办社会保险制度的特点,我国多个文件明确社会保险经办机构的运行费用和管理费用由财政承担。因此,本条明确规定任何单位和个人都不得从社会保险基金中支出日常运作费用,否则将要承担相应的法律责任。

第七十条　社会保险经办机构应当定期向社会公布参加社会保险情况以及社会保险基金的收入、支出、结余和收益情况。

【释义】　本条是关于社会保险基金信息公开的规定。

社会保险关系到千家万户的切身利益,将社会保险基金运行情况向社会公开是规范基金管理、切实加强对基金社会监督的重要措施。建立社会保险基金信息公开制度,实行"阳光社保",既保障了用人单位和广大参保人的知情权,又有利于社会监督的顺利开展,对社会保险制度的健康、良性发展起着积极促进作用。我国社会保险实行缴费制,社会保险基金主要由用人单位和参保人员缴费组成,因此用人单位和参保人员有权知道社会保险制度是怎样运作的,钱是怎么花的,制度是否可持续发展等,社会保险基金信息公开就是回答社会所关心的这些问题。建立社会保险基金信息公开制度,使社会了解社会保险情况,有了解才可能有信心,才有吸引力,同时对社会保险的经办管理工作而言,也是一种促进,以外力推动工作,规范工作机制,提高服务水平。

1. 关于公开的机构。社会保险经办机构负责社会保险经办业务,提供社会保险服务,有义务将经办的过程和结果向社会公开。因此,社会保险基金的信息公开主体是社会保险经办机构。根据2007年原劳动和社会保障部《关于建立社会保险信息披露制度的指导意见》规定,各级劳动保障行政部门负责本地区社会保险信息披露工作的组织、指导和监督工作,负责审批本级所披露的社会保险信息,社会保险经办机构具体向社会披露。本条明确了信息公开主体为社会保险经办机构,不影响社会保险行政主管部门对有关信息披露的内部审批,也不影响部门协调机制。有的地方规定,有关基金的收支、结余情况应当与财政部门协调。

2. 关于公开的内容。实践中,社会保险经办机构公开的内容包括:各项社会保险基金的基本情况、社会保险经办管理服务的基本情况、经办管理重要事项、社会保险违规违纪典型案例的处理和整改等情况。本条从社会保险基金角度,着重规定了对社会保险基金的公开,主要为:参加各项社会保险情况以及各项社会保险基金的收入、支出、结余和收益等与参保人密切相关的反映基金总体运行情况的重要统计信息。具体包括:各项社会保险的参保单位数、参保人数、享受社会保险待遇的人数、享受社会保险待遇情况；各项社会保险基金本年度收入、支出及累计结余情况；统筹地区参保人员基本养老保险个人账户基金积累和记账利率；统筹地区在岗职工平均工资、参保人员人均缴纳社会保险基数等。随着工作深入，公开内容可以从基金统计信息为主，逐步向公开财务和管理服务信息转变，增加信息的真实性和有效性。

3. 关于公开的时间和方式。对于参加社会保险情况以及基金收入、支出、结余和收益等基本情况，本条规定要作为一项制度定期公开，这是刚性要求。实践中，有的是将这些基本信息一个季度公开一次，有的是一年公开一次。有些地方规定，根据信息的性质和特点，确定灵活的公开时间，对一些服务类信息，如医疗保险定点医疗机构住院费用，可以按季度甚至按月进行动态公开。对一些重大违纪违规及其他需要公众及时了解的事项，要随时公开有关信息。对于公开的方式，本条没有作明确规定。各地应本着尽量公开、增强公开效果原则，积极探索公开方式，包括政府公报、政府网站、新闻发布会及报纸、杂志、广播、电视及咨询电话等，并将信息置于社会保险服务场所，供参保人和相关人员查阅。

第七十一条　国家设立全国社会保障基金，由中央财政预算拨款以及国务院批准的其他方式筹集的资金构成，用于社会保障支出的补充、调剂。全国社会保障基金由全国社会保障基金管理运营机构负责管理运营，在保证安全的前提下实现保值增值。

全国社会保障基金应当定期向社会公布收支、管理和投资运营的情况。国务院财政部门、社会保险行政部门、审计机关对全国社会保障基金的收支、管理和投资运营情况实施监督。

【释义】 本条是关于全国社会保障基金的规定。

全国社会保障基金不同于社会保险基金，两者虽然一字之差，但两个基金互相独立，在设立目的、资金来源、支付用途、运营方式等方面均不相同。社会保障基金是由国家设立的主要用于应对人口老龄化高峰时期社会保障需要的专项资金。2000 年 8 月，党中央、国务院决定建立社会保障基金，同时设立社会保障基金理事会，负责管理运营全国社会保障基金。

1. 基本情况。在立法过程中，对于本法是否应当规定全国社会保障基金有不同意见。有的认为，应当作原则规定，全国社会保障基金成立有十多年了，一直缺乏明确的法律依据，不利于全国社会保障基金事业的长远发展。社会保险是社会保障的重要组成部分，弥补人口老龄化所带来的社会保险支付缺口是全国社会保障基金设立的重要目的，在社会保险法中可以有全国社会保障基金的原则规定。同时，在社会保险法中明确了全国社会保障基金的性质和主要用途，使之与主权财富基金相区别，可防止全国社会保障基金被视为主权财富基金而在国际上投资受到不公平对待。不同意见认为，在社会保险法中规定社会保障基金，容易让人误解两者的关系。可能会模糊全国社会保障基金的用途，甚至会被定位为社会保险储备基金。在社会保险出现支付缺口时，会经常被使用，影响社会保障基金的长期投资战略，不利于增值保值。考虑到全国社会保障基金涉及金额非常庞大，到2009年年底达到了7000亿元，对这部分钱应当加强监督和规范管理，在法律中作相关规定是必要的。社会保障范围比社会保险宽，社会保险属于社会保障的重要组成部分。全国社会保障基金用于社会保障目的，但如何使用本法只作原则规定，部分用于社会保险也是应有之义。因此，本条对全国社会保障基金的性质、资金来源、主要用途及管理运营、监督作了原则规定。

2. 关于全国社会保障基金的性质、资金来源和主要用途。全国社会保障基金是中央政府设立的，在全国层面设立的基金，这一点与社会保险基金在统筹地区设立不同。全国社会保障基金定位于完善社会保障体系的战略储备性资金，主要用于应对老龄化高峰时期的社会保障缺口，用于社会保障支出的补充调剂，不用于解决社会保险一般收支平衡问题，也不是专门用于弥补社会保险基金支付缺口。实践中，对于全国社会保障基金的具体使用条件和何谓“战略”还有争议，对用于社会保险的资金占多大比例、具体支付条件都还有不同认识，因此，本条没有明确规定。

全国社会保障基金的资金来源主要是中央财政预算拨款和国务院批准的其他筹资方式。目前，国务院批准的其他筹资方式有：彩票公益金、国有股减持或者转持划入资金或股权资产。先后出台了《国务院关于进一步规范彩票管理的通知》《国务院关于减持国有股筹集社会保障资金管理暂行办法》《境内证券市场转持部分国有股充实全国社会保障基金实施办法》等。据介绍,到 2009 年年底,全国社会保障基金总权益为 6927 亿元,其中累计财政投入为 3802 亿元。

3. 全国社会保障基金的管理运营。全国社会保障基金理事会是全国社会保障基金的管理运营机构,受国务院委托,管理中央集中的社会保障基金。为了保证基金保值增值,必须在保证安全的情况下进行投资运营。为了规范投资运营行为,将风险降到最低限度,国务院出台了《全国社会保障基金投资管理暂行办法》《全国社会保障基金境外投资管理暂行规定》,对社会保障基金理事会的管理结构、投资方针、投资范围和投资目标作出规定。投资方针是安全至上、审慎投资。投资范围限于银行存款、购买国债和其他具有良好流动性的金融工具,这些金融工具有五类,包括固定收益资产、境内股票、境外股票、实业投资、现金及等价物,并明确了各自比例。理事会主要委托专业投资管理机构和托管商业银行进行投资运营。理事会直接投资运营的范围限于银行存款和在一级市场购买国债。全国社会保障基金中长期投资目标是战胜通货膨胀,收益率为 CPI 加 2%。近年来,基本完成了投资目标,到 2009 年累计投资收益为 2448.59 亿元,年均收益率为 9.75%,而年通货膨胀率为 2.01%。

4. 信息公开和加强监督。为了促进和规范基金的管理运营,自觉接受社会监督,全国社会保障基金应当定期向社会公开有关情况。《全国社会保障基金投资管理暂行办法》和《全国社会保障基金理事会章程》都明确规定了信息公开义务,要求理事会每年一次向社会公布基金的资产、收益、现金流量等财务状况。对于全国社会保障基金发生的重大事件，书面报告相关行政部门，经批准后向社会公告。财政部作为国家财政主管部门有责任对财政资金的管理、使用加强监督。社会保险行政主管部门作为养老保险的主管部门，有责任对全国社会保障基金加强监督。审计机关是行政系统内的专门监督机关，有权对主要由财政资金构成的基金进行监督。因此，国务院财政部门、社会保险行政部门、审计机关应当从各自职权出发，对全国社会保障基金的收益、管理和投资运营情况进行监督。

第九章　社会保险经办

第七十二条　统筹地区设立社会保险经办机构。社会保险经办机构根据工作需要，经所在地的社会保险行政部门和机构编制管理机关批准，可以在本统筹地区设立分支机构和服务网点。

社会保险经办机构的人员经费和经办社会保险发生的基本运行费用、管理费用，由同级财政按照国家规定予以保障。

【释义】　本条是关于社会保险经办机构的设置及经费保障的规定。

1. 关于社会保险经办机构的设置及职能。我国对社会保险工作机构实行政事分开的原则。社会保险行政部门主要负责社会保险有关法规、政策的制定；社会保险经办机构依据法律法规的授权和社会保险行政部门的委托，负责贯彻实施国家有关社会保险的法规、政策，承办具体业务管理服务工作。社会保险经办机构承办的管理服务工作，包括具体收缴和调剂使用社会保险资金以及具体支付各项社会保险待遇。社会保险经办机构的设置，由社会保险管理体制决定。由于社会保险所具有的强制性、互济性、社会性和福利性，社会保险经办机构必须由非营利性质的社会公共机构所担任。目前我国的社会保险经办机构,是人力资源和社会保障部门所属的全额拨款事业单位,分为中央、省、市、县四级。

社会保险经办机构在各地区一般以“社会保险基金管理中心”的名目出现,例如在北京市一级有“北京市社会保险基金管理中心”,在区县一级设立“某某区社会保险基金管理中心”。社会保险经办机构的设立,由统筹地区根据工作需要设立,不按照行政区划层层设立。但是根据工作需要,特别是为更好地服务社会,方便用人单位或者灵活就业的个人办理社会保险登记以及缴纳社会保险费用,方便公民个人领取养老金、报销医药费等,统筹地区社会保险经办机构经所在地的社会保险行政部门和机构编制管理机关批准,可以在本统筹地区设立分支机构,在社区、街道、乡镇设立工作站点。截至2007 年底,省、市、县三级社会保险经办机构共有 7434 个,其中省级 70 个、地市级 1056 个,县级 6308 个,实有工作人员近 13 万人。有的省、直辖市还实行了经办机构垂直管理。

关于社会保险经办机构的职能。社会保险经办机构是提供社会保险服务的机构,负责社会保险登记、参保人员权益记录、社会保险待遇支付、提供社会保险咨询服务等工作。此外,在一些省(自治区、直辖市)还承担社会保险费征收工作。

2. 关于社会保险经办机构的经费保障。社会保险经办机构是提供社会保险的服务机构。从国外的情况看,社会保险经办机构的经费一般由社会保险基金支付,是社会保险基金支出的一部分,根据国际货币基金组织的调查显示,法国、德国、美国的基金管理成本占其发放养老金的比重分别为

1.7%、1.5%和0.8%。在我国,社会保险制度建立时,社会保险经办机构的经费从社会保险基金收入中提取的管理费中支出,但是在有的地方违规提取管理费,甚至用基金收入建办公场所,影响了基金的安全,所以从1999年起,社会保险经办的经费就由政府财政承担,各级政府财政按照分级负责的原则予以保障,体现了财政对社会保险事业的支持,也是防止经办机构乱支基金收入,保证社会保险基金安全的重要举措。1999年10月29日,财政部和原劳动和社会保障部联合下发了《关于社会保险经办机构经费保障等问题的通知》。该通知原则规定,社会保险基金实行收支两条线管理,社会保险经办机构不得从社会保险基金中提取任何费用,所需经费列入财政预算拨付,具体如下:(1)从1999年1月起,社会保险经办机构经费,包括人员经费、公用经费和专项经费,由同级财政部门根据人事(机构编制)部门核定的编制人数核拨。其中:人员经费原则上参照现行事业单位工资制度等有关规定并考虑社会保险经办机构的实际情况核定;公用经费和专项经费根据社会保险经办机构工作需要,分别按定额和定项办法核定预算。(2)社会保险经办机构经费原则上由同级财政安排。实行社会保险省级或地级统筹的地区,可以由省级或地级财政统一安排统筹区域内各级社会保险经办机构经费,也可以由省级或地级财政安排适当的专项经费,对下级财政予以补助,专项用于社会保险经办机构开展业务工作。具体办法由省级财政部门会同劳动保障部门制定。(3)各级社会保险经办机构不得再从社会保险基金中提取或列支费用。

(4)各级财政、劳动保障部门要加强对社会保险经办机构财务管理的指导、监督与检查,同时,要进一步树立服务意识,提高工作效率,保证经费的及时足额拨付。各级社会保险经办机构要严格执行国家有关财务制度,建立健全内部规章制度,加强财务管理。

为进一步规范社会经办机构的经费保障问题,2003 年,财政部下发了《关于加强社会保险基金财务管理有关问题的通知》,其中规定:“各级财政部门要认真贯彻执行财政部、劳动保障部《关于社会保险经办机构经费保障等问题的通知》(财社字〔1999〕173 号)的规定,在核定社会保险经办机构经费预算时足额安排银行手续费、银行票据工本费、异地支付邮寄费等与社会保险经办业务有关的经费支出,保证社会保险经办机构正常开展业务工作。上述费用不得在各项社会保险基金中列支。”

第七十三条　社会保险经办机构应当建立健全业务、财务、安全和风险管理制度。

社会保险经办机构应当按时足额支付社会保险待遇。

【释义】　本条是关于社会保险经办机构的管理制度和支付社会保险待遇职责的规定。

1. 关于社会保险经办机构应当建立健全的管理制度。

(1)关于建立健全业务管理制度。社会保险经办机构建立健全业务管理制度,主要指提供社会保险服务应遵守一定的规程,这对提高工作效率和服务质量具有重要意义。1997

年,为了规范全国各级社会保险经办机构业务工作程序,原劳动部印发了《社会保险业务管理程序》,这是在全国范围内颁布的第一个社会保险经办规程,为社会保险经办机构提供规范化的服务奠定了基础。2000 年,为加快推进基本医疗保险制度改革,规范全国基本医疗保险业务管理工作,原劳动保障部印发了《城镇职工基本医疗保险业务管理规定》。2007 年颁布了《关于城镇居民基本医疗保险经办管理服务工作的意见》。为规范养老保险的经办工作,原劳动保障部于 2003 年印发了《基本养老保险经办业务规程(试行)》。为规范工伤保险的经办工作,原劳动保障部于 2004 年印发了《工伤保险经办业务管理规程(试行)》。为推进新型农村社会养老保险工作,2009 年,人力资源和社会保障部颁布了《新型农村社会养老保险经办规程(试行)》。社会保险经办机构建立健全业务管理制度,还包括为适应社会保险事业发展的需要,需要提高各级社会保险经办机构的管理水平和队伍的政治、业务素质。因为社会保险经办机构是直接为广大参保人员提供服务的窗口单位,队伍的素质和服务质量状况将直接关系到群众的切身利益和政府的形象。随着社会保险事业的深入发展,全国县级以上养老、医疗、失业、工伤、生育和农村社会养老保险经办机构的任务越来越重,对工作人员业务素质的要求越来越高。为此,原劳动和社会保障部办公厅于 2001 年 12 月 21 日发布了《社会保险经办机构业务素质考核工作意见》。业务素质考核的范围为省级以下社会保险经办机构的全体工作人员,规定了各职级应当具备的条件以及学历、专业知识、办公技能要求，规定了考核内容及方式等内容。

(2)关于建立健全财务管理制度。1999年6月15日，财政部和原劳动和社会保障部联合下发了《社会保险基金财务制度》。目的就是为了规范社会保险经办机构经办社会保险基金的财务行为，依法筹集和使用基金，做好基金的计划、控制、核算、分析和考核工作，并如实反映基金收支状况，确保基金的安全。最终目的是加强社会保险基金管理，维护保险对象的合法权益。该财务制度适用于我国境内社会保险经办机构经办的企业职工基本养老保险基金、失业保险基金、城镇职工基本医疗保险基金等社会保险基金。该财务制度着重规定：社会保险基金纳入单独的社会保障基金财政专户，实行收支两条线管理，专款专用，任何地区、部门、单位和个人均不得挤占、挪用，也不得用于平衡财政预算。同时，社会保险基金根据国家要求实行统一管理，按险种分别建账，分账核算，专款专用，自求平衡，不得相互挤占和调剂。除以上内容外，该财务制度具体规定了基金预算制度、基金筹集制度、基金支付制度、基金结余制度、财政专户制度、资产与负债制度、基金决算制度、监督与检查制度。

为了规范社会保险经办机构经办的社会保险基金的会计核算，1999年6月21日，财政部颁布了《社会保险基金会计制度》，规定：①社会保险基金的会计核算应当正确划分会计期间，分期结算账目和编制会计报表。会计年度自公历1月1日起至12月31日止。②社会保险基金的会计核算采用收付实现制，会计记账采用借贷记账法。③社会保险基金的会计处理方法前后期应当一致，会计指标应当口径一致、不得随意变更。如确有必要变更，应当将变更的情况、变更的原因以及对收支情况的影响，在财务情况说明书中加以说明。④社会保险基金应当分别基本养老保险基金、失业保险基金和基本医疗保险基金设置会计科目，编制会计报表。在不影响会计核算要求和会计报表指标汇总，以及对外提供统一的会计报表的前提下，经办机构可以根据实际情况，对本制度作必要的补充，并报财政部备案。此外，该会计制度还提出了经办机构运用社会保险基金会计科目的要求，规定了经办机构编制社会保险基金财务会计报告的要求等。

(3)关于建立健全安全和风险管理制度。社会保险基金的安全，是社会各界关注的焦点。社会保险基金的安全与否，关系到社会保险事业的发展和社会保险经办机构基金管理的主体地位，关系到广大参保人员的切身利益和生活，关系到社会和谐与稳定。近年来，个别地区违规操作，致使侵害社会保险基金的事件时有发生。实践证明，切实加强社会保险内部控制工作，是确保社保基金安全的本质要求，也是规范经办业务、保证社会保险各项工作顺利开展的重要举措。为此，2007年1月17日，原劳动和社会保障部颁布了《社会保险经办机构内部控制暂行办法》，目的是加强社会保险经办机构内部管理与监督，防范和化解运行风险，规范社会保险管理服务工作，确保社会保险基金安全。所谓“内部控制”，是指各级社会保险经办机构对系统内部职能部门及其工作人员从事社会保险管理服务工作及业务行为进行规范、监控和评价的方法、程序、措施的总称。内部控制由组织机构控制、业务运行控制、基金财务控制、信息系统控制等组成。“内部控制”的目标是：在全系统内建立一个运作规范、管理科学、监控有效、考评严格的内部控制体系，对社会保险机构各项业务、各个环节进行全过程的监督，提高社会保险政策法规和各项规章制度的执行力，保证社会保险基金的安全完整，维护参保者的合法权益。

内部控制建设遵循以下原则：①合法性。内部控制的各项内容规范、统一，符合国家有关社会保险政策、法规的要求。②完整性。各项业务管理行为都有相应的制度规定和监督制约。所有部门、岗位和人员，所有业务项目和操作环节都在内部控制的范围内。③制衡性。从组织机构的设置上确保各部门和岗位权责分明、相互制约，通过有效的相互制衡措施消除内部控制中的盲点。④有效性。在岗位、部门和单位三级内控管理模式的基础上，形成科学合理的内部控制决策机制、执行机制和监督机制。建立合理的内控程序，保障内控管理的有效执行。⑤适应性。各项具体工作制度和流程都应与管理服务实际相结合，根据需要及时进行调整、修改和完善，适应社会保险管理服务的变化。此外，还详细规定了内部控制的管理与监督的具体内容。

2. 关于社会保险经办机构履行支付社会保险待遇的职责

维护保险对象的合法权益，最根本的体现就是社会保险经办机构按时足额支付社会保险待遇。社会保险待遇支出是指按规定支付给社会保险对象的基本养老保险待遇支出、基本医疗保险待遇支出、失业保险待遇支出、工伤保险待遇支出和生育保险待遇支出。基本养老保险待遇支出包括基本养老金、医疗补助、丧葬补助金、抚恤金。基本医疗保险待遇支出包括按规定分别形成社会统筹医疗保险待遇支出和个人账户医疗保险待遇支出。失业保险待遇支出包括失业保险金、医疗补助金、丧葬补助金、抚恤金、职业培训和职业介绍补贴、国有企业下岗职工基本生活保障补助和其他费用。工伤保险待遇支出包括治疗工伤的医疗费用和康复费用等九项费用。生育保险待遇支出包括生育医疗费用和生育津贴。

《社会保险基金财务制度》规定,不按时、按规定标准支付社会保险待遇的有关款项,属于违纪或违法行为。对于该种行为,经过监督检查,一经发现,应当即时足额补发社会保险待遇的有关款项,主管部门可以追究直接责任者的法律责任。同时,按照本法第八十三条第二款规定,个人对社会保险经办机构不支付社会保险待遇的行为,可以依法申请行政复议或者提起行政诉讼。

第七十四条　社会保险经办机构通过业务经办、统计、调查获取社会保险工作所需的数据,有关单位和个人应当及时、如实提供。

社会保险经办机构应当及时为用人单位建立档案,完整、准确地记录参加社会保险的人员、缴费等社会保险数据,妥善保管登记、申报的原始凭证和支付结算的会计凭证。

社会保险经办机构应当及时、完整、准确地记录参加社会保险的个人缴费和用人单位为其缴费，以及享受社会保险待遇等个人权益记录，定期将个人权益记录单免费寄送本人。

用人单位和个人可以免费向社会保险经办机构查询、核对其缴费和享受社会保险待遇记录，要求社会保险经办机构提供社会保险咨询等相关服务。

【释义】　本条是关于社会保险经办机构获取社会保险数据、为用人单位和参保人员建立档案和权益记录等的服务的规定。

1. 关于获取社会保险数据。社会保险工作数据包括社会保险登记情况、用人单位和参保人员缴费记录、参保人员享受待遇记录、社会保险基金的收支情况等，是经办社会保险业务必需的基础情况。社会保险经办机构需要通过业务经办、统计、调查等手段获取这些数据。当社会保险经办机构向有关单位和个人进行调查时，有关单位和个人具有配合义务，应当及时、如实提供。

2. 关于建立用人单位社会保险档案。《社会保险经办机构内部控制暂行办法》第八条规定了业务运行控制制度，其中内容之一就是建立档案资料保管制度。要求社会保险经办机构对社会保险业务的原始资料以及办理过程中涉及的相关资料，按照档案管理规定，及时留存、归档、立卷、保管。建立的档案称为“社会保险业务档案”，是指社会保险经办机构在办理社会保险业务过程中，直接形成的具有保存和利用价值的专业性文字材料、电子文档、图表、声像等不同载体的历史记录。社会保险业务档案是用人单位的社会保险登记情况和缴费记录的证明,也是其职工享受社会保险待遇的依据,所以社会保险经办机构应当及时为用人单位建立档案。为规范社会保险业务档案管理,维护社会保险真实、完整和安全,发挥档案的服务作用,2009 年 7 月 23 日,人力资源和社会保障部与国家档案局联合发布了《社会保险业务档案管理规定(试行)》。为加快社会保险业务档案管理规范化进程,更好地为参保对象和社会保险事业服务,人力资源和社会保障部于 2010 年 6 月 10 日日发布了《关于开展社会保险业务档案管理达标验收工作的通知》。

3. 关于个人权益记录。参保人员个人权益记录是参保人员缴费和享受社会保险待遇的证明,社会保险经办机构应当及时、完整、准确地记录参加社会保险的个人缴费和用人单位为其缴费,以及享受社会保险待遇等权益记录,并定期将个人权益记录单免费寄送本人,便于参保人员享受社会保险待遇和对社会保险工作进行监督。《社会保险经办机构内部控制暂行办法》规定了业务运行控制制度,其中内容之一就是实行办事公开制度,要求社会保险经办机构对社会保险政策、业务流程、办理时限和内容以及经办人等应公开透明。

4. 关于查询、核对社会保险权益记录。对参保人员的权益进行记录,并提供社会保险咨询服务是社会保险经办机构的服务内容之一,也是参保人员获悉参保情况、核实缴费数据的主要渠道,对发挥参保人的监督作用和保护参保人合法权益有着重要意义。本条明确了将权益记录和咨询服务定为社会保险经办机构的法定义务，同时也是用人单位和参保人的法定权利。这里需要强调三点：一是用人单位和参保人既能查询权益记录，也有权核对权益记录；二是查询和核对应当是免费的，不得向用人单位和个人收取费用，相应成本应当作为运行成本由财政负担；三是随时都可以查询和核对，只要在正常工作时间内，没有特殊情况的都可以。

第七十五条　全国社会保险信息系统按照国家统一规划，由县级以上人民政府按照分级负责的原则共同建设。

【释义】　本条是关于社会保险信息系统建设的规定。

全国社会保险信息系统建设是加快我国信息化建设战略全局的一部分，2002年《中共中央办公厅、国务院办公厅关于转发〈国家信息化领导小组关于我国电子政务建设指导意见〉的通知》提出，我国有12个重点业务系统建设，其中包括劳动保障信息系统（金保工程）建设。金保工程是利用先进的信息技术，以中央—省—市三级网络为依托，支持劳动和社会保障业务经办、公共服务、基金监管和宏观决策等核心应用，覆盖全国的统一的劳动和社会保障电子政务工程。金保工程包括社会保险和劳动力市场两个子系统，由市、省、中央三层数据分布和管理结构组成，具备业务经办、公共服务、基金监管和宏观决策四大功能。

建设金保工程是建立和完善社会保障体系、加快劳动力市场"科学化、规范化、现代化"建设的重要内容，是加强基金有效监管、提高宏观决策水平的重要基础工作，是改进劳动保障工作管理方式、提高管理水平和工作效率的有效手段。加快金保工程建设对于实现劳动保障工作管理服务社会化，建立公共服务体系，推动劳动保障事业的新发展，更好地服务社会具有重大意义。为此，原劳动和社会保障部于 2002 年 12 月 3 日发布了《关于进一步加快劳动保障信息系统建设的通知》。通知要求，金保工程建设要按照劳动保障事业发展的总体目标，以全国电子政务建设规划为指导，遵循统一规划、统一标准、统一指导，分步实施、分级负担、分级管理，网络互联、信息共享的原则，运用成熟先进的技术手段，建成覆盖劳动保障领域主要业务，统一、高效、简便、实用的全国劳动和社会保障信息系统，实现本地业务和服务的规范化、异地业务和服务的现代化、基金监管和宏观决策的科学化。

全国社会保险信息系统建设的目标是完成城市社会保险信息系统建设，推进社会保险全国联网，具体是：(1) 城市网建设。地级市建成统一的社会保险数据中心，建立标准统一的覆盖全部参保人员和参保单位的集中式资源数据库，网络终端延伸到各个经办窗口和定点医疗机构、定点药店等相关服务机构，实现养老、医疗等各项社会保险主要业务的全程信息化。(2) 省级社会保险数据中心建设。建立覆盖全省的养老保险资源数据库、各类社会保险统计监测数据库和各项社会保险基金管理数据库，对跨统筹地区领取社会保险待遇的人员要建立社会保险省内异地交换数据库。省级数据中心要下联各城市数据中心，实现养老保险业务数据、各类社会保险统计监测数据的网上传输，支持社会保险异地信息交换，对全省社会保险基金进行监控。(3)全国社会保险数据中心建设。建立覆盖全国的统计监测数据库、社会保险跨省异地交换数据库,网络下联各省级数据中心,对各地社会保险基金进行监控,为宏观决策和异地信息交换提供支持。

第十章　社会保险监督

第七十六条　各级人民代表大会常务委员会听取和审议本级人民政府对社会保险基金的收支、管理、投资运营以及监督检查情况的专项工作报告，组织对本法实施情况的执法检查等，依法行使监督职权。

【释义】 本条是关于各级人大常委会实施社会保险监督的规定。

2010年5月21日，人力资源和社会保障部公布了2009年度人力资源和社会保障事业发展统计公报。据公报显示，截至2009年底，社会保险基金累计结余已近1.9万亿元。社会保险基金是人民的“保命钱”，基金的安全关系到广大人民群众的切身利益，如何对这笔数额巨大的基金进行监督已成为全社会十分关注的问题。而目前一些地方暴露出来的管理不规范、监督不到位造成的社会保险基金被侵占、挪用的案件更是令人担忧。各级人大常委会作为国家权力机关的常设机构，监督政府工作是其重要职责。依照宪法规定，全国人民代表大会常务委员会监督国务院的工作，县级以上地方各级人民代表大会常务委员会监督本级人民政府的工作。监督法规定，各级人民代表大会常务委员会依照宪法和有关法律的规定，行使监督职权。因此，本法明确规定各级人大常委会依法对社会保险基金以及本法的实施情况进行监督。

根据本条的规定，各级人大常委会主要通过以下方式对社会保险基金以及本法实施情况进行监督：

1. 听取和审议本级人民政府对社会保险基金的收支、管理、投资运营以及监督检查情况的专项工作报告。听取政府的专项工作报告是各级人大常委会行使监督权的一种重要方式。监督法第八条第一款规定，各级人民代表大会常务委员会每年选择若干关系改革发展稳定大局和群众切身利益、社会普遍关注的重大问题，有计划地安排听取和审议本级人民政府、人民法院和人民检察院的专项工作报告。听取政府的专项工作报告具有经常性、针对性、及时性以及实效性的特点，是各级人大常委会加强监督工作，实施经常性监督的有效途径。

根据监督法的相关规定，社会保险基金的收支、管理、投资运营以及监督检查情况的专项工作报告由人民政府的负责人向本级人民代表大会常务委员会报告，也可以委托有关部门如社会保险行政部门负责人向本级人民代表大会常务委员会报告。听取和审议工作报告前，委员长会议或者主任会议可以组织本级人大常委会组成人员和本级人民代表大会代表，对有关工作进行视察或者专题调查研究。常务委员会可以安排参加视察或者专题调查研究的代表列席常务委员会会议，听取专项工作报告，提出意见。常务委员会听取和审议专项工作报告前，常务委员会办事机构应当将各方面对该项工作的意见汇总,交由本级人民政府研究并在专项工作报告中作出回应。人民政府应当在常务委员会举行会议的二十日前,由其办事机构将专项工作报告送交本级人民代表大会有关专门委员会或者常务委员会有关工作机构征求意见;人民政府对报告修改后,在常务委员会举行会议的十日前送交常务委员会。常务委员会办事机构应当在常务委员会举行会议的七日前,将专项工作报告发给常务委员会组成人员。

常务委员会组成人员对专项工作报告的审议意见交由本级人民政府研究处理。人民政府应当将研究处理情况由其办事机构送交本级人民代表大会有关专门委员会或者常委会有关工作机构征求意见后,向常委会提出书面报告。常委会认为必要时,可以对专项工作报告作出决议;本级人民政府应当在决议规定的期限内,将执行决议的情况向常委会报告。常委会听取的本级人民政府对社会保险基金的收支、管理、投资运营以及监督检查情况的专项工作报告及审议意见,人民政府对审议意见研究处理情况或者执行决议情况的报告,向本级人民代表大会代表通报并向社会公布。

2. 组织对本法实施情况的监督检查。对法律的实施情况进行监督检查是人大常委会的一项法定职权。根据监督法规定,各级人民代表大会常务委员会每年选择若干关系改革发展稳定大局和群众切身利益、社会普遍关注的重大问题,有计划地对有关法律、法规实施情况组织执法检查。组织对法律、法规实施情况的执法检查,有利于保证法律、法规得以顺利实施,维护法律、法规的权威,促进行政机关依法行政和司法机关公正司法，维护人民群众的根本利益。同时，通过执法检查还能发现法律、法规本身存在的问题，为下一步修改和完善法律、法规提供依据。

依照监督法的规定，监督检查由本级人民代表大会有关专门委员会或者常务委员会有关工作机构具体组织实施。常务委员会根据年度执法检查计划，按照精干、效能的原则，组织执法检查组。执法检查组的组成人员，从本级人民代表大会常务委员会组成人员以及本级人民代表大会有关专门委员会组成人员中确定，并可以邀请本级人民代表大会代表参加。执法检查结束后，执法检查组应当及时提出执法检查报告，由委员长会议或者主任会议决定提请常务委员会审议。执法检查报告包括下列内容：（1）对本法实施情况进行评价，提出执法中存在的问题和改进执法工作的建议；（2）对本法提出修改完善的建议。常务委员会组成人员对执法检查报告的审议意见连同执法检查报告，一并交由本级人民政府研究处理。人民政府应当将研究处理情况由其办事机构送交本级人民代表大会有关专门委员会或者常务委员会有关工作机构征求意见后，向常务委员会提出报告。必要时，由委员长会议或者主任会议决定提请常务委员会审议，或者由常务委员会组织跟踪检查；常务委员会也可以委托本级人民代表大会有关专门委员会或者常务委员会有关工作机构组织跟踪检查。常务委员会对本法实施情况的监督检查报告以及审议意见，人民政府对其研究处理情况的报告，向本级人民代表大会代表通报并向社会公布。

除以上两种方式外，各级人大常委会还可以通过其他方式依法行使监督职权，如对有关社会保险的行政法规、地方性法规、自治条例和单行条例、规章进行备案审查，审议议案和报告时对有关社会保险的问题进行询问和质询等。

第七十七条　县级以上人民政府社会保险行政部门应当加强对用人单位和个人遵守社会保险法律、法规情况的监督检查。

社会保险行政部门实施监督检查时，被检查的用人单位和个人应当如实提供与社会保险有关的资料，不得拒绝检查或者谎报、瞒报。

【释义】　本条是关于社会保险行政部门实施社会保险监督的规定。

社会保险法要落到实处，切实地发挥其功能，保障公民在年老、疾病、工伤、失业、生育等情况下依法获得物质帮助的权利，首先要求用人单位、个人遵守社会保险法律、法规的规定，依法参加社会保险，足额、及时地缴纳社会保险费，而实践中用人单位，特别是一些私营企业、小型企业、个体经济组织、偏远地区的企业，不参保、部分职工参保或者不足额参保的情形并不少见。同时，一些用人单位和个人骗取社会保险待遇的事情也时有发生。因此，社会保险行政部门应当加强行政监督，督促用人单位与个人遵守社会保险法律、法规。

1. 关于行政监督。县级以上人民政府社会保险行政部门对用人单位和个人遵守社会保险法律、法规情况进行监督检查，属于行政监督，既不同于人大监督，也不同于社会监督。行政监督具有以下特征：一是监督的主体是享有行政监督权的国家行政机关或者法律、法规授权的组织；二是监督的对象是作为相对方的公民、法人或其他组织；三是监督的内容是相对方遵守法律、法规、规章，执行决定、命令的情况；四是监督的性质是一种依职权、单方的、相对独立的具体行政行为；五是监督的目的是为了防止和纠正行政相对方的违法行为，保障法律、法规、规章的执行和行政目标的实现。行政监督不仅可以及时预防和纠正行政相对人的违法行为，保证法律法规得以顺利实施，还可以及时反映出法律法规的实施情况，为法律法规的制定、修改、废除提供依据。

2. 部分国家的社会保险基金监督情况。美国劳工部下属的雇员福利保障委员会是对联邦社会保障基金进行监管的主要政府职能部门，通过规范养老保险受托人的行为来监管养老保险基金。美国还设立了年金津贴担保公司，隶属于联邦劳工部，主要负责监督企业养老基金投资是否妥当、有效、安全，雇主是否有少缴、挪用企业养老基金等舞弊行为，雇主执行有关企业养老金计划法规的情况以及强制实行待遇确定型企业养老保险计划的企业是否向年金津贴担保公司缴纳担保费等。德国养老保险基金管理由劳动和社会秩序部负责。政府主要是行使立法、监督和检查职能，具体业务由800多个经办机构独立进行。社会保险经办机构是三方性组织，各经办机构管理上由政府代表、企业代表和职工代表共同参与。三方性代表大会是经办机构的决策机构，代表大会选举管理层严格执行三方大会的决议,并推举监事会监督管理人员执行情况。日本由劳动厚生省负责制定基金的基本投资策略,管理和监督“年金资金运用基金”。智利、哥伦比亚和秘鲁养老金的具体运作由私营养老基金管理公司负责,养老基金管理公司必须经养老基金管理者监管局(SAFP)的许可,并接受它的管制和监督。

3. 我国社会保险行政部门的监督。我国各级人民政府社会保险行政部门负责对用人单位和个人遵守社会保险法律、法规的情况进行日常监督。其中,国务院社会保险行政部门,即人力资源和社会保障部对全国范围内用人单位和个人遵守社会保险法律、法规的情况进行监督检查。县级以上地方人民政府社会保险行政部门,对本行政区域内用人单位和个人遵守社会保险法律、法规的情况进行监督检查。

县级以上人民政府社会保险行政部门对用人单位和个人遵守社会保险法律、法规的情况实施监督检查。这里的社会保险法律、法规,除本法外,还包括《工伤保险条例》《失业保险条例》《社会保险费征缴暂行条例》等。用人单位和个人遵守社会保险法律、法规的情况主要包括以下几方面:(1)职工是否依法参加社会保险。依照本法规定,职工应当参加职工基本养老保险、职工基本医疗保险、工伤保险、失业保险和生育保险,用人单位应当在用工之日起30日内为其职工办理社会保险登记。实践中一些企业为了降低用工成本,不为职工办理或者仅办理某一项、几项社会保险,严重影响了职工的权益。社会保险行政部门应当加强对用人单位职工参加社会保险情况的监督检查，保障职工的社会保险权益。(2)用人单位是否依法缴纳社会保险费。本法以及《工伤保险条例》《失业保险条例》《社会保险费征缴暂行条例》等都对用人单位和个人缴纳社会保险费义务作出了明确规定。用人单位应当依照规定自行申报，按时足额缴纳社会保险费。职工应当缴纳的社会保险费由用人单位代扣代缴。社会保险行政部门应当重点对用人单位是否按时足额缴纳社会保险费进行监督检查，防止有些用人单位少缴、漏缴社会保险费，影响职工享受社会保险待遇。(3)是否依法享受社会保险待遇。参加社会保险的个人，依法缴纳社会保险费的，依照本法以及有关法律、法规的规定享受社会保险待遇。实践中，一些用人单位和个人以欺诈、伪造证明材料或者其他手段骗取社会保险待遇，社会保险行政部门应对个人享受社会保险待遇的情况进行监督检查，对骗取社会保险待遇的，责令退回骗取的社会保险金，处骗取金额 2 倍以上 5 倍以下的罚款。

4. 被检查的用人单位和个人的配合义务。社会保险行政部门实施监督检查是行政执法行为，代表国家行使权力，被检查的用人单位和个人应当予以配合，不得以任何理由拒绝检查，应当按照要求如实提供与社会保险有关的资料，不得提供虚假资料，谎报或者隐瞒情况。

第七十八条　财政部门、审计机关按照各自职责，对社会保险基金的收支、管理和投资运营情况实施监督。

【释义】　本条是关于财政监督、审计监督的规定。

为严格对社会保险基金的监管，保障基金安全，除社会保险行政部门对社会保险基金的收支、管理和投资运营情况进行监督，本法还对财政监督和审计监督作出了规定。财政监督和审计监督也属于行政监督。

1. 关于财政监督。财政监督是指财政部门对行政机关、企事业单位及其他组织执行财税法律法规和政策情况，以及对涉及财政收支、会计资料和国有资本金管理等事项依法进行的监督检查活动。财政部门对社会保险基金收支、管理和投资运营情况实施监督主要是指财政部门负责拟定社会保险基金的财务管理制度，组织实施对社会保险基金收支、管理和投资运营的财政监督。具体工作包括：

(1)通过基金纳入财政专户，加强部门监督。社会保险基金存入财政专户，专款专用，任何地区、部门、单位和个人均不得挤占、挪用，也不得用于平衡财政预算。依照《社会保险费征缴暂行条例》的规定，社会保险基金实行收支两条线管理，由财政部门依法进行监督。

(2)通过制定财务制度，规定财务管理行为。财政部、原劳动和社会保障部制定的《社会保险基金财务制度》规定，基金财务管理的任务是认真贯彻执行国家有关法律、法规和方针、政策，依法筹集和使用基金；建立健全财务管理制度，努力做好基金的计划、控制、核算、分析和考核工作，并如实反映基金收支状况；严格遵守财经纪律，加强监督和检查，确保基金的安全。

(3)审核基金预算和决算等，进行财务监督。社会保险基金预算是根据国家社会保险和预算管理法律法规建立、反映各项社会保险基金收支的年度计划。统筹地区社会保险基金预算草案由社会保险经办机构或者由社会保险经办机构会同税务机关编制，经本级人力资源社会保障部门审核汇总，财政部门审核后，由财政和人力资源社会保障部门联合报本级人民政府审批。统筹地区财政和人力资源社会保障部门将社会保险基金预算草案报本级人民政府审批后，报上一级财政和人力资源社会保障部门。省级财政和人力资源社会保障部门将本省（区、市）社会保险基金预算草案报本级人民政府后，报财政部和人力资源社会保障部。全国社会保险基金预算草案由人力资源社会保障部汇总编制，财政部审核后，由财政部和人力资源社会保障部联合向国务院报告。依照预算法的规定，社会保险基金决算草案，由有关部门审核并汇总编制，在规定的期限内报本级政府财政部门审核。各级政府财政部门对本级各部门决算草案审核后发现有不符合法律、行政法规规定的，有权予以纠正。

2. 审计监督。审计监督是指审计机关依法独立检查被审计单位的会计凭证、会计账簿、财务会计报告以及其他与财政收支、财务收支有关的资料和资产，监督财政收支、财务收支真实、合法和效益的行为，属于行政机关内部监督中一种专门监督形式。审计机关对审计事项作出客观公正的评价，并提出审议报告。依照审计法及其实施条例的规定，审计机关对社会保险基金的财务收支进行审计监督，即按照国家财务会计制度的规定，对社会保险基金实行会计核算的各项收入和支出进行审计。近年来,审计机关开展了多次范围不同的审计监督,尤其是2006年和2007年,对县以上管理的社会保险基金进行了全面审计,促进了挤占挪用社会保险基金的清理回收和规范管理。审计机关依法进行审计监督时,被审计单位应当依照审计法的规定,向审计机关提供与社会保险基金财政收支、财务收支有关的资料。审计机关可以就有关审计事项向政府有关部门通报或者向社会公布对社会保险基金收支、管理和投资运营的审计调查结果。

第七十九条　社会保险行政部门对社会保险基金的收支、管理和投资运营情况进行监督检查,发现存在问题的,应当提出整改建议,依法作出处理决定或者向有关行政部门提出处理建议。社会保险基金检查结果应当定期向社会公布。

社会保险行政部门对社会保险基金实施监督检查,有权采取下列措施:

(一)查阅、记录、复制与社会保险基金收支、管理和投资运营相关的资料,对可能被转移、隐匿或者灭失的资料予以封存;

(二)询问与调查事项有关的单位和个人,要求其对与调查事项有关的问题作出说明、提供有关证明材料;

(三)对隐匿、转移、侵占、挪用社会保险基金的行为予以制止并责令改正。

【释义】 本条是关于社会保险行政部门对社会保险基金进行监督的规定。

对社会保险基金的收支、管理和投资运营情况进行监督检查是社会保险行政部门进行社会保险管理工作的重要内容。

1. 社会保险行政部门的监督内容。社会保险行政部门对社会保险基金实施监督的主要内容是对社会保险基金收支、管理和投资运营情况实施监督检查。其中，对社会保险基金收入情况的监督，主要是监督社会保险费征收机构征收的保险费是否及时足额存入基金收入户，有无不入账，搞体外循环或被挤占挪用的情况，收入户资金是否按规定及时足额转入财政专户等；对基金支出情况的监督，主要是监督社会保险经办机构是否按规定的项目、范围和标准支出基金，有无多支、少支或不支，有无挪用支出户基金，以及有无骗取社会保险待遇行为等；对社会保险基金管理情况的监督，主要是监督有无挤占挪用、动用基金的行为，是否按规定及时足额拨入支出户等；对社会保险基金投资运营情况的监督，主要是监督社会保险基金除按规定预留必要的支付费用外，是否全部存入银行和购买国债，是否合理安排存期以追求收益最大化等。

2. 社会保险行政部门的监督检查措施。社会保险行政部门通过下列措施，对社会保险基金实施监督检查：(1)查阅、记录、复制与社会保险基金收支、管理和投资运营相关的资料，发现有关资料可能被转移、隐匿或者灭失的，应当予以封存、保护。(2)向与调查事项有关的单位和个人进行询问，要求其对与调查事项有关的问题作出说明、提供证明材料。(3)对隐匿、转移、侵占、挪用社会保险基金的行为予以制止并责令改正。被监督的单位和个人应当配合社会保险行政部门的监督检查，对拒绝、阻挠监督人员进行监督，拒绝提供、拖延提供与监督事项有关资料，隐匿、伪造、变造、毁弃会计凭证、会计账簿、会计报表以及其他与社会保险基金管理有关资料，转移、隐匿社会保险基金资产的，由监督机构责令改正；拒不改正的，由监督机构建议被监督单位的行政主管部门对主要负责人和直接责任人给予行政处分；构成犯罪的，由司法机关依法追究刑事责任。

《社会保险基金行政监督办法》将社会保险基金监督方式区别为现场监督和非现场监督。现场监督是指社会保险行政部门对被监督单位社会保险基金管理情况实施的实地检查。实施现场监督，依照下列程序进行：(1)根据年度监督计划和工作需要确定监督项目及监督内容，制订监督方案，并在实施监督3日前通知被监督单位；(2)检查被监督单位社会保险基金会计凭证、会计账簿、会计报表、统计报表，查阅与监督事项有关的文件、资料，检查现金、实物、有价证券，向被监督单位和有关个人调查取证，听取被监督单位有关社会保险基金管理情况的汇报；(3)根据检查结果，写出监督报告，并送被监督单位征求意见。监督机构通过现场监督可以比较详尽地掌握有关基金运作的控制程序和相关信息，对其业务经营合规状况、内部控制和管理水平，以及基金流动性、安全性和效益性进行深入、细致的了解，发现一些财务报表和业务资料中很难发现的隐蔽性问题，并对有关机构的资产财务状况和遵守法规政策情况作出客观的评价。非现场监督是指社会保险行政部门对被监督单位报送的社会保险基金管理有关数据资料进行的检查、分析。一般情况下，现场检查间隔时间较长，监督机构可以在此期间通过非现场监督的方式，依靠被监督单位报送的数据，进行多方面的分析、测算并加以管制。实施非现场监督，依照下列程序进行：(1)根据监督计划及工作需要，确定非现场监督目的及监督内容，提出定期报送数据或专项报送数据的范围、格式、报送方式及时限，通知被监督单位；(2)审核被监督单位报送的数据，对不符合要求的数据，应要求被监督单位补报或重新报送；(3)分析被监督单位报送的数据，评估社会保险基金管理状况及存在的问题，写出监督报告。在非现场监督过程中发现被监督单位存在严重违法违纪问题的，应实施现场监督。

3. 关于对发现问题的处理。社会保险行政部门对监督检查过程发现被监督单位存在问题并需要改进的，应当提出整改建议，对属于其职权范围内的，依法作出处理决定；不属于其职权范围的，向被监督单位的行政主管部门等有关行政部门提出处理建议。社会保险行政部门应当将社会保险基金检查结果定期向社会公布，保障公众的知情权，接受公众的监督。

第八十条　统筹地区人民政府成立由用人单位代表、参保人员代表，以及工会代表、专家等组成的社会保险监督委员会，掌握、分析社会保险基金的收支、管理和投资运营情况，对社会保险工作提出咨询意见和建议，实施社会监督。

社会保险经办机构应当定期向社会保险监督委员会汇报社会保险基金的收支、管理和投资运营情况。社会保险监督委员会可以聘请会计师事务所对社会保险基金的收支、管理和投资运营情况进行年度审计和专项审计。审计结果应当向社会公开。

社会保险监督委员会发现社会保险基金收支、管理和投资运营中存在问题的，有权提出改正建议；对社会保险经办机构及其工作人员的违法行为，有权向有关部门提出依法处理建议。

【释义】 本条是关于社会保险监督委员会的规定。

实践证明，政府对社会保险基金的监管不能缺位，但是完全依靠政府行使社会保险基金的监管也是不够的，必须积极发挥社会力量的监督作用，弥补政府监管的缺陷。在立法过程中，也有意见提出，在目前社会保险基金监管体制下，社会保险经办机构是社会保险行政部门的下属机构，而行使日常监管权的是社会保险行政部门，因此社会保险行政部门的监督等于自己监督自己，建议建立相对独立的、规格较高、代表三方利益的监管机构。因此，本法明确规定统筹地区成立社会保险基金监督委员会，加强对社会保险基金的社会监督。

1. 关于社会保险监督委员会的组成。为了加强对社会保险基金的监督，一些省、市成立了社会保险监督委员会（有的地方也称为社会保险基金监督委员会或者社会保障基金监督委员会），作为统筹、协调、指导本行政区域内社会保险基金监督工作的议事协调机构。如《广东省社会保险基金监督条例》规定，县级以上人民政府应当成立社会保险基金监督委员会，负责统筹、协调、指导本行政区域内社会保险基金监督工作。社会保险基金监督委员会由政府及其有关职能部门代表、工会代表、缴费单位代表、被保险人代表和有关专家代表组成。实践证明，社会保险监督委员会对规范社会保险基金管理行为，保障基金安全发挥了重要作用。本法对这种做法予以了肯定，但在具体规定上又有所差别。首先，本法规定社会保险监督委员会由统筹地区人民政府成立，而不是简单地按照行政区划由各级政府成立。这主要是考虑到目前各项社会保险的统筹层次较低，但从发展趋势来看，提高统筹层次是必然的。而社会保险基金的收支、管理和投资运营往往是以统筹地区为单位进行，社会保险监督委员会的成立应当和社会保险基金的统筹层次一致。其次，在组成人员上，本法规定社会保险监督委员会由用人单位代表、参保人员代表，以及工会代表、专家等组成，而不包含政府及其有关职能部门代表。这样有利于保障监督委员会的中立性和独立性，更好地发挥对社会保险工作监督的职能。作为社会保险监督委员会的成员，应当能够坚持原则，忠于职守，公道正派，廉洁奉公，能够掌握、运用社会保险法律、法规、政策规定，具有一定的议事协调能力和一定的学历，并热心社会保险监督工作。

2. 关于社会保险监督委员会的职责及其监督方式。社会保险监督委员会，顾名思义，其职能就是对社会保险实施监督。但社会保险监督委员会的监督属于社会监督，在具体职责上，与人大监督、行政监督不同，主要是掌握、分析社会保险基金的收支、管理和投资运营情况,对社会保险工作提出咨询意见和建议。

社会保险监督委员会的具体监督方式是:(1)定期听取社会保险经办机构对社会保险基金收支、管理和投资运营情况的汇报。社会保险经办机构提供社会保险服务,负责社会保险登记、参保人员权益记录、社会保险待遇支付等工作,直接、全面地掌握着社会保险基金收支、管理和投资运营情况,因此规定由社会保险经办机构负责向社会保险监督委员会进行汇报。但立法过程中,对定期汇报的规定存在一定争议。有意见提出,“定期”汇报的规定比较含糊,实际操作中可能存在一定困难,建议明确规定为每年或者每半年、每季度汇报一次。考虑到各地实际情况差异较大,如法律条文中统一规定反而不利于开展工作,因此,本法规定定期汇报,各统筹地区可以根据具体情况予以明确。(2)聘请会计师事务所对社会保险基金的收支、管理和投资运营情况进行年度审计和专项审计。对社会保险基金的收支、管理和投资运营情况进行年度审计和专项审计,是一项专业性很强的工作,不是每一位社会保险监督委员会的成员都具有这种专业能力。因此,本法规定可以聘请会计师事务所进行年度审计和专项审计。审计结果应当公开。

3. 关于对发现问题的处理。社会保险监督委员会通过听取社会保险基金的收支、管理和投资运营的汇报和聘请会计师事务所进行审计,发现问题的,有权向有关部门、机构提出改正建议;对社会保险经办机构及其工作人员的违法行为,有权向有关部门依法提出处理建议。

第八十一条 社会保险行政部门和其他有关行政部门、社会保险经办机构、社会保险费征收机构及其工作人员，应当依法为用人单位和个人的信息保密，不得以任何形式泄露。

【释义】 本条是关于为用人单位和个人信息保密的规定。

随着信息技术的发展，信息交流的速度和方式发生了巨大的变化，但随之而来，非法泄露、收集、利用、公开个人信息的案件也频频出现，如何保护个人信息不被泄露越来越得到社会的普遍关注。社会保险行政部门和其他有关行政部门、社会保险经办机构、社会保险费征收机构及其工作人员在办理社会保险登记、社会保险费征收和社会保险监督过程中，掌握了用人单位和参保人员的大量信息。如用人单位的职工总数、工资总额、个人工资、个人的身份证号码、家庭住址等情况。这些信息涉及用人单位的商业机密和个人隐私，如果泄露，不仅可能会给用人单位、个人带来很多困扰，甚至可能被不法分子利用，使其合法权益受到侵害。为了保护用人单位和参保人员的权利，本法明确规定社会保险行政部门和其他有关行政部门、社会保险经办机构、社会保险费征收机构及其工作人员，应当依法为用人单位和个人的信息保密，不得以任何形式泄露。这里的“其他有关行政部门”主要是指卫生行政部门、财政部门、审计机关等有可能在其工作中获取用人单位和个人信息的行政部门，如审计机关可能在对社会保险基金的收支、管理和投资运营情况进行审计的过程中，获悉用人单位和个人的有关信息。社会保险行政部门和其他有关行政部门、社会保险经办机构、社会保险费征收机构及其工作人员违反法律规定泄露用人单位和个人信息的，依法给予处分；构成犯罪的，依法追究其刑事责任。刑法第二百五十三条之一规定，国家机关或者金融、电信、交通、教育、医疗等单位的工作人员，违反国家规定，将本单位在履行职责或者提供服务过程中获得的公民个人信息，出售或者非法提供给他人，情节严重的，处三年以下有期徒刑或者拘役，并处或者单处罚金。窃取或者以其他方法非法获取上述信息，情节严重的，依照前款的规定处罚。

第八十二条　任何组织或者个人有权对违反社会保险法律、法规的行为进行举报、投诉。

社会保险行政部门、卫生行政部门、社会保险经办机构、社会保险费征收机构和财政部门、审计机关对属于本部门、本机构职责范围的举报、投诉，应当依法处理；对不属于本部门、本机构职责范围的，应当书面通知并移交有权处理的部门、机构处理。有权处理的部门、机构应当及时处理，不得推诿。

【释义】　本条是关于社会组织和个人对违反社会保险法律、法规行为举报、投诉的规定。

社会保险覆盖人群广，关系到全体公民的切身利益，依据人大监督、行政监督还不足以保障社会保险运行不出纰漏，应当充分发挥社会监督的作用，鼓励社会组织、个人对社会保险进行广泛的监督，弥补人大监督、行政监督的不足。社会组织和个人对违反社会保险法律、法规行为举报、投诉是社会监督的重要内容。《全面推进依法行政实施纲要》要求强化社会监督，依法保护公众实施监督的权利，拓宽监督渠道，完善监督机制，为公众实施监督创造条件，完善群众举报违法行为的制度。因此，及时对举报、投诉进行处理不仅是加强社会保险监督的需要，而且是推进有关部门依法行政的要求。社会保险行政部门、卫生行政部门、社会保险经办机构、社会保险费征收机构和财政部门、审计机关应当依照法律、法规对其职责范围和工作程序的规定，对有关违反社会保险行为的举报、投诉进行处理，保障公众监督渠道的畅通。

1. 对属于本部门职责的，应当依法、及时处理，不得推诿。依照本法的规定，负责社会保险收支、管理和投资运营，以及对其进行监督的部门、机构有社会保险行政部门、卫生行政部门、社会保险费征收机构、社会保险经办机构和财政部门、审计机关。各部门、机构对各自职责范围的问题，应当受理，不得推诿。受理后，应当及时处理，对投诉进行调查核实，经核实确属不当的，应当在原公布范围内予以更正，并告知投诉人，经核实没有问题的，也应当告知投诉人；对举报进行处理，举报人要求答复本人所举报案件办理结果的，应当告知举报人处理结果。对涉及重大问题和紧急事项的举报，监督机构应当立即向有关领导报告，并在职责范围内依法采取必要措施。

各部门、机构应当公布本部门、本机构的监督电话号码、传真号码、通讯地址、邮政编码和受理举报的范围,为举报人、投诉人提供其他便利条件。还可以建立检举奖励制度,对举报立功者予以奖励。如《郑州市社会保险举报奖励办法》规定,举报人举报的事项有明确的违反社会保险法律法规及政策的行为主体,而且举报人提供的事实、证据事先未被市社会保险稽查大队掌握,举报情况经查证属实的,按经查证属实的社会保险基金金额的2%到5%予以奖励,奖励金额最低不少于100元,最多不超过5000元。为充分发挥新闻媒体的舆论监督作用,还应当积极支持、合理引导新闻媒体开展报道,为其准确及时报道提供便利。对新闻媒体反映的违反社会保险行为,要及时调查处理,并通过适当方式公开处理结果。

为了鼓励公众对不法行为进行举报、投诉,应当保护举报人、投诉人的合法权益,任何单位和个人不得以任何借口阻拦、压制或打击报复举报人。接受投诉、举报的有关部门及其工作人员不得私自摘抄、复制、扣押、销毁举报材料,严禁泄露举报人的姓名、单位、住址等情况,不得向被调查单位和被调查人出示举报材料,对匿名的举报材料不得鉴定笔迹;宣传报道和奖励举报有功人员,除征得举报人的同意外,不得公开举报人的姓名和单位等内容。必要时,还应当依法采取措施,切实保护举报人的生命财产安全。

2. 对不属于本部门、本机构职责范围的,应当书面通知并移交有权处理的部门、机构处理。社会保险行政部门、卫生行政部门、社会保险费征收机构、社会保险经办机构和财政部门、审计机关接到投诉、举报后,经审查,对不属于本部门职责的，应当采用书面通知并移交有权处理的部门，并将有关情况告知投诉人、举报人。有权处理的部门在接到其他部门移交的投诉、举报后，应当受理，并立即进行处理，不得推诿。

第八十三条　用人单位或者个人认为社会保险费征收机构的行为侵害自己合法权益的，可以依法申请行政复议或者提起行政诉讼。

用人单位或者个人对社会保险经办机构不依法办理社会保险登记、核定社会保险费、支付社会保险待遇、办理社会保险转移接续手续或者侵害其他社会保险权益的行为，可以依法申请行政复议或者提起行政诉讼。

个人与所在用人单位发生社会保险争议的，可以依法申请调解、仲裁，提起诉讼。用人单位侵害个人社会保险权益的，个人也可以要求社会保险行政部门或者社会保险费征收机构依法处理。

【释义】　本条是关于用人单位和个人社会保险权利救济途径的规定。

为保障用人单位和个人的合法权益，本条根据不同的侵权行为，规定了相应的救济途径。

1. 关于社会保险费征收机构侵害用人单位或者个人自己合法权益的救济途径。依照本法以及《社会保险费征缴暂行条例》的规定，社会保险费的征收机构由省、自治区、直辖市人民政府规定，可以由税务机关征收，也可以由劳动保障行政部门按照国务院规定设立的社会保险经办机构征收。社会保险费征收机构应当依法按时足额征收社会保险费，并将缴费情况定期告知用人单位和个人。社会保险费征收机构侵害用人单位或者个人合法权益的情形，主要包括：社会保险费征收机构违反本法规定，在缴费单位补办申报手续后，未按照规定结算的；社会保险费征收机构违法扣押、查封、拍卖用人单位、个人财产的；社会保险费征收机构对用人单位、个人的处罚决定违法，侵害其合法权益的，等等。

用人单位或者个人认为社会保险费征收机构的行为侵害自己合法权益的，可以依法申请行政复议或者提起行政诉讼。行政复议是指行政机关在行使其行政管理职能时，与作为被管理对象的相对方发生争议，根据行政相对方的申请，由上一级国家行政机关或者法律、法规规定的其他机关依法对引起争议的具体行政行为进行复查并作出决定的一种活动。依照行政复议法的规定，对县级以上地方各级人民政府工作部门的具体行政行为不服的，由申请人选择，可以向该部门的本级人民政府申请行政复议，也可以向上一级主管部门申请行政复议。对海关、金融、国税、外汇管理等实行垂直领导的行政机关和国家安全机关的具体行政行为不服的，向上一级主管部门申请行政复议。如果是对税务机关征收行为不服的，只能向上一级税务机关申请行政复议；如果是对社会保险经办机构征收行为不服的，社会保险经办机构作为政府工作部门依法设立的派出机构，用人单位或者个人可以向社会保险行政部门或者本级地方人民政府申请行政复议。

行政诉讼是指公民、法人或者其他组织认为行政机关和行政机关工作人员的具体行政行为侵犯其合法权益，向人民法院提起诉讼，由人民法院运用诉讼程序解决行政争议的活动。依照行政诉讼法的规定，除法律另有规定的情形外，公民、法人或者其他组织直接向人民法院提起诉讼的，应当在知道作出具体行政行为之日起三个月内提出。对行政复议决定不服的，可以在收到复议决定书之日起十五日内向人民法院提起诉讼；复议机关逾期不作决定的，申请人可以在复议期满之日起十五日内向人民法院提起诉讼。

2. 社会保险经办机构侵害个人社会保险权益的救济途径。社会保险经办机构提供社会保险服务，负责社会保险等级、参保人员权益记录、社会保险待遇支付等工作。社会保险经办机构侵害个人社会保险权益的行为主要有以下几种：(1)不依法办理社会保险登记。办理社会保险登记是参加社会保险的第一步，社会保险经办机构违反本法关于社会保险登记的规定，未在规定期限内为用人单位或者个人办理社会保险登记，致使个人无法参加社会保险，影响个人享受社会保险待遇的行为，侵害了个人的社会保险保险权益。(2)不依法核定社会保险费。(3)不依法支付社会保险待遇。社会保险经办机构未按时足额支付社会保险待遇，直接侵害了个人的社会保险权益。(4)不依法办理社会保险转移接续手续。本法对职工基本养老保险、基本医疗保险、失业保险关系的转移接续作了明确规定。社会保险经办机构应当依法为个人办理社会保险转移接续手续。社会保险经办机构不依法为个人办理社会保险转移接续手续，将直接影响个人缴费年限的累计和享受社会保险待遇。(5)侵害其他社会保险权益的行为。除以上情形外,个人对社会保险经办机构侵害自己其他社会保险权益的行为,也可以依法申请行政复议或者提起行政诉讼。

3. 个人与所在用人单位发生社会保险争议的救济途径。依照劳动争议调解仲裁法的规定,用人单位与劳动者因社会保险发生争议,当事人不愿协商、协商不成或者达成和解协议后不履行的,可以向调解组织申请调解;不愿调解、调解不成或者达成调解协议后不履行的,可以向劳动争议仲裁委员会申请仲裁;对仲裁裁决不服的,可以向人民法院提起诉讼。但个人与所在用人单位发生社会保险争议,仲裁裁决为终局裁决,用人单位只能依法申请撤销仲裁裁决,而不得提起诉讼;劳动者对仲裁裁决不服的,可以自收到仲裁裁决书之日起十五日内向人民法院提起诉讼。在司法实践中,有的法院认为用人单位不给个人缴纳社会保险费,违反的是行政法律规范,应当由劳动监察部门处理,不属于劳动争议,法院不受理。这种观点是不正确的,用人单位不为职工入社保,既违反了行政法律规范,也违反了劳动合同法,属于劳动争议的一种,法院应当受理。所以,本法明确规定个人与所在用人单位发生社会保险争议的,可以依法申请调解、仲裁和提起行政诉讼。除可以依法申请调解、仲裁,提起诉讼外,还可以要求社会保险行政部门或者社会保险费征收机构依法处理。需要说明的是,社会保险争议属于劳动争议的一种,应当先申请劳动争议仲裁,对仲裁裁决不服的,再向法院提起诉讼。

第十一章 法律责任

第八十四条 用人单位不办理社会保险登记的，由社会保险行政部门责令限期改正；逾期不改正的，对用人单位处应缴社会保险费数额一倍以上三倍以下的罚款，对其直接负责的主管人员和其他直接责任人员处五百元以上三千元以下的罚款。

【释义】 本条是关于用人单位不办理社会社会保险登记的法律责任的规定。

社会保险登记是社会保险费征缴的前提，是整个社会保险制度得以建立的基础。用人单位不办理社会保险登记，职工无从参保，社会保险行政部门也无法进行监督，因此本条对用人单位不办理社会保险登记规定了相应的法律责任。不办理社会保险登记包括三种情况：(1)用人单位成立后不办理社会保险登记的。本法第五十七条第一款规定，用人单位应当自成立之日起三十日内凭营业执照、登记证书或者单位印章，向当地社会保险经办机构申请办理社会保险登记。社会保险经办机构应当自收到申请之日起十五日内予以审核，发给社会保险登记证件。用人单位成立后不按上述期限办理社会保险登记的，即属于违法。(2)用人单位不及时变更或注销登记的。社会保险法第五十七条第二款规定，用人单位的社会保险登记事项发生变更或者用人单位依法终止的，应当自变更或者终止之日起三十日内，到社会保险经办机构办理变更或者注销社会保险登记。发生应当变更或注销登记事项而不及时变更或注销的，即属于违法。(3)用人单位自用工之日起三十日内不为其职工办理社会保险登记的。社会保险法第五十八条第一款规定，用人单位应当自用工之日起三十日内为其职工向社会保险经办机构申请办理社会保险登记。为职工办理社会保险登记也是用人单位的义务。

根据用人单位不办理社会保险登记违法行为情节的轻重，其应当承担的法律责任分为两种：一是，对一般的用人单位不办理社会保险登记的违法情形，由社会保险行政部门责令限期改正。责令改正不是一种行政处罚，只是一种补救性的行政责任，是对违法者消除违法状态、恢复合法状态的要求。二是，经由社会保险行政部门责令限期改正、用人单位仍不办理社会保险登记的，由社会保险行政部门对用人单位处应缴社会保险费数额一倍以上三倍以下的罚款，对其直接负责的主管人员和其他直接责任人员处五百元以上三千元以下的罚款。这里有几点需要注意：(1)罚款是最常见的一种行政处罚，是一种财产罚，指行政机关强制违法的行为人承担金钱给付的处罚形式。(2)给予罚款的主体是社会保险行政部门，不是社会保险经办机构。行政处罚决定依法作出后，当事人应当在行政处罚决定的期限内，予以履行。(3)处罚的对象包括两类：一是对用人单位：二是对直接负责的主管人员和其他直接责任人员。换句话说，实行的是“双罚制”，用人单位和直接负责的主管人员和其他直接责任人员都需要接受处罚。《社会保险费征缴暂行条例》第二十三条规定，缴费单位未按照规定办理社会保险登记、变更登记或者注销登记，或者未按照规定申报应缴纳的社会保险费数额的，由劳动保障行政部门责令限期改正；情节严重的，对直接负责的主管人员和其他直接责任人员可以处1000元以上5000元以下的罚款；情节特别严重的，对直接负责的主管人员和其他直接责任人员可以处5000元以上10000元以下的罚款。该条例规定的是“单罚制”，只有直接负责的主管人员和其他直接责任人员承担责任，没有规定对用人单位的处罚。为了加强对这类违反社会保险登记情形的管理，本法实行了“双罚”。(4)关于处罚的数额，由于用人单位应缴社会保险费数额不同，不宜采取具体处罚数额，而是以应缴社会保险费为基数，处以一倍以上三倍以下的罚款；对直接负责的主管人员和其他直接责任人员，则确定了处罚的上下限，即处五百元以上三千元以下的罚款。

第八十五条　用人单位拒不出具终止或者解除劳动关系证明的，依照《中华人民共和国劳动合同法》的规定处理。

【释义】 本条是关于用人单位拒不出具终止或者解除劳动关系的法律责任的规定。

终止或者解除劳动关系证明是失业人员领取失业保险待遇的条件之一。劳动合同法第五十条第一款规定，用人单位应当在解除或者终止合同时出具解除或者终止劳动合同的证明，并在十五日内为劳动者办理档案和社会保险关系转移手续。本法第五十条第一款也作了类似的规定。本法第五十条第二款、第三款规定，失业人员应当持本单位为其出具的终止或者解除劳动关系的证明，及时到指定的公共就业服务机构办理失业登记；失业人员凭失业登记证明和个人身份证明，到社会保险经办机构办理领取失业保险金的手续。实践中，在解除或者终止劳动合同后，有的用人单位刁难劳动者，不开具有关解除或者终止劳动合同的证明，扣押劳动者档案，影响了劳动者享受失业保险待遇。在立法过程中，有的意见提出应当对用人单位给予处罚，考虑到给用人单位处罚不能解决失业人员的损失；同时，劳动合同法对此已作出惩罚性的规定，所以本法规定此种情况按照劳动合同法的规定处理。

劳动合同法对用人单位拒不出具终止或者解除劳动关系证明的，规定了相应的法律责任。该法第八十九条规定，用人单位违反本法规定未向劳动者出具解除或者终止劳动合同的书面证明，由劳动行政部门责令改正；给劳动者造成损害的，应当承担赔偿责任。这里的赔偿责任，主要是没有出具解除或者终止劳动合同的书面证明，不能领取失业保险金，也不能享受基本医疗保险待遇，这些损失都应当由用人单位赔偿。此外，根据国家有关规定，下岗失业人员再就业或者自主创业时，可以享受一定的税收、财政等优惠政策，如果用人单位不按规定出具解除或者终止劳动合同的书面证明，失业人员就不能享受自主创业、再就业的税收优惠,用人单位也应当依法承担赔偿责任。

第八十六条 用人单位未按时足额缴纳社会保险费的,由社会保险费征收机构责令限期缴纳或者补足,并自欠缴之日起,按日加收万分之五的滞纳金;逾期仍不缴纳的,由有关行政部门处欠缴数额一倍以上三倍以下的罚款。

【释义】 本条是关于用人单位未按时足额缴纳社会保险费的法律责任的规定。

社会保险费是社会保险基金的主要来源,用人单位能否按时足额缴纳社会保险费,关系到社会保险基金的安全和有效运行。同时用人单位依法按时足额为劳动者缴纳社会保险费,也是其职工享受社会保险待遇的前提。本法第六十条第一款规定,用人单位应当自行申报、按照足额缴纳社会保险费,非因不可抗力等法定事由不得缓缴、减免。职工应当缴纳的社会保险费由用人单位代扣代缴,用人单位应当按月将缴纳社会保险费的明细情况告知本人。用人单位不按时足额为劳动者缴纳社会保险费,则属于用人单位的违法行为,应当承担相应的法律责任。

本条规定,用人单位未按时足额缴纳社会保险费的,社会保险费征收机构责令限期缴纳或者补足,并自欠缴之日起,按日加收万分之五的滞纳金;逾期仍不缴纳的,由有关行政部门处欠缴数额一倍以上三倍以下的罚款。有以下几点需要注意:(1)责令限期缴纳或者补足的是社会保险费征收机构,给予处欠缴数额一倍以上三倍以下的罚款的是有关行政部门。这是因为各地社会保险费的征收机构不同，有的是社会保险经办机构，有的是税务机关，社会保险经办机构是事业单位，没有行政处罚权，因此，如果是社会保险经办机构征收的，应当由社会保险行政部门作出处罚决定。(2)本条对欠缴社会保险费的，规定了滞纳金。滞纳金属于间接强制执行，加处滞纳金是通过给当事人增加额外金钱负担的方式，迫使当事人尽快履行行政决定，避免直接强制带来的对抗、冲突。滞纳金作为敦促义务人履行义务的一种手段，其征收标准应当适度、合理，既不能太高，也不能太低，税收征收管理法规定的滞纳金的标准为万分之五，本法规定的滞纳金的标准是比照税收征收管理法确定的。关于滞纳金的起算时间点，应当是自欠缴之日起即加收滞纳金。(3)经责令限期缴纳或者补足，用人单位逾期仍不缴纳或者补足的，说明滞纳金已不能对用人单位产生威慑的效果，因此除了本法第六十三条第二款规定的查询、划拨外，本条还规定了处欠缴数额一倍以上三倍以下的罚款。这里的“欠缴数额”是用人单位所欠的社会保险费金额，不包括滞纳金。这里需要注意的是本条规定的罚款与本法第六十三条规定的直接强制执行之间的关系。社会保险法第六十三条规定，用人单位未按时足额缴纳社会保险费的，由社会保险费征收机构责令其限期缴纳或者补足。用人单位逾期仍未缴纳或者补足社会保险费的，社会保险费征收机构可以申请县级以上有关行政部门作出划拨社会保险费的决定，书面通知其开户银行或者其他金融机构划拨社会保险费。

划拨这种直接强制执行方式与罚款针对是都是用人单位未按时足额缴纳社会保险费的行为,但两者追求的效果和目的不同,因此二者是并行不悖的。

另外,本条的违法主体只有用人单位,并不包括个人。这是因为劳动者缴纳社会保险费一般由用人单位代扣代缴,而无雇工的个体工商户、未在用人单位参加社会保险的非全日制从业人员以及其他灵活就业人员,是自愿参保,不缴纳社会保险费就不享受社会保险待遇。

第八十七条　社会保险经办机构以及医疗机构、药品经营单位等社会保险服务机构以欺诈、伪造证明材料或者其他手段骗取社会保险基金支出的,由社会保险行政部门责令退回骗取的社会保险金,处骗取金额二倍以上五倍以下的罚款;属于社会保险服务机构的,解除服务协议;直接负责的主管人员和其他直接责任人员有执业资格的,依法吊销其执业资格。

【释义】　本条是关于社会保险经办机构及社会保险服务机构骗取社会保险基金支出的法律责任的规定。

社会保险基金是百姓的"保命钱",是社会保险的物质基础,骗取社会保险基金支出损害了社会保险基金的安全。本条对社会保险经办机构以及医疗机构、药品经营单位等社会保险服务机构以欺诈、伪造证明材料或者其他手段骗取社会保险基金支出规定了相应的法律责任。实践中,欺诈、伪造证明材料或者其他手段较多,以骗取医疗保险待遇为例,一般包括:(1)允许非参保人以参保人名义就医的;(2)允许使用医疗保险基金支付应当由参保人自付、自费的医疗费用;(3)允许使用医疗保险个人账户基金购买保健品、化妆品及其他用品的;(4)提供虚假疾病诊断证明、病历、处方和医疗费票据等资料的;(5)向参保人提供不必要的医疗服务和过度医疗服务的;(6)转借医疗保险 POS 机(服务终端)给非定点单位使用或代非定点单位使用医疗保险个人账户基金进行结算等情况。

本条针对骗保的情形,规定了相应的法律责任,具体包括:

1. 责令退回骗取的社会保险金,并处罚款。社会保险行政部门发现社会保险经办机构以及医疗机构、药品经营单位等社会保险服务机构骗取社会保险基金支出的,应当责令退回骗取的社会保险金,同时应处骗取金额 2 倍以上 5 倍以下的罚款。《劳动保障监察条例》第二十七条第二款规定,骗取社会保险待遇或者骗取社会保险基金支出的,由劳动保障行政部门责令退还,并处骗取金额 1 倍以上 3 倍以下的罚款;构成犯罪的,依法追究刑事责任。《工伤保险条例》和《失业保险条例》对骗取社会保险待遇都规定处骗取金额 1 倍以上 3 倍以下的罚款。本法之所以提高罚款倍数,是因为骗取社会保险基金支出的行为具有主观恶意,严重侵犯了社会保险基金的安全,需要加大对这种行为的处罚力度。因此,社会保险法实施后,上述条例中给予 1 倍以上 3 倍以下罚款的规定失效,应当按照本法规定处骗取金额 2 倍以上 5 倍以下的罚款。

2. 解除服务协议。本法第三十一条规定,社会保险经办机构根据管理服务的需要,可以与医疗机构、药品经营单位签订服务协议,规范医疗服务行为。基本医疗保险的目的是为了最大限度地满足人民群众的基本医疗需求,医疗机构、药品经营单位是医疗服务的提供方,应当为参保人员提供合理、必要的医疗服务。对于少数医疗机构、药品经营单位骗取社会保险基金支出,侵吞社会保险基金,除了责令退回骗取的社会保险金,并处骗取金额二至五倍罚款外,还应当由社会保险经办机构与其解除服务协议。

3. 吊销执业资格。吊销执业资格是一种资格罚,又称能力罚,吊销执业资格即剥夺行政相对人的行为能力,行政相对人就不能从事某种特定行为。我国实行医师执业资格制度,当医生要通过考试,取得医师资格,取得资格后要执业,还需要到卫生行政部门注册,领取医师执业证书。对于参与骗保的,本条规定直接负责的主管人员和其他直接责任人员是医师,应当吊销其执业资格,这是一种比较严厉的处罚,一般应当本着"谁授予谁吊销"的原则,由卫生行政部门吊销。

第八十八条　以欺诈、伪造证明材料或者其他手段骗取社会保险待遇的,由社会保险行政部门责令退回骗取的社会保险金,处骗取金额二倍以上五倍以下的罚款。

【释义】 本条是关于骗取社会保险待遇的法律责任的规定。

骗取社会保险待遇主要是个人不符合享受社会保险待遇,欺诈、伪造证明材料或者其他手段骗取社会保险待遇。实践中，以欺诈、伪造证明材料或者其他手段骗取社会保险待遇有多种形式。如在养老保险待遇的支付环节，有的伪造身份证明或冒用他人身份证明；有的伪造、变造档案年龄、特殊工种年限和病历等办理提前退休；有的伪造、变造人事档案，以增加视同缴费年限；有的伪造、变造用工关系、工资报表等证明材料补缴养老保险费；有的伪造、变造领取养老保险待遇证明文件等，甚至出现了已经去世的人仍在领取养老保险的事例。在医疗保险的支付环节，有的将本人身份证明及社会保障卡转借他人就医；有的冒用他人身份证明或社会保障卡就医；有的伪造、变造病历、处方、疾病诊断证明和医疗费票据；有的伪造、变造劳动关系、工资报表等证明材料参加医疗保险或补缴医疗保险费。

本条规定的法律责任是由社会保险行政部门责令退回骗取的社会保险金，处骗取金额二倍以上五倍以下的罚款。这一点与以往有关条例中的规定不完全一致。《劳动保障监察条例》第二十七条第二款规定，骗取社会保险待遇或者骗取社会保险基金支出的，由劳动保障行政部门责令退还，并处骗取金额 1 倍以上 3 倍以下的罚款；构成犯罪的，依法追究刑事责任。《工伤保险条例》和《失业保险条例》规定的处罚，也是处骗取金额 1 倍以上 3 倍以下的罚款。本法规定更高的处罚，本法实施后，应当按照骗取金额二倍以上五倍以下的罚款幅度进行处罚，加大了对这种行为的处罚力度。

第八十九条　社会保险经办机构及其工作人员有下列行

为之一的，由社会保险行政部门责令改正；给社会保险基金、用人单位或者个人造成损失的，依法承担赔偿责任；对直接负责的主管人员和其他直接责任人员依法给予处分：

（一）未履行社会保险法定职责的；

（二）未将社会保险基金存入财政专户的；

（三）克扣或者拒不按时支付社会保险待遇的；

（四）丢失或者篡改缴费记录、享受社会保险待遇记录等社会保险数据、个人权益记录的；

（五）有违反社会保险法律、法规的其他行为的。

【释义】 本条是关于社会保险经办机构及其工作人员违法行为的法律责任的规定。

1. 本条规定了五种社会保险经办机构及其工作人员的违法行为，具体包括：(1)未按照规定履行社会保险法定职责的。社会保险法规定，社会保险经办机构通过业务经办、统计、调查获取社会保险工作所需的数据；及时为用人单位建立档案，完整、准确地记录参加社会保险的人员、缴费等社会保险数据等。向用人单位和个人免费提供查询、核对其缴费和享受社会保险待遇记录等服务，提供社会保险咨询服务，这些都是社会保险经办机构的法定职责，如果社会保险经办机构及其工作人员没有做到或违反了，即构成违法，应承担相应法律责任。(2)未将社会保险基金存入财政专户的。社会保险法规定，社会保险基金存入财政专户。财政专户是指在银行开立的用于存储、管理和核算具有专项用途的公共资金的专用账户。未按规定存入财政专户，有可能导致截留私分，损害了社会保险基金运行的安全性和完整性,应承担相应责任。(3)克扣或者拒不按时支付社会保险待遇的。社会保险法规定,社会保险经办机构应当按时足额支付社会保险待遇。社会保险经办机构及其工作人员克扣或者拒不按时支付社会保险待遇的,构成违法。(4)丢失或者篡改缴费记录、享受社会保险待遇记录等社会保险数据、个人权益记录的。社会保险法规定,社会保险经办机构应当及时、完整、准确地记录参加社会保险的个人和用人单位为其缴费,以及享受社会保险待遇等个人权益记录,定期将个人权益记录单免费寄送本人。缴费记录一般包括用人单位缴费登记、变更登记、注销登记以及缴费申报、缴费记录等。缴费登记载有用人单位的名称、住所或者地址、法定代表人或者负责人、单位类型、组织机构统一代码以及开户银行账号等,是用人单位缴费的基础材料和依据。用人单位进行缴费申报时办理的缴费申报表、审核手续及经办机构建立的用人单位缴费记录账簿等,是用人单位实际缴纳数额的依据。"丢失"可能出于过失,"篡改"则出于故意,因此这里既包括经办机构及其工作人员主观上出于一种故意而导致的行为,也包括由于过失导致的行为。违反了社会保险法规定的这一义务的,应当承担相应的法律责任。(5)有违反社会保险法律、法规的其他行为的。

2. 对于社会保险经办机构及其工作人员有上述行为之一的,本条规定的法律责任,具体包括以下三个方面:(1)由社会保险行政部门责令改正。即未按照规定履行社会保险法定职责的,要求其履行法定职责;未按照规定将社会保险基金存入财政专户的,要求其存入财政专户;克扣或者拒不按时支付社会保险待遇的,要求其按时足额发放;丢失或者篡改缴费记录、享受社会保险待遇记录等社会保险数据、个人权益记录的,要求其恢复缴费记录原样或通过其他方式查明缴费记录,搞清享受社会保险待遇的数据等。(2)社会保险经办机构及其工作人员因上述违法行为给社会保险基金、用人单位或者个人造成损失的依法承担赔偿责任。(3)对直接负责的主管人员和其他直接责任人员依法给予处分。社会保险经办机构工作人员属于参照公务员法管理的工作人员,参照公务员法的规定给予处罚,行政机关公务员处分的种类为:(1)警告;(2)记过;(3)记大过;(4)降级;(5)撤职;(6)开除。除此之外,本法第九十四条规定,违反本法规定,构成犯罪的,依法追究刑事责任。因此,如果社会保险经办机构及其工作人员触犯了刑律,将依法追究刑事责任,其刑事责任可能涉及的罪名包括滥用职权罪、玩忽职守罪、受贿罪等。

第九十条　社会保险费征收机构擅自更改社会保险费缴费基数、费率,导致少收或者多收社会保险费的,由有关行政部门责令其追缴应当缴纳的社会保险费或者退还不应当缴纳的社会保险费;对直接负责的主管人员和其他直接责任人员依法给予处分。

【释义】　本条是关于社会保险费征收机构擅自更改社会保险费缴费基数、费率的法律责任的规定。

缴费基数和费率决定了社会保险基金的收入,反映了国家的社会保险费负担水平，应当由国家作出规定，目前缴费基数和费率由国家作出原则规定，具体由统筹地区作出规定。社会保险费征收机构擅自更改社会保险费缴费基数、费率，导致少收会损害社会保险基金的安全，多收会加重用人单位的负担，都是违法行为。

本条规定社会保险费征收机构擅自更改社会保险费缴费基数、费率规定的法律责任，包括以下两个方面：一是有关行政部门责令其追缴应当缴纳的社会保险费或者退还不应当缴纳的社会保险费。这里的"有关行政部门"是指社会保险行政部门或税务机关。二是对直接负责的主管人员和其他直接责任人员依法给予处分。根据公务员法的规定，处分包括警告、记过、记大过、降级、撤职、开除。

第九十一条　违反本法规定，隐匿、转移、侵占、挪用社会保险基金或者违规投资运营的，由社会保险行政部门、财政部门、审计机关责令追回；有违法所得的，没收违法所得；对直接负责的主管人员和其他直接责任人员依法给予处分。

【释义】 本条是关于隐匿、转移、侵占、挪用社会保险基金或者违规投资运营的法律责任的规定。

本法第六十九条规定，社会保险基金在保证安全的前提下，按照国务院规定投资运营实现保值增值。社会保险基金不得违规投资运营，不得用于平衡其他政府预算，不得用于兴建、改建公共场所和支付人员经费、运行费用、管理费用。隐匿、转移、侵占、挪用社会保险基金或者违规投资运营，造成社会保险基金流失，影响了社会保险基金的安全和支付能力，本法规定对社会保险基金要严格监管，并规定了相应的监管制度。此外，本条对隐匿、转移、侵占、挪用社会保险基金或者违规投资运营规定了相应的法律责任。

本条规定的法律责任有以下三种：(1)责令追回。责令追回的目的是使被隐匿、转移、侵占、挪用的社会保险基金或已经用来违规投资运营的社会保险基金恢复到原来状态。有权责令追回的主体是社会保险行政部门、财政部门和审计机关。(2)没收违法所得。就是将违法投资运行所取得的收益收归基金所有。(3)对直接负责的主管人员和其他直接责任人员依法给予处分。此外，本法第九十四条规定，违反本法规定，构成犯罪的，依法追究刑事责任。因此，违反本条有可能构成刑事责任，受到刑事追究。

第九十二条　社会保险行政部门和其他有关行政部门、社会保险经办机构、社会保险费征收机构及其工作人员泄露用人单位和个人信息的，对直接负责的主管人员和其他直接责任人员依法给予处分；给用人单位或者个人造成损失的，应当承担赔偿责任。

【释义】　本条是关于泄露用人单位和个人信息的行政责任的规定。

用人单位和个人信息可能关系用人单位的商业秘密和个人的隐私，泄露到社会，会影响企业的经济利益和个人的正常生活。在社会保险登记、社会保险费征收和社会保险监督检查等过程中，社会保险经办机构、社会保险费征收机构、社会保险行政部门、卫生行政部门、审计部门等有关行政部门及其工作人员掌握了用人单位和个人的大量信息，为了加强信息安全，本法第八十一条规定，社会保险行政部门和其他有关行政部门、社会保险经办机构、社会保险费征收机构及其工作人员，应当依法为用人单位和个人的信息保密，不得以任何形式泄露。

对于泄露用人单位和个人信息的，本条规定了两项法律责任：(1)对直接负责的主管人员和其他直接责任人员依法给予处分；(2)给用人单位或者个人造成损失的，应当承担赔偿责任。承担赔偿责任的前提是必须给用人单位或者个人造成损失；如果没有损失，也就没有赔偿。用人单位和个人信息泄露有可能给其带来损失，如果能够证明损失的造成是由社会保险行政部门及其他行政部门以及有关机构、工作人员造成的，即证明其因果关系，那么就应当由其承担赔偿责任。

此外，本法第九十四条规定，违反本法规定，构成犯罪的，依法追究刑事责任。刑法规定，国家机关或者金融、电信、交通、教育、医疗等单位的工作人员，违反国家规定，将本单位在履行职责或者提供服务过程中获得的公民个人信息，出售或者非法提供给他人，情节严重的，处三年以下有期徒刑或者拘役，并处或者单处罚金。单位犯前两款罪的，对单位判处罚金，并对其直接负责的主管人员和其他直接责任人员，依照各该款的规定处罚。

第九十三条　国家工作人员在社会保险管理、监督工作中滥用职权、玩忽职守、徇私舞弊的，依法给予处分。

【释义】　本条是关于国家工作人员滥用职权、玩忽职守、徇私舞弊的行政责任的规定。

本条规定的违法情形有三种：滥用职权、玩忽职守、徇私舞弊。滥用职权一般指违反法律规定的职责权限和程序，滥用、超越职权的行为，如社会保险经办机构的工作人员拒绝向符合条件的参保人员支付社会保险待遇。玩忽职守指国家工作人员不履行法律所赋予的职权，构成违法失职行为，如经办机构工作人员缺乏责任心，对工作马马虎虎，漫不经心，疏于管理，造成保险基金被挪用或者流失。徇私舞弊指为了个人私利或亲友私情，不按照法律、法规规定办事，给社会保险基金造成损失。这里的国家工作人员不仅指社会保险行政部门的国家工作人员，还包括卫生行政部门、财政部门、审计机关等机关的国家工作人员。

对于国家工作人员在社会保险管理、监督工作中滥用职权、玩忽职守、徇私舞弊的，应当依照公务员法给予行政处分。需要注意的是，国家机关工作人员在社会保险管理、监督工作中滥用职权、玩忽职守、徇私舞弊的，并不是仅仅需要承担处分的行政责任，构成犯罪的，还应当承担刑事责任。本法第九十四条规定，违反本法规定，构成犯罪的，依法追究刑事责任。

第九十四条　违反本法规定，构成犯罪的，依法追究刑事责任。

【释义】 本条是关于违反本法的刑事责任的规定。

违反本法规定，构成犯罪的，应当依照刑法的有关规定追究刑事责任。刑法是判断某一违法行为是否构成犯罪，应处以何种刑罚的依据。本法没有对违反本法规定的行为规定具体的刑事责任，主要是考虑到与刑法的衔接。我国刑法是1997年3月14日制定的，至今已通过了七个修正案，已经形成比较完善的罪名及刑罚体系。为了保证罪名及刑罚的体系性，目前其他法律一般不再规定具体的罪名和刑罚；如果确需调整罪名和刑罚，通过刑法修正案的方式进行。本法没有在每个可能涉及刑事责任的条款后规定“构成犯罪的，依法追究刑事责任”，而是单列一条概括规定，一是行文简洁，二是不会遗漏。

违反本法规定，涉及的刑事责任主要包括：(1)本法第九十一条规定了挪用社会保险基金等行为。刑法第三百八十四条规定：“国家工作人员利用职务上的便利，挪用公款归个人使用，进行非法活动的，或者挪用公款数额较大、进行营利活动的，或者挪用公款数额较大、超过三个月未还的，是挪用公款罪，处五年以下有期徒刑或者拘役；情节严重的，处五年以上有期徒刑。挪用公款数额巨大不退还的，处十年以上有期徒刑或者无期徒刑。”“挪用用于救灾、抢险、防汛、优抚、扶贫、移民、救济款物归个人使用的，从重处罚。”(2)本法第九十二条规定了泄露个人信息等行为。刑法第二百五十三条之一规定：“国家机关或者金融、电信、交通、教育、医疗等单位的工作人员，违反国家规定，将本单位在履行职责或者提供服务过程中获得的公民个人信息，出售或者非法提供给他人，情节严重的，处三年以下有期徒刑或者拘役，并处或者单处罚金。”“窃取或者以其他方法非法获取上述信息，情节严重的，依照前款的规定处罚。”“单位犯前两款罪的，对单位判处罚金，并对其直接负责的主管人员和其他直接责任人员，依照各该款的规定处罚。”(3)本法第九十三条规定了国家工作人员滥用职权、玩忽职守、徇私舞弊的行为。刑法第三百九十七条规定:“国家机关工作人员滥用职权或者玩忽职守，致使公共财产、国家和人民利益遭受重大损失的，处三年以下有期徒刑或者拘役;情节特别严重的，处三年以上七年以下有期徒刑。本法另有规定的，依照规定。”“国家机关工作人员徇私舞弊，犯前款罪的，处五年以下有期徒刑或者拘役;情节特别严重的，处五年以上十年以下有期徒刑。本法另有规定的，依照规定。”(4)本法第八十七条规定的以欺诈、伪造证明材料或者其他手段骗取社会保险基金支出，第八十八条规定的以欺诈、伪造证明材料或者其他手段骗取社会保险待遇，第八十九条规定的社会保险经办机构及其工作人员违反社会保险法律法规等违法行为，构成犯罪的，也要根据刑法有关规定追究刑事责任。

第十二章　附　　则

第九十五条　进城务工的农村居民依照本法规定参加社会保险。

【释义】 本条是关于进城务工的农村居民参加社会保险的规定。

农村进城务工人员是我国改革开放和工业化、城镇化进程中出现的一支新型劳动大军,已成为我国产业工人的重要组成部分,为我国现代化建设做出了重大贡献。农村居民进城务工,有利于劳动力合理流动,有利于统筹城乡发展和解决“三农”问题,是事关我国经济和社会发展全局的战略问题。农村居民进城务工是伴随着我国经济、社会转型的阶段性现象,适应了发展需求,但也由于有关制度缺失和不足,出现了一些亟待解决的突出问题,尤其在劳动就业方面。本条是对农村进城务工人员参加社会保险,享受社会保险待遇作出的规定。

1. 关于进城务工的农村居民的界定。农村居民主要从事农业生产活动,进城务工的农村居民情况较为复杂。从劳动类型看,相当一部分常年在城镇打工,不再从事农业生产,有的有较为固定的就业岗位，有的辗转于不同城镇，流动性较强；有的则是在农闲时出来打工，农忙时回家务农，主要还是从事农业生产。从就业区域看，有的是异地转移就业，农村居民到城市就业，有的是本地转移就业，农村居民进入本地乡镇、县城的企业就业。从就业形式看，多数是进入企业提供劳动，建立劳动关系，属于正规就业，有的是从事个体工商户等灵活就业。本条规定的进城务工的农村居民是指与用人单位建立劳动关系的农村居民。这些农村居民与城镇职工没有身份差别，应当与城镇职工一样参加社会保险。目前，进城务工的农村居民超过 1.4 亿，与用人单位建立劳动关系的超过 7000 万。农村居民在城镇灵活就业的，是否可以参加城镇职工社会保险尚待进一步研究。

进城务工的农村居民也称农民工，本法未采用农民工概念，主要考虑到农民工是城市化进程中的一个阶段性现象，对这个概念的使用有不同意见，因此本法采用进城务工的农村居民概念，用词更为准确。

2. 进城务工的农村居民应当按照本法参加职工社会保险。目前，进城务工的农村居民参加职工五项社会保险的比例偏低，致使这部分人群的工伤和医疗问题较为突出，引发了一些矛盾。进城务工农村居民参保率不高的原因有多种，主要是用人单位为了降低用工成本，有的地方社会保险行政主管部门的监管缺位，社会保险制度本身不尽合理科学，也有进城务工者自身对社会保险制度认识不到位甚至还有对进城务工农村居民参加职工社会保险持有异议。针对这些问题和看法,本条在附则中作专门规定,明确进城务工的农村居民与用人单位建立劳动关系的,应当作为职工依照本法规定参加社会保险,纳入与职业相关联的职工基本养老保险、职工基本医疗保险、工伤保险等社会保险制度中。这样规定的理由有:第一,体现了公平性。国家在有关解决农民工问题的政策中明确,要解决好农民工问题,就是要贯彻好平等原则,对农村居民和城镇居民在就业、社会保险、教育等方面一视同仁,不搞差别对待。进城务工的农村居民与城镇职工一起参与国家经济建设,都提供了劳动,应当享受同一标准体系下的劳动报酬和福利待遇,不能因户籍不同而适用不同标准。职工社会保险是用人单位缴费、国家补助的保障性制度,直接关系到职工在年老、患病、工伤、失业和生育时能否从社会保险制度中得到物质帮助,是职工的一项重要福利待遇。如果仅因为职工的户籍是农村而将其排除在外,有违起码的公平。第二,符合现行做法的方面。为了解决进城务工农村居民参加社会保险比例偏低问题,近年来国务院和有关主管部门做了大量工作,已经取得阶段性成果。截止到 2010 年上半年,参加职工基本养老保险、失业保险、工伤保险的农民工人数分别为:2950 万人、1811 万人、5876 万人。现行做法的基本原则是将进城务工的农村居民纳入职工社会保险中。目前进城务工的农村居民实行大病医疗统筹,与职工基本医疗保险相比,缴费低、只保大病,这应是起步阶段的权宜之策,为防止社会保险制度碎片化,制度林立,以后的方向应当是与职工基本医疗保险相衔接和融合。第三,体现了立法前后延续和统一。在近年来的社会领域立法中,从就业促进法、劳动合同法、劳动争议调解仲裁法直至社会保险法,立法中坚持的理念和原则一直是将进城务工的农村居民纳入统一的职工概念中,反对将进城务工的农村居民类型化,更反对为其单设不一样的制度,另作安排。有的认为,本条在附则中规定,有将进城务工农村居民单设制度的嫌疑,容易产生误解。在修改过程中,多数认识是进城务工的农村居民当然是职工,没有必要专门规定,曾经有过删除本条的方案。后考虑到农民工问题事关重大,是否参加职工社会保险还有不同认识,本法作明确规定有利于国家积极稳妥地解决农民工问题,有利于统一认识,防止误读误解,也有利于实际部门开展工作,写比不写好,因此保留了本条。第四,那种认为土地是进城务工的农村居民保障的观点是站不住脚的。随着城镇化发展,以及有关进城务工农村居民配套制度的建立完善,多数进城务工的农村居民有条件也有意愿在城市生活,不再回到农村务农。社会保险是职业关联保障,任何劳动者只要在用人单位中提供劳动,就有权参加职工社会保险,这完全与土地保障是两回事。土地保障归根到底多数还要劳动,只有劳作了才有农产品的产出,才能说有保障。随着经济社会发展,对农村居民的社会保险是应当不断完善的。

第九十六条　征收农村集体所有的土地,应当足额安排被征地农民的社会保险费,按照国务院规定将被征地农民纳入相应的社会保险制度。

【释义】 本条是关于被征地农民的社会保险的规定。

随着我国经济发展和城市规模扩张,在城市国有土地日趋紧张的情况下,征收农村集体土地成为各地保持经济发展的迫切需求和必然选择。近年来,被征地农民的人数持续增长,涉及人数众多。农民以土地为生,一旦土地被征收,赖以生存的生活来源没有了,特别是对于一些大龄和老龄农民而言,由于普遍缺乏就业能力,当前生活和长远生计就成了问题。被征地农民已经成为一个社会问题,引发了一些社会矛盾,也引起了党和国家的高度重视,提出了被征地后农民生活水平不降低、长远生计有保障的目标,出台了一系列文件。要实现被征地农民生活水平不降低、长远生计有保障,需要各地政府将被征地农民问题纳入当地经济发展的全局考虑,采取补偿、安置、就业等综合措施,其中将被征地农民纳入社会保障体系,特别是社会保险体系,是解决老有所养、病有所医等长远生计和当前迫切问题的首要选择。本条是在已有国家规定的基础上作的原则规定,明确了根据国务院的规定,将被征地农民纳入相应的社会保险制度。

1. 关于将被征地农民纳入社会保险制度的必要性和迫切性。第一,建立社会保险制度,就是要保障公民在年老、疾病等情况下获得物质帮助。农民的土地被征用后,失去了原有生活来源,为了确保被征地农民不因征地而生活水平降低,解决基本生活和长远生计,保护被征地农民的切身利益,将被征地农民纳入社会保险制度中是最佳选择。第二,有利于统筹城乡发展,构建和谐社会。缩小城乡收入差距,不仅通过税收和产品补贴对收入进行再分配，还必须通过社会保障政策来进行有效调节，把城乡就业和社会保障统筹起来，一并考虑。解决了被征地农民的长远生计和后顾之忧，可以有效减少和消除因征地引发的纠纷和矛盾，促进社会和谐。第三，有利于规范土地管理，已经成为严格规范土地管理的有效措施。明确了社会保障费用不落实不得批准征地的原则。

2. 被征地农民的界定。本条所称的被征地农民，应当是指因征地影响当事人基本生活，大大降低当事人收入和生活来源的情形。国务院有关文件中曾规定是无地农民，即土地全部被征收的才是被征地农民。最近国务院文件中将被征地农民扩大为失去全部或者大部分土地的农业人口，具体对象由各地确定。

3. 被征地农民纳入相应社会保险制度。2007 年国务院转发了原劳动和社会保障部《关于做好被征地农民就业培训和社会保障工作的指导意见》，要求对城市规划区内的被征地农民，有条件的地区，可将其纳入城镇职工养老、医疗、失业等社会保险参保范围，通过现行城镇职工社会保险体系解决。对符合享受城市居民最低生活保障和医疗救助条件的，纳入相应保障范围。对城市规划区以外的被征地农民，凡已经建立农村社会养老保险制度、新型农村合作医疗制度和农村最低生活保障制度的地区，要按规定将其纳入相应的保障范围。没有建立上述制度的地区，可由当地人民政府根据实际情况采取多种形式提供必要的养老和医疗服务。考虑到我国城镇居民社会养老保险、新型农村社会养老保险、城镇居民医疗保险、新型农村合作医疗制度已经建立，养老和医疗制度已经做到人群全覆盖，将被征地农民纳入社会保险制度中已经做好了制度准备，因此本条明确了方向是纳入社会保险制度，不是社会救助和低保制度，也不是建立单独的针对被征地农民的社会保险制度。同时，考虑到将所有被征地农民纳入社会保险制度中，需要资金投入和制度准备，有关实施步骤可由国务院以及授权的地方政府根据实际情况决定。

4. 社会保险费经费来源。过去被征地农民社会保障工作筹集资金困难，原因是补偿费用过低，补偿费用中没有包括社会保障所需费用。针对这个问题，2004 年国务院颁布的《关于深化改革严格土地管理的决定》将被征地农民的就业培训和社会保障作为土地管理制度改革的重点内容，明确要求完善征地补偿和安置制度，特别是明确了社会保障资金来源，即依照法律规定支付土地补偿费和安置补助费，尚不能使被征地农民保持原有生活水平的，不足以支付因征地而无地农民社会保障费用的，省级人民政府应当批准增加安置补助费。

2006 年国务院办公厅颁布了《关于规范国有土地使用权出让收支管理的通知》，明确土地出让收支的范围，将土地出让收支纳入地方预算，实行收支两条线管理，从财务角度保证被征地农民的社会保障费用。通知要求将以划拨形式取得土地的土地使用者所缴纳的土地补偿费、安置补助费等费用，一并纳入土地出让收入管理。同时将征地和拆迁补偿支出列入土地出让收入使用范围，要求确保足额支付征地和拆迁补偿费、补助被征地农民社会保障支出，严格按照有关规定将被征地农民的社会保障费用纳入征地补偿安置费用。

2007 年国务院转发了原劳动和社会保障部《关于做好被征地农民就业培训和社会保障工作的指导意见》，进一步明确了社会保障资金来源和社会保障类型。进一步规定社会保障所需资金从当地政府批准提高的安置补助费和用于被征地农户的土地补偿费中统一安排，两项费用尚不足以支付的，由当地政府从国有土地有偿使用收入中解决。有条件的地区，地方财政和集体经济要加大扶持力度，支持和引导被征地农民参加城乡社会保险。

第九十七条　外国人在中国境内就业的，参照本法规定参加社会保险。

【释义】　本条是关于外国人参加我国社会保险的规定。

近年来，随着国际经贸的发展和我国利用外资规模的扩大，在华外资企业及办事机构越来越多，来华就业的外国人也越来越多。据统计，截止到 2008 年在华就业的外国人约有 21.7 万人。上海市 2009 年外籍就业人员为 6.86 万人，13 年内人数增长了 13 倍。随着我国社会保险制度的建立和完善，在华就业的外国人是否应纳入职工社会保险制度中，这个问题需要予以研究。国务院及有关部门、一些外国人就业较多的地方出台了相应规定，我国还与德国、韩国分别签订了有关社会保险的双边协定。因此，本法对在华就业的外国人参加社会保险作了明确规定。根据本法规定，外国人在中国境内就业的，参照本法规定参加社会保险。所谓参照，是指原则依照本法执行，但允许有所变通。在没有变通规定时，外国人应当依照本法参加社会保险。在有权机关作出变通规定时，外国人参加社会保险按照变通规定执行，这些变通规定包括《社会保险费征缴暂行条例》、有关社会保险的双边协定，变通的内容包括是否需要参加社会保险以及参加哪几项社会保险。所谓外国人，是指依照国籍法规定不具有中国国籍的人员，包括具有外国国籍人员和无国籍人员。按照《外国人在中国就业管理规定》的规定，外国人在中国就业，是指没有取得定居权的外国人在中国境内依法从事社会劳动并获取劳动报酬的行为，包括在中国企业和外资企业及其子公司、办事机构就业的。台湾居民、香港和澳门居民属于中国公民，适用《台湾香港澳门居民在内地就业管理规定》，按照《社会保险费征缴暂行条例》的规定缴纳社会保险费，不适用本条规定。

1. 外国人在中国境内就业，应当参照本法规定参加社会保险。外国人在我国境内就业，需要向我国劳动保障就业部门申请办理外国人就业证后才可就业，原则上依照本法规定，作为职工参加与职业相关联的社会保险制度。第一，按照社会保险法适用范围，除了外交使领馆和外交豁免权外，在我国境内的外资企业、外国企业驻华机构及在我国就业的外国人都应当适用我国法律。第二，1999 年《社会保险费征缴暂行条例》明确规定，外商投资企业及其职工应当缴纳基本养老保险费、基本医疗保险费和失业保险费。2003 年《工伤保险条例》规定，中华人民共和国境内的各类企业都应当参加工伤保险。有的地方规定，外国人可以参照相关规定参加社会保险，享受相关社会保险待遇。第三，切实保护外国人在华就业过程中的合法权益。外国人来华就业，应当允许其参保，依法享受相应的社会保险待遇。《移民就业公约》等国际条约规定，外国人就业在社会保险方面应当实行国民待遇原则，享受与本国公民同等的权利。我国尽管没有参加有关国际条约，允许外国人参加我国社会保险，顺应国际发展潮流，符合国际通行做法，有利于保护外国劳动者的合法权益。

2. 有双边协定或者多边协定的，按照协定执行。外国人在中国境内就业，特别是由外国企业派到中国工作，外国就业人员就可能同时被两国的社会保险制度所覆盖，需要缴纳双重的社会保险费，加大了用人单位的负担和成本，削弱企业竞争力。同时，各国社会保险制度不尽相同，社会保险关系跨国接续存在客观障碍。另外，在国外缴费时间往往较短，难以达到领取社会保险待遇的门槛。为了解决跨国就业社会保险制度的衔接，同时不损害职工的合法权益，国际公约建议各国签订双边或者多边协定来解决。例如美国与 17 个国家签订了社会保险协定。

根据本条规定，我国与外国签订有关社会保险双边协定的，按照协定规定执行。目前我国分别与德国、韩国签订了社会保险协定。2001 年，我国与德国签署了《中华人民共和国与德意志联邦共和国社会保险协定》，规定对五类人员相互免除缴纳法定养老保险费和失业保险社会保险费,免除期限一般为60个月,经批准可延长为96个月。在特殊情况下,经批准可给予最后一次免除。对于外交机构及其工作人员雇用的人员,免除期限不限。2003年,我国与韩国签署了《中华人民共和国与大韩民国互免养老保险缴费临时措施协议》,规定在该协议有效期内互相免除养老保险费。根据上述两个双边协定,德国公民和韩国公民在我国境内就业的,可以分别不参加基本养老保险、失业保险和基本养老保险,但还应当参加基本医疗保险和工伤保险。

第九十八条　本法自2011年7月1日起施行。

【释义】 本条是关于施行日期的规定。

法律施行日期,就是法律从何时开始生效的问题,这是所有法律都涉及的问题,每一部法律几乎都规定了生效日期条款。法律的施行和法律的公布是两个不同概念。法律的公布是指经立法机关法定程序表决通过,由国家主席签署主席令形式将法律向社会发布和公告。法律的施行是法律开始产生实际约束力,可以行使法律规定的权利并承担法律规定的义务。一般法律通过后都会在当日公布,但法律从何时开始施行,往往并不与法律案通过同步,需要根据实际需要来决定。

法律的施行时间一般有四种情况:一是法律自公布之日起施行,施行时间、公布时间与通过时间同步。二是法律另定时间施行,该时间是确定的一个时间,是法律公布后经一段时间后的具体时间。我国多数法律都采取这种形式。三是法律公布后先试行或者暂行，经试行或者暂行一段时间后，由立法机关予以修改调整补充，经通过为正式法律后，公布施行。在试行或者暂行期间，法律也有约束力，如 1982 年通过的《中华人民共和国民事诉讼法（试行）》。四是规定一个法律的生效日期取决于另一个法律的制定和实施时间，如 1986 年《中华人民共和国企业破产法（试行）》规定："本法自全民所有制工业企业法实施满 3 个月之日起试行。"在企业破产法公布时，全民所有制工业企业法还没有制定出来，因此企业破产法开始施行时间是全民所有制工业企业法施行之日后 3 个月，具体为 1988 年 11 月 1 日。

本法施行时间采取了第二种方式，明确规定在 2011 年 7 月 1 日起正式施行。本法公布与施行间隔了大半年时间，既考虑到社会保险制度的特点，7 月 1 日是社会保险基金会计年度的半年，又考虑到本法基本上延续了实践做法，准备时间不需要过长。施行时间的确定主要是为了使相关部门、各地方以及社会做好本法实施的准备工作：一是本法在原社会保险制度基础上作了一些新规定，需要有关部门做好衔接准备工作，如职工基本养老保险中累计缴费未满 15 年的，可以继续缴费，也可以转入新型农村社会养老保险或者城镇居民社会养老保险中，依法享受相应的社会保险待遇。职工基本医疗保险中基金支付部分，应当由社会保险经办机构与医疗机构、药品经营单位直接结算等。二是有关部门要认真清理以前制定的有关社会保险的各种法规、规章、其他规范性文件，凡是与本法规定有抵触的，应当予以废止或者修改。三是本法明确规定的一些配套性规定，有关部门应当抓紧制定。四是有关部门应当做好对本法的学习宣传工作，为本法的施行创造良好的条件。

第二部分 附 录

中华人民共和国社会保险法

（2010年10月28日第十一届全国人民代表大会常务委员会第十七次会议通过）

目 录

第一章　总　　则

第一条　为了规范社会保险关系，维护公民参加社会保险和享受社会保险待遇的合法权益，使公民共享发展成果，促进社会和谐稳定，根据宪法，制定本法。

第二条　国家建立基本养老保险、基本医疗保险、工伤保险、失业保险、生育保险等社会保险制度，保障公民在年老、疾病、工伤、失业、生育等情况下依法从国家和社会获得物质帮助的权利。

第三条　社会保险制度坚持广覆盖、保基本、多层次、可持续的方针，社会保险水平应当与经济社会发展水平相适应。

第四条　中华人民共和国境内的用人单位和个人依法缴纳社会保险费，有权查询缴费记录、个人权益记录，要求社会保险经办机构提供社会保险咨询等相关服务。

个人依法享受社会保险待遇，有权监督本单位为其缴费情况。

第五条　县级以上人民政府将社会保险事业纳入国民经济和社会发展规划。

国家多渠道筹集社会保险资金。县级以上人民政府对社会保险事业给予必要的经费支持。

国家通过税收优惠政策支持社会保险事业。

第六条　国家对社会保险基金实行严格监管。

国务院和省、自治区、直辖市人民政府建立健全社会保险基金监督管理制度，保障社会保险基金安全、有效运行。

县级以上人民政府采取措施，鼓励和支持社会各方面参与社会保险基金的监督。

第七条　国务院社会保险行政部门负责全国的社会保险管理工作，国务院其他有关部门在各自的职责范围内负责有关的社会保险工作。

县级以上地方人民政府社会保险行政部门负责本行政区域的社会保险管理工作，县级以上地方人民政府其他有关部门在各自的职责范围内负责有关的社会保险工作。

第八条　社会保险经办机构提供社会保险服务，负责社会保险登记、个人权益记录、社会保险待遇支付等工作。

第九条　工会依法维护职工的合法权益，有权参与社会保险重大事项的研究，参加社会保险监督委员会，对与职工社会保险权益有关的事项进行监督。

第二章　基本养老保险

第十条　职工应当参加基本养老保险，由用人单位和职工共同缴纳基本养老保险费。

无雇工的个体工商户、未在用人单位参加基本养老保险的非全日制从业人员以及其他灵活就业人员可以参加基本养老保险，由个人缴纳基本养老保险费。

公务员和参照公务员法管理的工作人员养老保险的办法由国务院规定。

第十一条　基本养老保险实行社会统筹与个人账户相结合。

基本养老保险基金由用人单位和个人缴费以及政府补贴等组成。

第十二条 用人单位应当按照国家规定的本单位职工工资总额的比例缴纳基本养老保险费，记入基本养老保险统筹基金。

职工应当按照国家规定的本人工资的比例缴纳基本养老保险费，记入个人账户。

无雇工的个体工商户、未在用人单位参加基本养老保险的非全日制从业人员以及其他灵活就业人员参加基本养老保险的，应当按照国家规定缴纳基本养老保险费，分别记入基本养老保险统筹基金和个人账户。

第十三条 国有企业、事业单位职工参加基本养老保险前，视同缴费年限期间应当缴纳的基本养老保险费由政府承担。

基本养老保险基金出现支付不足时，政府给予补贴。

第十四条 个人账户不得提前支取，记账利率不得低于银行定期存款利率，免征利息税。个人死亡的，个人账户余额可以继承。

第十五条 基本养老金由统筹养老金和个人账户养老金组成。

基本养老金根据个人累计缴费年限、缴费工资、当地职工平均工资、个人账户金额、城镇人口平均预期寿命等因素确定。

第十六条 参加基本养老保险的个人，达到法定退休年龄时累计缴费满十五年的，按月领取基本养老金。

参加基本养老保险的个人，达到法定退休年龄时累计缴费不足十五年的，可以缴费至满十五年，按月领取基本养老金；也可以转入新型农村社会养老保险或者城镇居民社会养老保险，按照国务院规定享受相应的养老保险待遇。

第十七条 参加基本养老保险的个人，因病或者非因工死亡的，其遗属可以领取丧葬补助金和抚恤金；在未达到法定退休年龄时因病或者非因工致残完全丧失劳动能力的，可以领取病残津贴。所需资金从基本养老保险基金中支付。

第十八条 国家建立基本养老金正常调整机制。根据职工平均工资增长、物价上涨情况，适时提高基本养老保险待遇水平。

第十九条 个人跨统筹地区就业的，其基本养老保险关系随本人转移，缴费年限累计计算。个人达到法定退休年龄时，基本养老金分段计算、统一支付。具体办法由国务院规定。

第二十条 国家建立和完善新型农村社会养老保险制度。

新型农村社会养老保险实行个人缴费、集体补助和政府补贴相结合。

第二十一条 新型农村社会养老保险待遇由基础养老金和个人账户养老金组成。

参加新型农村社会养老保险的农村居民，符合国家规定条件的，按月领取新型农村社会养老保险待遇。

第二十二条 国家建立和完善城镇居民社会养老保险制度。

省、自治区、直辖市人民政府根据实际情况，可以将城镇居民社会养老保险和新型农村社会养老保险合并实施。

第三章 基本医疗保险

第二十三条 职工应当参加职工基本医疗保险，由用人单位和职工按照国家规定共同缴纳基本医疗保险费。

无雇工的个体工商户、未在用人单位参加职工基本医疗保险的非全日制从业人员以及其他灵活就业人员可以参加职工基本医疗保险,由个人按照国家规定缴纳基本医疗保险费。

第二十四条 国家建立和完善新型农村合作医疗制度。

新型农村合作医疗的管理办法,由国务院规定。

第二十五条 国家建立和完善城镇居民基本医疗保险制度。

城镇居民基本医疗保险实行个人缴费和政府补贴相结合。

享受最低生活保障的人、丧失劳动能力的残疾人、低收入家庭六十周岁以上的老年人和未成年人等所需个人缴费部分,由政府给予补贴。

第二十六条 职工基本医疗保险、新型农村合作医疗和城镇居民基本医疗保险的待遇标准按照国家规定执行。

第二十七条 参加职工基本医疗保险的个人,达到法定退休年龄时累计缴费达到国家规定年限的,退休后不再缴纳基本医疗保险费,按照国家规定享受基本医疗保险待遇;未达到国家规定年限的,可以缴费至国家规定年限。

第二十八条 符合基本医疗保险药品目录、诊疗项目、医疗服务设施标准以及急诊、抢救的医疗费用,按照国家规定从基本医疗保险基金中支付。

第二十九条 参保人员医疗费用中应当由基本医疗保险基金支付的部分,由社会保险经办机构与医疗机构、药品经营单位直接结算。

社会保险行政部门和卫生行政部门应当建立异地就医医疗

费用结算制度,方便参保人员享受基本医疗保险待遇。

第三十条　下列医疗费用不纳入基本医疗保险基金支付范围:

(一)应当从工伤保险基金中支付的;

(二)应当由第三人负担的;

(三)应当由公共卫生负担的;

(四)在境外就医的。

医疗费用依法应当由第三人负担,第三人不支付或者无法确定第三人的,由基本医疗保险基金先行支付。基本医疗保险基金先行支付后,有权向第三人追偿。

第三十一条　社会保险经办机构根据管理服务的需要,可以与医疗机构、药品经营单位签订服务协议,规范医疗服务行为。

医疗机构应当为参保人员提供合理、必要的医疗服务。

第三十二条　个人跨统筹地区就业的,其基本医疗保险关系随本人转移,缴费年限累计计算。

第四章　工伤保险

第三十三条　职工应当参加工伤保险,由用人单位缴纳工伤保险费,职工不缴纳工伤保险费。

第三十四条　国家根据不同行业的工伤风险程度确定行业的差别费率,并根据使用工伤保险基金、工伤发生率等情况在每个行业内确定费率档次。行业差别费率和行业内费率档次由国务院社会保险行政部门制定,报国务院批准后公布施行。

社会保险经办机构根据用人单位使用工伤保险基金、工伤发生率和所属行业费率档次等情况，确定用人单位缴费费率。

第三十五条 用人单位应当按照本单位职工工资总额，根据社会保险经办机构确定的费率缴纳工伤保险费。

第三十六条 职工因工作原因受到事故伤害或者患职业病，且经工伤认定的，享受工伤保险待遇；其中，经劳动能力鉴定丧失劳动能力的，享受伤残待遇。

工伤认定和劳动能力鉴定应当简捷、方便。

第三十七条 职工因下列情形之一导致本人在工作中伤亡的，不认定为工伤：

（一）故意犯罪；

（二）醉酒或者吸毒；

（三）自残或者自杀；

（四）法律、行政法规规定的其他情形。

第三十八条 因工伤发生的下列费用，按照国家规定从工伤保险基金中支付：

（一）治疗工伤的医疗费用和康复费用；

（二）住院伙食补助费；

（三）到统筹地区以外就医的交通食宿费；

（四）安装配置伤残辅助器具所需费用；

（五）生活不能自理的，经劳动能力鉴定委员会确认的生活护理费；

（六）一次性伤残补助金和一至四级伤残职工按月领取的伤残津贴；

（七）终止或者解除劳动合同时，应当享受的一次性医疗补助金；

（八）因工死亡的，其遗属领取的丧葬补助金、供养亲属抚恤金和因工死亡补助金；

（九）劳动能力鉴定费。

第三十九条　因工伤发生的下列费用，按照国家规定由用人单位支付：

（一）治疗工伤期间的工资福利；

（二）五级、六级伤残职工按月领取的伤残津贴；

（三）终止或者解除劳动合同时，应当享受的一次性伤残就业补助金。

第四十条　工伤职工符合领取基本养老金条件的，停发伤残津贴，享受基本养老保险待遇。基本养老保险待遇低于伤残津贴的，从工伤保险基金中补足差额。

第四十一条　职工所在用人单位未依法缴纳工伤保险费，发生工伤事故的，由用人单位支付工伤保险待遇。用人单位不支付的，从工伤保险基金中先行支付。

从工伤保险基金中先行支付的工伤保险待遇应当由用人单位偿还。用人单位不偿还的，社会保险经办机构可以依照本法第六十三条的规定追偿。

第四十二条　由于第三人的原因造成工伤，第三人不支付工伤医疗费用或者无法确定第三人的，由工伤保险基金先行支付。工伤保险基金先行支付后，有权向第三人追偿。

第四十三条　工伤职工有下列情形之一的，停止享受工伤保险待遇：

（一）丧失享受待遇条件的；

（二）拒不接受劳动能力鉴定的；

（三）拒绝治疗的。

第五章　失业保险

第四十四条　职工应当参加失业保险，由用人单位和职工按照国家规定共同缴纳失业保险费。

第四十五条　失业人员符合下列条件的，从失业保险基金中领取失业保险金：

（一）失业前用人单位和本人已经缴纳失业保险费满一年的；

（二）非因本人意愿中断就业的；

（三）已经进行失业登记，并有求职要求的。

第四十六条　失业人员失业前用人单位和本人累计缴费满一年不足五年的，领取失业保险金的期限最长为十二个月；累计缴费满五年不足十年的，领取失业保险金的期限最长为十八个月；累计缴费十年以上的，领取失业保险金的期限最长为二十四个月。重新就业后，再次失业的，缴费时间重新计算，领取失业保险金的期限与前次失业应当领取而尚未领取的失业保险金的期限合并计算，最长不超过二十四个月。

第四十七条　失业保险金的标准，由省、自治区、直辖市人民政府确定，不得低于城市居民最低生活保障标准。

第四十八条　失业人员在领取失业保险金期间，参加职工基本医疗保险，享受基本医疗保险待遇。

失业人员应当缴纳的基本医疗保险费从失业保险基金中支付，个人不缴纳基本医疗保险费。

第四十九条　失业人员在领取失业保险金期间死亡的，参照当地对在职职工死亡的规定，向其遗属发给一次性丧葬补助金和抚恤金。所需资金从失业保险基金中支付。

个人死亡同时符合领取基本养老保险丧葬补助金、工伤保险丧葬补助金和失业保险丧葬补助金条件的，其遗属只能选择领取其中的一项。

第五十条 用人单位应当及时为失业人员出具终止或者解除劳动关系的证明，并将失业人员的名单自终止或者解除劳动关系之日起十五日内告知社会保险经办机构。

失业人员应当持本单位为其出具的终止或者解除劳动关系的证明，及时到指定的公共就业服务机构办理失业登记。

失业人员凭失业登记证明和个人身份证明，到社会保险经办机构办理领取失业保险金的手续。失业保险金领取期限自办理失业登记之日起计算。

第五十一条 失业人员在领取失业保险金期间有下列情形之一的，停止领取失业保险金，并同时停止享受其他失业保险待遇：

（一）重新就业的；

（二）应征服兵役的；

（三）移居境外的；

（四）享受基本养老保险待遇的；

（五）无正当理由，拒不接受当地人民政府指定部门或者机构介绍的适当工作或者提供的培训的。

第五十二条 职工跨统筹地区就业的，其失业保险关系随本人转移，缴费年限累计计算。

第六章　生育保险

第五十三条　职工应当参加生育保险，由用人单位按照国家规定缴纳生育保险费，职工不缴纳生育保险费。

第五十四条　用人单位已经缴纳生育保险费的，其职工享受生育保险待遇；职工未就业配偶按照国家规定享受生育医疗费用待遇。所需资金从生育保险基金中支付。

生育保险待遇包括生育医疗费用和生育津贴。

第五十五条　生育医疗费用包括下列各项：

（一）生育的医疗费用；

（二）计划生育的医疗费用；

（三）法律、法规规定的其他项目费用。

第五十六条　职工有下列情形之一的，可以按照国家规定享受生育津贴：

（一）女职工生育享受产假；

（二）享受计划生育手术休假；

（三）法律、法规规定的其他情形。

生育津贴按照职工所在用人单位上年度职工月平均工资计发。

第七章　社会保险费征缴

第五十七条　用人单位应当自成立之日起三十日内凭营业执照、登记证书或者单位印章，向当地社会保险经办机构申请办理社会保险登记。社会保险经办机构应当自收到申请之日起十五日内予以审核，发给社会保险登记证件。

用人单位的社会保险登记事项发生变更或者用人单位依法终止的，应当自变更或者终止之日起三十日内，到社会保险经办机构办理变更或者注销社会保险登记。

工商行政管理部门、民政部门和机构编制管理机关应当及时向社会保险经办机构通报用人单位的成立、终止情况，公安机关应当及时向社会保险经办机构通报个人的出生、死亡以及户口登记、迁移、注销等情况。

第五十八条　用人单位应当自用工之日起三十日内为其职工向社会保险经办机构申请办理社会保险登记。未办理社会保险登记的，由社会保险经办机构核定其应当缴纳的社会保险费。

自愿参加社会保险的无雇工的个体工商户、未在用人单位参加社会保险的非全日制从业人员以及其他灵活就业人员，应当向社会保险经办机构申请办理社会保险登记。

国家建立全国统一的个人社会保障号码。个人社会保障号码为公民身份号码。

第五十九条　县级以上人民政府加强社会保险费的征收工作。

社会保险费实行统一征收，实施步骤和具体办法由国务院规定。

第六十条　用人单位应当自行申报、按时足额缴纳社会保险费，非因不可抗力等法定事由不得缓缴、减免。职工应当缴纳的社会保险费由用人单位代扣代缴，用人单位应当按月将缴纳社会保险费的明细情况告知本人。

无雇工的个体工商户、未在用人单位参加社会保险的非全日制从业人员以及其他灵活就业人员，可以直接向社会保险费征收机构缴纳社会保险费。

第六十一条 社会保险费征收机构应当依法按时足额征收社会保险费，并将缴费情况定期告知用人单位和个人。

第六十二条 用人单位未按规定申报应当缴纳的社会保险费数额的，按照该单位上月缴费额的百分之一百一十确定应当缴纳数额；缴费单位补办申报手续后，由社会保险费征收机构按照规定结算。

第六十三条 用人单位未按时足额缴纳社会保险费的，由社会保险费征收机构责令其限期缴纳或者补足。

用人单位逾期仍未缴纳或者补足社会保险费的，社会保险费征收机构可以向银行和其他金融机构查询其存款账户；并可以申请县级以上有关行政部门作出划拨社会保险费的决定，书面通知其开户银行或者其他金融机构划拨社会保险费。用人单位账户余额少于应当缴纳的社会保险费的，社会保险费征收机构可以要求该用人单位提供担保，签订延期缴费协议。

用人单位未足额缴纳社会保险费且未提供担保的，社会保险费征收机构可以申请人民法院扣押、查封、拍卖其价值相当于应当缴纳社会保险费的财产，以拍卖所得抵缴社会保险费。

第八章　社会保险基金

第六十四条 社会保险基金包括基本养老保险基金、基本医疗保险基金、工伤保险基金、失业保险基金和生育保险基金。各项社会保险基金按照社会保险险种分别建账，分账核算，执行国家统一的会计制度。

社会保险基金专款专用，任何组织和个人不得侵占或者挪用。

基本养老保险基金逐步实行全国统筹,其他社会保险基金逐步实行省级统筹,具体时间、步骤由国务院规定。

第六十五条 社会保险基金通过预算实现收支平衡。

县级以上人民政府在社会保险基金出现支付不足时,给予补贴。

第六十六条 社会保险基金按照统筹层次设立预算。社会保险基金预算按照社会保险项目分别编制。

第六十七条 社会保险基金预算、决算草案的编制、审核和批准,依照法律和国务院规定执行。

第六十八条 社会保险基金存入财政专户,具体管理办法由国务院规定。

第六十九条 社会保险基金在保证安全的前提下,按照国务院规定投资运营实现保值增值。

社会保险基金不得违规投资运营,不得用于平衡其他政府预算,不得用于兴建、改建办公场所和支付人员经费、运行费用、管理费用,或者违反法律、行政法规规定挪作其他用途。

第七十条 社会保险经办机构应当定期向社会公布参加社会保险情况以及社会保险基金的收入、支出、结余和收益情况。

第七十一条 国家设立全国社会保障基金,由中央财政预算拨款以及国务院批准的其他方式筹集的资金构成,用于社会保障支出的补充、调剂。全国社会保障基金由全国社会保障基金管理运营机构负责管理运营,在保证安全的前提下实现保值增值。

全国社会保障基金应当定期向社会公布收支、管理和投资运营的情况。国务院财政部门、社会保险行政部门、审计机关对全国社会保障基金的收支、管理和投资运营情况实施监督。

第九章 社会保险经办

第七十二条 统筹地区设立社会保险经办机构。社会保险经办机构根据工作需要,经所在地的社会保险行政部门和机构编制管理机关批准,可以在本统筹地区设立分支机构和服务网点。

社会保险经办机构的人员经费和经办社会保险发生的基本运行费用、管理费用,由同级财政按照国家规定予以保障。

第七十三条 社会保险经办机构应当建立健全业务、财务、安全和风险管理制度。

社会保险经办机构应当按时足额支付社会保险待遇。

第七十四条 社会保险经办机构通过业务经办、统计、调查获取社会保险工作所需的数据,有关单位和个人应当及时、如实提供。

社会保险经办机构应当及时为用人单位建立档案,完整、准确地记录参加社会保险的人员、缴费等社会保险数据,妥善保管登记、申报的原始凭证和支付结算的会计凭证。

社会保险经办机构应当及时、完整、准确地记录参加社会保险的个人缴费和用人单位为其缴费,以及享受社会保险待遇等个人权益记录,定期将个人权益记录单免费寄送本人。

用人单位和个人可以免费向社会保险经办机构查询、核对其缴费和享受社会保险待遇记录,要求社会保险经办机构提供社会保险咨询等相关服务。

第七十五条　全国社会保险信息系统按照国家统一规划，由县级以上人民政府按照分级负责的原则共同建设。

第十章　社会保险监督

第七十六条　各级人民代表大会常务委员会听取和审议本级人民政府对社会保险基金的收支、管理、投资运营以及监督检查情况的专项工作报告，组织对本法实施情况的执法检查等，依法行使监督职权。

第七十七条　县级以上人民政府社会保险行政部门应当加强对用人单位和个人遵守社会保险法律、法规情况的监督检查。

社会保险行政部门实施监督检查时，被检查的用人单位和个人应当如实提供与社会保险有关的资料，不得拒绝检查或者谎报、瞒报。

第七十八条　财政部门、审计机关按照各自职责，对社会保险基金的收支、管理和投资运营情况实施监督。

第七十九条　社会保险行政部门对社会保险基金的收支、管理和投资运营情况进行监督检查，发现存在问题的，应当提出整改建议，依法作出处理决定或者向有关行政部门提出处理建议。社会保险基金检查结果应当定期向社会公布。

社会保险行政部门对社会保险基金实施监督检查，有权采取下列措施：

（一）查阅、记录、复制与社会保险基金收支、管理和投资运营相关的资料，对可能被转移、隐匿或者灭失的资料予以封存；

（二）询问与调查事项有关的单位和个人，要求其对与调查事项有关的问题作出说明、提供有关证明材料；

（三）对隐匿、转移、侵占、挪用社会保险基金的行为予以制止并责令改正。

第八十条　统筹地区人民政府成立由用人单位代表、参保人员代表，以及工会代表、专家等组成的社会保险监督委员会，掌握、分析社会保险基金的收支、管理和投资运营情况，对社会保险工作提出咨询意见和建议，实施社会监督。

社会保险经办机构应当定期向社会保险监督委员会汇报社会保险基金的收支、管理和投资运营情况。社会保险监督委员会可以聘请会计师事务所对社会保险基金的收支、管理和投资运营情况进行年度审计和专项审计。审计结果应当向社会公开。

社会保险监督委员会发现社会保险基金收支、管理和投资运营中存在问题的，有权提出改正建议；对社会保险经办机构及其工作人员的违法行为，有权向有关部门提出依法处理建议。

第八十一条　社会保险行政部门和其他有关行政部门、社会保险经办机构、社会保险费征收机构及其工作人员，应当依法为用人单位和个人的信息保密，不得以任何形式泄露。

第八十二条　任何组织或者个人有权对违反社会保险法律、法规的行为进行举报、投诉。

社会保险行政部门、卫生行政部门、社会保险经办机构、社会保险费征收机构和财政部门、审计机关对属于本部门、本机构职责范围的举报、投诉，应当依法处理；对不属于本部门、本机构职责范围的，应当书面通知并移交有权处理的部门、机构处理。有权处理的部门、机构应当及时处理，不得推诿。

第八十三条　用人单位或者个人认为社会保险费征收机构

的行为侵害自己合法权益的，可以依法申请行政复议或者提起行政诉讼。

用人单位或者个人对社会保险经办机构不依法办理社会保险登记、核定社会保险费、支付社会保险待遇、办理社会保险转移接续手续或者侵害其他社会保险权益的行为，可以依法申请行政复议或者提起行政诉讼。

个人与所在用人单位发生社会保险争议的，可以依法申请调解、仲裁，提起诉讼。用人单位侵害个人社会保险权益的，个人也可以要求社会保险行政部门或者社会保险费征收机构依法处理。

第十一章 法律责任

第八十四条 用人单位不办理社会保险登记的，由社会保险行政部门责令限期改正；逾期不改正的，对用人单位处应缴社会保险费数额一倍以上三倍以下的罚款，对其直接负责的主管人员和其他直接责任人员处五百元以上三千元以下的罚款。

第八十五条 用人单位拒不出具终止或者解除劳动关系证明的，依照《中华人民共和国劳动合同法》的规定处理。

第八十六条 用人单位未按时足额缴纳社会保险费的，由社会保险费征收机构责令限期缴纳或者补足，并自欠缴之日起，按日加收万分之五的滞纳金；逾期仍不缴纳的，由有关行政部门处欠缴数额一倍以上三倍以下的罚款。

第八十七条 社会保险经办机构以及医疗机构、药品经营单位等社会保险服务机构以欺诈、伪造证明材料或者其他手段骗取社会保险基金支出的，由社会保险行政部门责令退回骗取的社会保险金，处骗取金额二倍以上五倍以下的罚款；属于社会保险服务机构的，解除服务协议；直接负责的主管人员和其他直接责任人员有执业资格的，依法吊销其执业资格。

第八十八条 以欺诈、伪造证明材料或者其他手段骗取社会保险待遇的，由社会保险行政部门责令退回骗取的社会保险金，处骗取金额二倍以上五倍以下的罚款。

第八十九条 社会保险经办机构及其工作人员有下列行为之一的，由社会保险行政部门责令改正；给社会保险基金、用人单位或者个人造成损失的，依法承担赔偿责任；对直接负责的主管人员和其他直接责任人员依法给予处分：

（一）未履行社会保险法定职责的；

（二）未将社会保险基金存入财政专户的；

（三）克扣或者拒不按时支付社会保险待遇的；

（四）丢失或者篡改缴费记录、享受社会保险待遇记录等社会保险数据、个人权益记录的；

（五）有违反社会保险法律、法规的其他行为的。

第九十条 社会保险费征收机构擅自更改社会保险费缴费基数、费率，导致少收或者多收社会保险费的，由有关行政部门责令其追缴应当缴纳的社会保险费或者退还不应当缴纳的社会保险费；对直接负责的主管人员和其他直接责任人员依法给予处分。

第九十一条 违反本法规定，隐匿、转移、侵占、挪用社会保险基金或者违规投资运营的，由社会保险行政部门、财政部门、审计机关责令追回；有违法所得的，没收违法所得；对直接负责的主管人员和其他直接责任人员依法给予处分。

第九十二条 社会保险行政部门和其他有关行政部门、社会保险经办机构、社会保险费征收机构及其工作人员泄露用人单位和个人信息的，对直接负责的主管人员和其他直接责任人员依法给予处分；给用人单位或者个人造成损失的，应当承担赔偿责任。

第九十三条 国家工作人员在社会保险管理、监督工作中滥用职权、玩忽职守、徇私舞弊的，依法给予处分。

第九十四条 违反本法规定，构成犯罪的，依法追究刑事责任。

第十二章 附 则

第九十五条 进城务工的农村居民依照本法规定参加社会保险。

第九十六条 征收农村集体所有的土地，应当足额安排被征地农民的社会保险费，按照国务院规定将被征地农民纳入相应的社会保险制度。

第九十七条 外国人在中国境内就业的，参照本法规定参加社会保险。

第九十八条 本法自 2011 年 7 月 1 日起施行。

国务院关于提请审议《中华人民共和国社会保险法（草案）》的议案

全国人民代表大会常务委员会：

为了规范社会保险关系，维护社会保险当事人的合法权益，使公民共享发展成果，促进社会和谐稳定，劳动和社会保障部会同有关部门在认真总结我国社会保险工作实践经验的基础上，经过广泛征求意见和深入调查论证，拟订了《中华人民共和国社会保险法（草案）》。这个草案已经国务院常务会议讨论通过，现提请审议。

国务院总理　温家宝

2007年12月6日

关于《中华人民共和国社会保险法(草案)》的说明

——2007 年 12 月 23 日在第十届全国人民代表大会常务委员会第三十一次会议上

劳动和社会保障部部长　田成平

委员长、各位副委员长、秘书长、各位委员：

我受国务院委托，现对《中华人民共和国社会保险法(草案)》作说明。

社会保险制度是完善社会主义市场经济体制、构建社会主义和谐社会和全面建设小康社会的重要支柱性制度。党中央、国务院高度重视社会保险制度建设，先后制定了一系列社会保险的方针、政策，如国务院制定了《失业保险条例》、《工伤保险条例》和《社会保险费征缴暂行条例》，对推动社会保险工作发挥了重要作用。随着我国社会主义市场经济体制的日趋完善，社会各界对制定社会保险法的呼声越来越高。2006 年 8 月，吴邦国委员长、温家宝总理对加快起草制定社会保险法做出重要批示，华建敏国务委员立即召集劳动保障部、法制办负责同志开会,对加快社会保险立法工作提出了明确具体的要求。根据领导同志的批示和要求,国务院有关部门加快了工作进程,对《中华人民共和国社会保险法(草案)》送审稿先后4次征求了全国人大财经委、全国人大常委会法工委、高法院、中央编办、财政部、人事部、人民银行、审计署等70多个中央部门和各省、自治区、直辖市人民政府以及有关专家学者的意见。华建敏国务委员于2007年5月、6月和7月分别在杭州、沈阳、成都主持召开社会保险立法调研座谈会,听取省、自治区、直辖市人民政府负责同志的意见。同时,法制办多次召开由劳动保障部、发展改革委、财政部、人事部、税务总局、人民银行、审计署等部门负责同志参加的协调会以及专家学者参加的论证会进行研究论证和协调。在此基础上,法制办会同劳动保障部等相关部门反复研究、修改,形成了《中华人民共和国社会保险法(草案)》(以下简称草案)。2007年11月19日,法制办就草案的起草审查情况向全国人大财经委、全国人大常委会法工委做了汇报。草案已经2007年11月28日国务院第197次常务会议讨论通过。现就草案的几个主要问题说明如下:

一、关于草案的总体思路

草案从我国社会主义初级阶段的基本国情和深入贯彻落实科学发展观、构建社会主义和谐社会、全面建设小康社会的目标和要求出发,坚持以下总体思路:

一是社会保险水平与我国经济社会发展水平相适应。草案在扩大社会保险的覆盖范围的同时,对具体制度设计充分考虑我国经济社会发展的承受能力,体现"广覆盖、保基本、多层次、可持续”的方针。

二是立足当前，着眼长远，为改革留有余地。对那些在社会保险制度改革中行之有效的制度，草案予以明确规定；对那些实践经验尚不成熟但符合改革发展方向的探索性做法，草案做了倡导性、指向性的规定；对某些情况比较复杂、实践经验不足，或者有关方面分歧较大、无法形成一致意见的内容，草案做了授权性规定。

三是分类规范，逐步完善。鉴于我国在相当长时间内仍然存在城乡二元经济差异，同时考虑到就业形式、劳动关系的复杂多样性，草案对社会保险的各险种及其适用做了分类规范。

根据上述总体思路，草案确立了我国社会保险制度的基本法律框架，重点对社会保险的原则、各险种的覆盖范围、社会保险待遇项目和享受条件、社会保险经办机构、社会保险基金监督等内容做了规范。

二、关于本法的适用范围

为了建立覆盖城乡的社会保障体系，草案规定：“社会保险制度坚持广覆盖、保基本、多层次、可持续的方针，社会保险水平应当与经济社会发展水平相适应。”（第二条）“国家建立基本养老保险、基本医疗保险、工伤保险、失业保险、生育保险等社会保险制度，保障公民在年老、患病、工伤、失业、生育等情况下获得必要的物质帮助。”“中华人民共和国境内的单位和个人依法缴纳社会保险费；个人依法享受社会保险待遇。”（第三条）同时，考虑到城镇居民、农村居民的社会保险正处于试点阶段的实际情况，草案规定：“国家逐步建立和完善城镇居民基本医疗保险、

农村养老保险和新型农村合作医疗制度,具体办法由国务院规定。”(第四条)

此外,考虑到公务员和参照公务员法管理的人员的工资待遇由财政全额支付,这部分人员的社会保险还需要根据机关和依法履行公共管理职能的事业单位的工作特点做进一步深入研究,因此,草案规定:“公务员和参照公务员法管理的人员的社会保险,由国务院规定。”(第六十一条第二款)

三、关于社会保险费的缴纳

草案对基本养老保险、基本医疗保险、工伤保险、失业保险、生育保险等险种的缴费对象做了明确规定:

一是草案规定:“企业、民办非企业单位、有雇工的个体工商户及其职工,机关、团体、事业单位及其不适用公务员法管理的人员,应当缴纳基本养老保险费、失业保险费。”(第十一条第一款)同时规定:“无雇工的个体工商户、非全日制从业人员可以参加基本养老保险,缴纳基本养老保险费。”(第十一条第二款)

二是草案规定:“机关、团体、企业、事业单位、民办非企业单位、有雇工的个体工商户及其职工,无雇工的个体工商户、非全日制从业人员,应当缴纳基本医疗保险费。”(第十二条)

三是草案规定:“企业、民办非企业单位、有雇工的个体工商户应当为其职工缴纳工伤保险费和生育保险费,机关、团体、事业单位应当为其不适用公务员法管理的人员缴纳工伤保险费和生育保险费。”“个人不缴纳工伤保险费、生育保险费。”(第十三条)

四、关于社会保险费的征收

草案对社会保险费的征收主要做了以下规定：

一是社会保险费的缴费基数和费率，按照国务院有关规定执行。（第二十条第二款）

二是社会保险费的征收机构和征收办法由国务院规定。（第八条第二款）做这样授权性规定的主要考虑是：①目前社会保险费由税务机关征收和由社会保险经办机构征收的省、自治区、直辖市大致各占一半；②在草案审查修改过程中，对如何具体规范社会保险费的征收体制分歧意见很大；③根据党的十七大关于加快行政管理体制改革的要求，社会保险费征收体制改革需要继续深入研究。

三是对不缴纳或者不足额缴纳社会保险费的单位，社会保险费征收机构经其主管部门同意，可以从该单位在银行开设的账户中划扣社会保险费。对不足额缴纳且未提供担保的，社会保险费征收机构可以申请人民法院扣押、查封相应价值的财产，以拍卖所得抵缴社会保险费。（第二十一条）

五、关于社会保险基金的统筹层次

我国社会保险各险种的基金统筹层次，目前大多为市县一级，这种较低层次的统筹影响了统筹效果的发挥和劳动力的跨地区流动。因此，逐步提高统筹层次，是健全社会保险制度的必然要求。鉴于目前我国只有基本养老保险基金实行省级统筹，其他险种基金的统筹层次需要由国务院根据经济社会发展情况适时做出规定，草案规定：“基本养老保险基金实行省级统筹。

其他社会保险基金实行省级统筹的时间、步骤，由国务院规定。”（第二十四条第三款）

六、关于社会保险基金的管理与运营

为了规范社会保险基金的管理与运营，草案主要做了以下规定：

一是明确规定了社会保险基金的性质和种类。草案规定：“社会保险基金是依照法律、行政法规规定，以单位和个人缴纳等方式筹集，专项用于社会保险待遇以及相关事项的资金。”（第二十三条第一款）“社会保险基金包括基本养老保险基金、基本医疗保险基金、工伤保险基金、失业保险基金和生育保险基金。各项社会保险基金按照社会保险险种分别建账、分账核算，不得相互挤占或者调剂使用。”（第二十四条第一款）

二是规定了社会保险基金的预算管理。草案规定：“社会保险基金按照统筹层次设立预算。社会保险基金预算按照社会保险项目分别编制。”（第二十六条）“统筹地区社会保险基金预算、决算草案，由统筹地区社会保险行政部门编制，经同级财政部门审核，报本级人民政府批准。”“全国社会保险基金预算、决算案，由国务院社会保险行政部门编制，经国务院财政部门审核，报国务院批准。”（第二十七条）同时草案对社会保险基金预算的内容也做了明确规定。（第二十八条）

三是原则规定了社会保险基金的投资运营。草案规定：“社会保险基金在保证安全的前提下，通过投资运营实现保值增值，具体办法由国务院规定。”（第三十一条）

四是为了增强社会保险基金管理工作的透明度，便于社会

监督，草案规定："社会保险经办机构应当定期向社会公布社会保险基金的收入、支出、结余和收益情况。"（第三十二条）

七、关于社会保险待遇

为了保障参加社会保险的个人及时足额领取社会保险待遇，草案主要做了以下规定：

一是规定了参加基本养老保险、基本医疗保险、工伤保险、失业保险、生育保险的个人享受各项社会保险待遇的基本条件、待遇内容。（第三十三条至第三十八条）

二是规定参加社会保险的个人死亡后，其遗属只能领取基本养老保险一次性丧葬补助金、失业保险丧葬补助金和工伤保险丧葬补助金中的一项。（第四十条）

三是对个人跨地区流动或者发生职业转换需要转移接续社会保险关系的事项，授权国务院做出规定。（第四十一条）

八、关于社会保险经办

为了加强社会保险的经办工作，草案主要做了以下规定：

一是规定统筹地区设立社会保险经办机构，并可以根据工作需要设立分支机构和工作站点。（第四十三条）

二是对社会保险经办机构按时足额支付社会保险待遇并建立有关工作制度提出了明确要求。（第四十四条）

三是规定社会保险经办机构应当做好社会保险数据记录、妥善保管社会保险登记等事项的原始凭证和支付结算的会计凭证，接受参加社会保险的单位和个人的查询。（第四十五条）

九、关于社会保险监督

为了加强社会保险的监督工作，草案主要做了以下规定：

一是规定由社会保险行政部门负责对单位、个人遵守社会保险法律、法规的情况以及社会保险基金收支、管理的情况进行监督检查。（第四十八条、第四十九条）

二是规定了财政部门、审计机关对社会保险基金的监督职责。（第五十一条）

三是规定统筹地区可以成立由参加社会保险的单位代表、个人代表、工会代表、相关专家等组成的社会保险监督委员会，对社会保险基金进行社会监督，对社会保险工作提出咨询意见。（第五十二条）

同时，草案对不办理社会保险登记、不依照本法规定缴纳社会保险费的单位以及骗取社会保险基金支出和待遇的行为，规定了严格的法律责任。

《中华人民共和国社会保险法（草案）》和以上说明是否妥当，请审议。

十届全国人大常委会第三十一次会议分组审议社会保险法（草案）的意见

2007年12月26日上午，十届全国人大常委会第三十一次会议对社会保险法（草案）进行了分组审议。大家普遍认为，制定社会保险法，对于保护劳动者的权益，维护社会稳定和谐，推动经济体制改革，促进市场经济发展有着非常重要的作用。有些建议将草案向社会公开征求意见。同时常委会组成人员还提出了一些修改意见，现简报如下：

一、总的意见

一些提出，草案对社会保险的主要内容进行了规范，结构比较合理，总体比较成熟，建议尽快审议通过。

有些提出，目前的立法条件还不是很成熟，很多问题还没有研究清楚，还需要加强调查研究，建议对目前存在的问题，如社会保险缴费的基数、费率以及社会保险基金的管理、社会保险征收机构和征收办法等，做一些专题调查研究和可行性研究，先由国务院的条例和规定进行规范试行，成熟以后再上升为法律。不要把很多不成熟的问题都写在法律里，如果一部法除了具体有实际内容的东西由国务院定，剩下的话放在哪部法上都对，这就不好办了,失去了保险法的特色。有的建议,立法先对社会保险领域比较清楚的问题作出规定,对目前还不清楚的问题,如社会保险制度公平的问题、征收的问题、个人信息征集和保密的问题,还要再进行调查研究,并提出社会保险要有科学的方法,进行科学的测算。有些委员提出,立法应从我国基本国情出发,结合群众的切身利益与实际情况相适应,有针对性、实效性,不成熟的部分可暂不考虑列入。有的委员建议,由法律授权省级地方人大常委会根据经济社会发展水平,建立适合当地经济社会发展水平的社会保障制度,鼓励经济发达地区先行一步,可能更适合我国的经济社会发展水平,而且可以带动其他地区建立社会保障制度。

一些委员和代表认为,草案的授权性规定过多,影响其操作性,建议尽量明确规范,减少授权性规定,增强法律的权威性和可操作性。

二、关于立法主旨

草案第一条规定:"为了规范社会保险关系,维护社会保险当事人的合法权益,使公民共享发展成果,促进社会和谐稳定,根据宪法,制定本法。"有的委员提出,社会保险法在任何国家都是保护劳动者的合法权益,建议草案立法宗旨明确提出保护劳动者的合法权益和社会保险权益。有的委员提出,和谐中已经包含社会稳定的内容,建议将这一条中的"促进社会和谐稳定"修改为"促进社会和谐"。

三、关于适用范围

一些委员建议,调整社会保险的适用范围,逐步实现统一的城乡社会保险制度。有的委员提出，草案维持了社会保险体系上城乡二元结构，社会保险制度原则上不覆盖到农村，农村居民的社会保障主要是通过逐步建立和完善农村养老保险和新型的农村合作医疗制度来实现。建议调整草案规定的适用范围，在制度的设计上为农村居民逐步参加各类社会保险留足余地，逐步实现公民包括农民在社会主义保障体系中的平等化。有些委员提出，不能按不同的人群确定不同的权利和义务，建议进一步强化城乡协调、公民平等的原则，尽可能使农民纳入到社会保险制度的范围内，统一作出规定。有的委员提出，草案对各险种适用范围的规定不清楚，建议明确城镇和农村各适用哪些保险。

一些委员建议扩大社会保险的适用范围。有的委员提出，草案未涉及儿童的社会保险问题，建议对儿童的医疗保险问题作进一步研究。有的委员建议，将固定生活在寺观教堂的宗教界人士等相关人员纳入到社保体系中。有的委员建议，针对现在经营困难的城镇集体企业的未参加保险的职工，以及生活困难没有工作的老人，建立最低生活保障制度和医疗救助制度，做好与社会保险制度的衔接。有的委员建议，对国营农场职工的社会保险问题单列条文予以规定。有的代表提出，草案没有涉及城市中"城中村"居民的社会保险问题。有的代表提出，草案应当对城市里面年龄比较大又没有工作的、比较年轻但找不到工作的，以及从农村到城里做钟点工、保姆的人的社会保险问题作出规定，建议就如何扩大社会保险覆盖范围的问题进行探讨，加快建立完善对城镇和农村相关弱势群体的医疗保障制度和社会保障制度。

草案第四条规定："国家逐步建立和完善城镇居民基本医疗

保险、农村养老保险和新型农村合作医疗制度，具体办法由国务院规定。”有的委员建议，增加有关城镇居民社会保险应当全面覆盖的内容，作为第四条第一款。有些委员建议，明确社会保险的强制性，以更好地扩大社会保险的覆盖面，推动实现应保尽保，保障广大职工的合法权益。有的委员提出，城镇居民基本医疗保险、农村养老保险和新型农村合作医疗制度尚处试点阶段，可暂不予以强调，建议删除草案第四条。

四、关于政府责任

草案第五条第二款规定：“国家多渠道筹集社会保险资金。县级以上人民政府应当对社会保险事业给予必要的经费支持。”有些委员提出，社会保险是国家承担基本责任的保险制度，草案对政府的责任规定过于松散，建议进一步明确政府在社会保险中的责任以及具体的制度安排。有的委员提出，国家应当适当承担部分社会保险费用，并根据经济社会的发展情况，适当调整基率，通过这种二次分配的方式，进一步缩小贫富差距，实现社会和谐。有的委员提出，各级政府在每年预算必须明确对养老保险和生育保险经费的比例。有的委员提出，国家的主要责任是担保社会保险制度的信用，分担社会保险缴费的一部分，并对其进行强势监督，以维持社会保险制度的良性运行，建议立法明确国家的担保责任、分担财政责任，以及公共管理责任。有的代表建议，对财力非常困难的贫困县，由中央负担对社会保险基金的补助，否则，这一规定将流于形式，难以落实。

草案第七条第一款规定，“县级以上地方人民政府社会保险行政部门负责本行政区域的社会保险管理工作”。有的提出，社会保险的各险种的统筹层次不同,建议修改为“县级以上地方人民政府社会保险行政部门按照各自的分工负责保险管理工作”。

五、关于社会保险费的征收

草案第八条第二款规定:“社会保险费的征收机构和征收办法由国务院规定。”目前社会保险费有些地方由税务机关征收,有些地方由社保机关征收,有些建议,在征求各方面意见后,在法律中对社会保险征收机关作出统一规定。

六、关于个人账户

有些委员提出,草案对社会保险制度的模式没有作出明确规定。目前实际操作中,养老保险和医疗保险实行社会统筹和个人账户相结合的制度模式,其他保险实行现收现付的制度模式,建议草案明确基本的社会保险制度模式。有的委员提出,现在地方采取的是“地税征收、社保运作、财政监督、银行服务”的体系,一些劳动者缴费后享受不到相应的权益,参加社会保险的积极性不高,建议做实个人账户,确保参保者可以享受社会保险待遇。有的建议,在目前总体经济形势比较好的情况下,应该把个人账户做实,否则会造成很大的缺口,影响将来养老金的发放。有的提出,做实个人账户的难度很大,建议再斟酌。

有的代表提出,目前个人账户存在规范性较差,个人信息项目不统一、质量不高,一人多账和无账并存以及档案存放分散的问题,建议草案针对上述问题作出相应的修改。

七、关于医疗保险

有的代表提出,草案对城镇居民医疗保险和农村新合作医疗保险规定很少,建议加强有关医疗方面的内容,还提出充分发挥慈善机构在医疗福利事业中的参与作用。有的委员提出,基本医疗保险的实施钱少、需求高是其主要矛盾,建议对医疗保险进行分类、分层次的管理,并在法律中作出明确规定。

八、关于农民的社会保险

草案第十五条规定:“土地已被全部征用且未就业的农村居民可以参加城镇居民基本医疗保险,其应当缴纳的社会保险费从征地安置补助费中支付,不足部分由当地人民政府从国有土地有偿使用收入中支出。”有些建议,应当增加失地农民参加基本养老保险的规定,有的委员提出,可以允许参加养老保险的失地农民按年龄段一次性补交一定年限的养老保险费。有些建议,失地农民的社会保险费由政府负担。有些提出,社会保险费单纯从征地补偿费中支付,存在很多问题,建议有关部门在调研后进一步细化。

草案第十六条规定:“进城务工的农村居民按照国家有关规定参加社会保险。”有的提出,农民工既包括农村居民中的进城务工人员,也包括在乡镇企业务工的人员,建议修改为“农民工按照国家有关规定参加社会保险”。有些建议,明确农民工参加社会保险问题的规定,建立适合农民工情况的社会保险缴纳制度,提高农民工参加社会保险的积极性,保障其合法权益。有些委员建议,增加关于农民工逐步享受与城镇劳动者相同的各项社会保险待遇的规定。有些提出,农民工的社会保险关系到社会的稳定,应当单列一章。

有的委员提出,草案仅在第十五条、第十六条中规定了失地农民和进城务工农民的社会保险问题,对农民的社会保险问题考虑明显不够,规定较为薄弱,建议将其作为社会保险法的重点问题,作出具体规定。

九、关于社会保险费的缴纳

草案第十八条对单位为职工申请办理社会保险登记作出规定。有些委员建议,增加单位应当“自订立劳动合同之日起三十日内”为职工申请办理社会保险登记的规定。

草案第二十条规定社会保险费可因法定事由减免。有的委员提出,社会保险费由全民缴纳、统筹使用,因此,减免缴费的规定不合理,而且很难对其进行控制,建议删除“非因法定事由不得减免”的规定,并提出即使对社会保险费进行减免,也应当由批准机关代为缴纳被减免的费用。

有些委员提出,社会保险带有强制性,应对用人单位进行规范,明确规定只要用工,用人单位就必须交社会保险费。

十、关于统筹层次

草案第二十四条规定:“基本养老保险基金实行省级统筹。其他社会保险基金实行省级统筹的时间、步骤,由国务院规定。”一些委员提出,目前基本养老保险的统筹层次低,已经成为阻碍劳动者流动和损害公平的负面因素。建议法律对社会保险统筹层次的规定采取更积极的态度,要有前瞻性,有利于全国统一市场的形成和发展。有的委员提出,养老保险必须立足于全国统筹来解决问题,一步到位全国统筹是养老制度建设成本最低的方案。有的提出,这几年经济状况比较好,企业的生产经营情况比较好，基本养老金收入的情况也比较好，几项社会保险基金都是有结余的，实行全国统筹条件已比较成熟。有些建议，增加有关逐步实现全国统筹的规定。有的委员提出，全国统筹目前还不可能做到，但应当在法律中设立逐步实现基本养老保险全国统筹的目标。

有的提出，基本养老保险实现省级统筹困难相当大，对此应当多做前期调研。有的提出，目前关于统筹层次的问题不成熟。广东目前还做不到省级统筹，大多数甚至还做不到市级统筹，基本还是县级统筹。对于提高统筹层次，建议从实际出发，加强调查研究，对有些做法先实验、试点，制定行政规章。然后再总结经验立法。有的委员建议，对医疗保险是区域统筹还是全国统筹的问题，再作进一步研究。

十一、关于社会保险基金

草案第二十五条第二款规定："县级以上人民政府应当在社会保险基金不敷支出时，给予补助。"有的建议修改为："县级以上人民政府应当将社会保险基金纳入财政预算。"

草案第二十七条规定："统筹地区社会保险基金预算、决算草案，由统筹地区社会保险行政部门编制，经同级财政部门审核，报本级人民政府批准。""全国社会保险基金预算、决算草案，由国务院社会保险行政部门编制，经国务院财政部门审核，报国务院批准。"一些委员和代表提出，应当加强人大对社会保险基金的监管。有的委员提出，社会保险基金预算作为公共预算基金的组成部分，根据预算法的规定，应当由同级人民代表大会，而不是同级人民政府批准。有的委员建议，对草案关于社会保险基金预算的规定作出相应修改,把社会保险基金列入各级政府的正常预算,报同级人民代表大会批准。有的委员提出,目前社会保险基金存在管理体制不顺的问题,建议草案进一步修改时理顺管理体制。

草案第三十一条规定:“社会保险基金在保证安全的前提下,通过投资运营实现保值增值,具体办法由国务院规定。”有的委员建议,应当单列一章对社会保险基金的安全、运营、保值增值作出明确的规定。有的委员提出,“保证安全”的含义不清楚,并且社会保险基金的管理人员不能从事资本的投资运作,建议明确规定“社会保险基金的结余部分只能用于购买国债,不得从事其他任何投资”。有的委员建议,不仅要在社会保险监督一章中加强对社会保险基金投资运营监督的规定,也要在法律责任中作出相应的规定,以保证社会保险基金平安、稳定地运行。有的代表建议,增加“通过合法规范”投资运营实现保值增值的规定。有些委员建议,社会保险基金的投资运营情况应当向社会公开,通过参保者参与监督,以防基金被挪用、炒股。有的提出,社会保险基金作为优质资产,银行应当给予优惠利率。

草案第三十二条对社会保险基金披露制度作出规定。有的代表提出,草案规定的力度不够,建议增加有关规定,明确需要披露哪些信息。有的代表建议,应当明确经办机构不公布社会保险基金有关情况的法律责任。有的委员建议,增加向社会公布社会保险基金投资运营情况的内容,并在相应的法律责任中,增加罚款额度。

有的委员建议增加“社会保险基金的征收、管理、使用、监督中,按照权利分置、相互制约的原则加以设计”的规定。

十二、关于社会保险关系的转移

草案第四十一条规定:“个人跨地区流动或者发生职业转换需要转移接续社会保险关系的,按照国务院有关规定办理。”有些提出,应当允许个人跨地区流动、职业转换时,转移接续社会保险关系。

十三、关于社会保险经办机构

草案第四十三条对社会保险经办机构的设置和经费作了规定。有的委员提出,有关机构设置及经费问题一般在法律中不宜表述,建议删除草案第四十三条,在草案第四十四条中增加“统筹地区设立社会保险经办机构”的规定。

草案第四十四条规定:“社会保险经办机构应当有健全的业务、财务、安全和风险管理制度。社会保险机构应当按时足额支付社会保险待遇。”有的委员提出,该条的规定过于原则,建议进一步作出明确规定。有的委员建议,增加社会保险经办机构应当有“增值经营”制度的规定。

草案第四十五条是关于社会保险经办机构工作的规定。有的委员建议第四十五条第三款增加“社会保险经办机构不得收取费用”的规定。

草案第四十六条中规定社会保险经办机构确定社会保险定点服务机构,“与其签订服务协议,并监督服务协议的履行”。有的代表提出,社会保险经办机构不能既做运动员,又做裁判员,建议修改为“并保证服务机构履行协议”。

有的委员建议,应当强化经办机构的建设,增加有关经办机构的职权范围、行为规范以及相应的法律责任的规定。

十四、关于社会保险监督

草案第四十八条第一款规定："县级以上人民政府社会保险行政部门应当加强对单位和个人遵守社会保险法律、法规情况的监督检查。"有的委员建议增加对社会保险经办机构进行监督检查的规定。

草案第五十条规定社会保险行政部门有权采取措施实施社会保险监督检查。有的委员建议，应当增加社会保险行政部门应当"定期"实施社会保险监督检查的规定，以保证监督工作的规范化、经常化，并在第二项措施中增加有关查阅、记录、复制与社会保险基金"投资经营"相关的资料，对可能被转移、隐匿或者灭失的资料予以封存的规定。

草案第五十二条规定，统筹地区可以成立社会保险监督委员会。有的代表提出，成立社会保险委员会不应仅限于统筹地区，而且应当是强制性的规定，建议修改为"各地应当成立"社会保险监督委员会。

有些建议加强对社会保险的监管力度。有些提出，多部门平等介入社会保险的监管，不仅会损害主管部门的权威，也会造成制度扭曲、责任不清，建议实行集权监管，明确监管部门的职责，同时与社会保险公开运行和社会监督相结合。有的委员提出，草案缺少对县级以上社会保险行政部门的监督，建议除本系统监督和内部监督外，还应加强各级人大及其常委会的监督。同时，在法律责任中也应当相应地规定保险行政部门的责任。有的委员建议，通过对草案的修改，突出对社会保险管理机构人员素质的培养。

十五、关于法律责任

有的提出,草案规定的法律责任的强制性和处罚力度不够。有些建议,加大草案第五十三条中对直接负责的主管人员和其他直接责任人员的处罚力度。有的委员建议,采用倍数确定罚款数额;第五十四条增加对不缴纳罚款的处罚措施;第五十七条增加对“贪污、受贿、挪为社会保险基金”行为的处罚。

有的委员建议,对已申办社会保险的个人因暂时的经济原因或者其他方面的原因未能按时或足额缴纳保险费的,应当如何进行处理作出规定。

有的委员提出单位不及时缴纳保险费用,而由职工本人承担不能享受社保待遇的后果是显失公平的,建议立法区别不交保费的不同情况,作出相应规定。

十六、关于附则

草案第六十一条第二款规定:“公务员和参照公务员法管理的人员的社会保险,由国务院规定。”有的委员提出,这一规定与草案第十二条医疗保险包括公务员和参照公务员法管理的人员的规定不一致,建议修改为“除本法已有规定的医疗保险之外,公务员和参照公务员法管理的人员参加其他社会保险,由国务院规定”。有些委员建议,把由国家财政全额拨款支付的科研所的人员、高校教师、中小学教师划入公务员一类进行管理。有些委员建议,逐步推进机关事业单位保险制度改革,把公务员和参照公务员管理的人员纳入到全国统一的社会保险制度中。

草案第六十二条是关于国家鼓励补充养老保险、补充医疗保险的规定。有些委员建议增加一款,规定:“国家鼓励社会团体开展群众性的互助互济活动,作为社会保险的必要补充。”

十七、关于本法的结构

有的提出,草案规定的五种保险内容差别很大,在一部法中统一为一种方式管理,难度比较大。建议对基本养老保险、基本医疗保险和生育保险三种全国情况较为一致的保险,用一种方式进行管理。有的委员建议名称修改为“社会保险基本法”,作为社会保险的基本法对几大保险共性的内容加以规定,再制定一系列子法对各种保险分别作出具体规定。有的代表建议,在基本保险相同、全国流通的前提下,各省可以根据不同发展情况,设立特殊保险。有的建议增加“社会保险种类”一章,作为社会保险法的第二章。

十八、其 他

1. 有的代表建议,草案第二条中规定的“保基本、多层次、可持续”的方针修改为“保基本、多层次、可持续、求公平”。

2. 草案第三条第一款中规定“保障公民在年老、患病、工伤、失业、生育等情况下获得必要的物质帮助”。第二款规定:“中华人民共和国境内的单位和个人依法缴纳社会保险费;个人依法享受社会保险待遇。”有的委员提出,根据这一规定,只有社会保险适用范围内的公民才可以缴纳社会保险费,才可以在法律规定情况下获得必要的物质帮助,建议再斟酌。有的委员建议修改为“保障参保人在年老、患病、工伤、失业、生育等情况下获得必要的物质帮助”。有的委员建议修改为“获得一定的物质帮助”。

3. 有的委员提出，目前生育保险在国家法律体系中效力等级较低，参保的强制力不够，建议立法强化落实生育保险的有关规定。

4. 有的委员建议第十八条中“公民身份号码等作为其社会保障号码”修改为“居民身份号码等作为其社会保障号码”，以与居民身份证法的规定相一致。

5. 有的代表建议尽量缩小企业退休职工养老保险金与机关事业单位工作人员退休金的差距，加快提高企业退休老职工的社会保险待遇。

全国人民代表大会法律委员会关于《中华人民共和国社会保险法(草案)》修改情况的汇报(一)

全国人民代表大会常务委员会:

十届全国人大常委会第三十一次会议对社会保险法(草案)进行了初次审议。会后,法制工作委员会将草案印发各省(区、市)和中央有关部门等单位征求意见。法律委员会、财政经济委员会和法制工作委员会联合召开座谈会,听取中央有关部门、部分全国人大代表、用人单位和劳动者、专家的意见。法律委员会、法制工作委员会在北京、天津、江苏、辽宁进行了调研,就主要问题与国务院法制办、人力资源和社会保障部、财政部等有关部门交换意见,共同研究。法律委员会于12月5日召开会议,根据常委会组成人员的审议意见和各方面的意见,对草案进行了逐条审议。财政经济委员会和国务院法制办、人力资源和社会保障部、全国总工会的负责同志列席了会议。12月16日,法律委员会召开会议,再次进行了审议。现就主要问题修改情况汇报如下:

一、关于充实内容分章对五个险种作出规定

草案第三章和第四章中规定了养老保险、医疗保险、工伤保

险、失业保险、生育保险的缴费范围和待遇。有些常委委员、人大代表和地方、部门认为，这些规定过于原则和分散，难以掌握，操作性不强。法律委员会经同财政经济委员会、国务院法制办、人力资源和社会保障部、全国总工会研究，建议对草案结构作适当调整并充实内容，将养老保险、医疗保险、工伤保险、失业保险、生育保险分别专章规定，把每个险种现行有效的成熟做法纳入草案，明确参保人员的权利义务。

二、关于基本养老保险关系的转移接续

草案第四十一条规定个人跨地区流动或者发生职业转换需要转移接续社会保险关系的，按照国务院有关规定办理。有些常委委员、人大代表和地方提出，基本养老保险关系不能转移接续，已经成为制约我国社会保险事业发展的突出问题。由于无法转移接续，跨地区就业劳动者的缴费年限不能累计计算，致使很多劳动者不能享受基本养老保险待遇，造成劳动者参保积极性不高，有的地方甚至出现了大量农民工退保，企业也有意见，建议对社会保险关系转移接续问题作出明确规定。法律委员会经同财政经济委员会、国务院法制办、人力资源和社会保障部、全国总工会研究，建议将这一条修改为："个人跨地区就业的，其基本养老保险关系随本人转移。个人退休时，基本养老金按照退休时各缴费地的基本养老金标准和缴费年限，由各缴费地分段计算、退休地统一支付。"（草案二次审议稿第十七条）

三、关于社会保险统筹层次

草案第二十四条第二款规定基本养老保险基金实行省级统

筹。其他社会保险基金实行省级统筹的时间、步骤，由国务院规定。有些常委委员、人大代表和地方、部门认为，目前部分省市基本养老保险做到了省级统筹，逐步提高社会保险基金统筹层次是大趋势，长远目标应当是实行全国统筹。国务院已提出2009年底在全国范围内全面实现基本养老保险基金省级统筹，2012年实行全国统筹的目标。法律委员会经同财政经济委员会、国务院法制办、人力资源和社会保障部、全国总工会研究，建议增加基本养老保险基金“逐步实行全国统筹”的规定。（草案二次审议稿第六十二条第四款）

四、关于政府对社会保险事业的支持

草案第五条第二款规定国家多渠道筹集社会保险资金。县级以上人民政府应当对社会保险事业给予必要的经费支持。草案第二十五条第二款又规定，县级以上人民政府应当在社会保险基金不敷支出时，给予补助。有的常委委员、人大代表和地方、部门提出，目前国家财政对基本养老保险是支持的。比如2007年中央和地方财政补助了近1200亿元，用于做实个人账户、承担改制成本和弥补支付不足。但草案只规定政府在社会保险基金不敷支出时给予补助是不够的。建议进一步明确政府支持的事项。法律委员会经同财政经济委员会、国务院法制办、人力资源和社会保障部、全国总工会研究，建议作以下补充规定：(1)国有企业、事业单位职工参加基本养老保险前视同缴费年限期间应当缴纳的基本养老保险费由政府承担（草案二次审议稿第十二条第一款）。(2)城镇居民基本医疗保险和新型农村合作医疗实行家庭缴费和政府补助相结合。享受最低生活保障的人、丧失劳动能力的重度残疾人、低收入家庭六十周岁以上的老年人等所需家庭缴费部分，由政府给予补助（草案二次审议稿第二十一条）。

五、关于社会保险基金监管

草案第五十二条规定统筹地区可以成立社会保险监督委员会，对社会保险基金的收支、管理和投资运营情况进行社会监督。许多常委委员、人大代表和地方、部门认为，社会保险基金是老百姓的"保命钱"，国家应当对其实行严格的监管。法律委员会经同财政经济委员会、国务院法制办、人力资源和社会保障部、全国总工会研究，建议在草案第六条增加规定："国家对社会保险基金实行严格监管。""县级以上人民政府应当采取措施，鼓励和支持社会各方面参与社会保险的监督。"（草案二次审议稿第六条第一款、第三款）并将草案第五十二条修改为："统筹地区人民政府应当成立由参加社会保险的用人单位代表、个人代表，以及工会代表、法律专家、精算专家等组成的社会保险监督委员会，掌握、分析社会保险基金的收支、管理和投资运营情况，对社会保险工作提出咨询意见和建议，实施社会监督。""社会保险经办机构应当按季度向社会保险监督委员会汇报社会保险基金的收支、管理和投资运营情况。社会保险监督委员会可以聘请会计师事务所对社会保险基金的收支、管理和投资运营情况进行年度审计和专项审计。审计结果应当向社会公开。"（草案二次审议稿第七十七条）

这里还有一个问题需要汇报，目前用人单位缴纳的五项社会保险费总计超过本单位职工工资总额的百分之三十，加上职工个人缴费,社会保险费超过职工工资总额的百分之四十。各方面普遍认为缴费费率过高,单位和个人负担较重。另一方面,五项社会保险基金已有不少结余。因此,建议降低缴费费率并在草案中作出明确规定。法律委员会经同财政经济委员会、国务院法制办、人力资源和社会保障部、全国总工会研究,考虑到目前社会保险统筹的层次比较低,各地经济发展不平衡,社会保险覆盖面还不够宽,基本养老保险缴费与享受保险的人口比例不同,待遇水平差异较大,缴费费率也不一致。解决上述问题需要一个过程,可由国务院根据实际情况对缴费费率适时作出调整。

此外,还对草案作了一些文字修改。

草案二次审议稿已按上述意见作了修改,法律委员会建议提请常委会第六次会议继续审议。

草案二次审议稿和以上汇报是否妥当,请审议。

全国人民代表大会法律委员会
2008 年 12 月 22 日

十一届全国人大常委会第六次会议分组审议社会保险法(草案二次审议稿)的意见

2008年12月23日下午,十一届全国人大常委会第六次会议分组对社会保险法(草案二次审议稿)进行了审议。大家普遍认为,社会保险法是一部关系民生的重要法律,制定社会保险法,对于促进社会保险事业的发展,保证社会和谐稳定和国家长治久安具有重要意义。草案二次审议稿在草案的基础上,吸收了常委会组成人员和有关方面的意见和建议,对一些制度作了细化和完善,把五个保险险种作专章规定,每个险种现行有效的做法都纳入到草案中,结构更加合理、清晰,修改得比较好。另外一些委员和同志提出,草案中授权性条款太多,建议尽量减少授权性条款,增强可操作性。同时,常委会组成人员提出了一些具体修改意见,现简报如下:

一、关于总则

草案二次审议稿第一条规定:“为了规范社会保险关系,维护社会保险参加人的合法权益,使公民共享发展成果,促进社会和谐稳定,根据宪法,制定本法。”有的委员建议增加“坚持以人为本”。

草案二次审议稿第四条规定："中华人民共和国境内的用人单位和个人依法缴纳社会保险费；个人依法享受社会保险待遇。"有的建议修改为"依法参加社会保险，并缴纳社会保险费"，增强社会保险的强制性。

二、关于养老保险

草案二次审议稿第十条第一款规定："基本养老保险实行社会统筹与个人账户相结合。"有的委员和代表建议明确个人账户不做实，只作为个人权益记录。有的委员则提出，现收现付制度是为解决社会保障的历史遗留问题而作出的选择，在目前我国劳动年龄人口所占比重较高、规模较大的时期，现收现付制度是可行的，但在即将到来的人口老龄化阶段，现收现付制度将难以维持，应逐步过渡为个人积累。建议明确规定基本养老保险基金的社会统筹部分和个人账户部分实行分账管理、分账运营，做实个人账户。

草案二次审议稿第十六条规定："国家建立基本养老金正常调整机制。根据职工平均工资增长、物价上涨情况和基本养老保险基金的承受能力，适时提高基本养老保险待遇水平。"有些提出，养老金的调整幅度和待遇水平应与实际缴费挂钩。有的委员提出，工资是创造财富的劳动者分享成果的机制，退休金是维护老年人基本养老需求的制度保障，两者并无关联，基本养老金的调整不应与工资直接挂钩。有的代表建议明确规定基本养老保险待遇不得降低。

草案二次审议稿第十七条规定："个人跨地区就业的，其基本养老保险关系随本人转移。个人退休时，基本养老金按照退休时各缴费地的基本养老金标准和缴费年限,由各缴费地分段计算、退休地统一支付。”一些委员和同志提出,本条规定解决了职工跨地区就业养老金如何计算和发放的问题,促进了劳动力的合理流动,是建立全国统一的社会保险制度的重要突破。有的委员提出,本条规定操作起来较为繁琐,且国务院已确定2012年基本养老保险实现全国统筹,没有必要再作规定。有些提出本条规定难以操作,建议统筹资金和个人账户资金随基本养老保险关系转移,就业地可按一定比例扣除部分统筹资金作为管理费用。

三、关于基本医疗保险

一些委员和同志提出,从今后的发展方向来看,医疗保险应逐步从单纯的医疗费用分担,发展为全民健康保障。因此,本法应对基本医疗保险只作原则性规定,为今后的医疗保障制度留下立法空间。建议恢复草案第四条的规定,即:“国家逐步建立和完善城镇居民基本医疗保险、农村养老保险和新型农村合作医疗制度,具体办法由国务院制定。”

草案二次审议稿第十九条规定:“基本医疗保险包括职工基本医疗保险、城镇居民基本医疗保险和新型农村合作医疗。”一些委员和同志提出,新型农村合作医疗是为解决广大农民就医难、就医贵的问题而采取的一种医疗保障措施,并不是一种保险制度,本法将新型农村合作医疗规范为保险行为有些操之过急,建议慎重考虑。另外,根据本法规定,基本医疗保险工作由国务院社会保险行政部门负责,这与现行做法不一致,也不符合国际惯例,建议再作斟酌。有的委员提出,“新型农村合作医疗”中的

“新型”有阶段性含义,只适用于政策性文件,建议修改为“农村合作医疗”。

草案二次审议稿第二十一条第二款规定:“享受最低生活保障的人、丧失劳动能力的重度残疾人、低收入家庭六十周岁以上的老年人等所需家庭缴费部分,由政府给予补助。”有些委员建议将“由政府给予补助”修改为“由政府承担”,加大对困难群体的保障力度。有的委员提出,目前各地基本都已免除城镇无业残疾人基本医疗缴费和农村残疾人新型农村合作医疗缴费,建议扩大补助范围,将“重度残疾人”修改为“城镇无业残疾人和农村残疾人”。

草案二次审议稿第二十三条规定:“职工退休时累计缴费达到国家规定年限的,退休后不缴纳基本医疗保险费,按照国家规定享受基本医疗保险待遇。”有些提出,退休人员正是使用医疗费用较高的时期,这样规定可能造成医疗保险基金难以支撑。建议退休人员根据养老金的数额,由单位或个人按较低的比例缴纳医疗保险费。

草案二次审议稿第二十四条第二款规定:“省、自治区、直辖市人民政府根据实际情况,可以将城镇居民基本医疗保险和新型农村合作医疗统一标准,合并实施。”一些委员和同志提出,新型农村合作医疗待遇标准低,而城镇居民的医疗服务需求和成本都远远高于农村居民。如果两者合并实行,可能会造成城镇居民侵占农村居民的利益,是否合并实施,建议慎重考虑。有些提出,本款规定打破了城乡二元结构,有利于医疗保险制度的统一,建议在制度设计上努力实现城乡一体化,统筹城乡发展。

草案二次审议稿第二十五条第二款规定:“基本医疗保险药

品目录、诊疗项目、医疗服务设施标准以及医药费用结算管理办法，按照国家有关规定执行。”有的委员提出，药品目录和诊疗项目是基本医疗保险的核心问题，直接关系到医疗保险制度的有效贯彻和健康发展，应当在本法中规定所应遵循的原则，建议修改为“基本医疗保险药品目录、诊疗项目、医疗服务设施标准的制定，应遵循简约、实用和必要原则，具体办法由国务院制定。”

四、关于工伤保险

草案二次审议稿第二十九条规定：“职工应当参加工伤保险，由用人单位缴纳工伤保险费，职工不缴纳工伤保险费。”郑功成委员提出，公务员和参照公务员法管理的人员，也应当参加工伤保险。有些委员和代表建议明确规定“职工”包括农民工。

草案二次审议稿第三十三条规定了职工不认定为工伤的情形，范徐丽泰委员建议增加“服用精神药物的”。有的委员建议增加“违规作业的”。

草案二次审议稿第三十五条规定了应当由用人单位支付的费用，有的委员建议增加“治疗期间的看护费”。

草案二次审议稿第三十八条规定了职工停止享受工伤保险待遇的情形，其中第一项规定：“丧失享受待遇条件的”，有的委员建议明确其具体含义。第四项规定“被判刑正在收监执行的”，有的提出，如果职工的工伤发生在违法犯罪之前，不应停止享受工伤保险待遇。

五、关于失业保险

草案二次审议稿第四十四条第二款规定：“失业人员应当缴

纳的基本医疗保险费从失业保险基金中支付。”一些委员和同志提出，目前失业现象越来越严重，而失业保险基金结余已过千亿。尽管存在一些滥用失业保险基金的现象，但不能因管理环节出现问题而损害失业保险制度本身的功能。建议扩大失业保险基金的支付范围，增加预防失业的内容。

草案二次审议稿第四十七条规定了失业人员停止领取失业保险金、停止享受其他失业保险待遇的情形。有的建议增加两项规定，即：“考入全日制中等或者高等学校学习的”和“被判刑收监执行或被劳动教养的”。

六、关于生育保险

草案二次审议稿第五十四条规定：“省、自治区、直辖市人民政府根据实际情况，可以将生育保险与职工基本医疗保险合并实施。”有的委员提出，独立的生育保险体系增加了行政机构和成本，造成资源浪费，建议在法律中明确规定将生育保险和医疗保险合并。

七、关于社会保险费征缴

草案二次审议稿第五十七条第二款规定：“社会保险费的征收机构和征收办法由国务院规定。”有的委员建议明确社会保险费的征收体制。有些提出，目前社会保险费的征收形成了由税务部门和社会保险经办机构“共管”的格局，导致职责划分不清，为制度埋下隐患。税务机关只关注企业的经营状况，而对参保者范围、就业状况、劳动者流动等情况不了解，存在记账不清的风险。建议明确规定社会保险费由社会保险经办机构负责征收，由银行统一收取费用。

草案二次审议稿第六十条规定了用人单位逾期不缴纳或者未补足应当缴纳的社会保险费的情形。有的建议增加规定“企业在一定情形下可以延期缴纳社会保险费”。

八、关于社会保险基金

有的委员和代表提出，社会保险基金既不是财政资金，也不是个人资金，而是所有参保人的公共基金，应当维持它的公共性、独立性，使其建立在劳资分责基础之上，政府仅承担支持与监管责任，淡化社会保险基金和财政的关系。建议本法明确社会保险基金的性质。

草案二次审议稿第六十二条第四款规定：“基本养老保险基金实行省级统筹，逐步实行全国统筹。其他社会保险基金实行省级统筹的时间、步骤，由国务院规定。”有的委员建议在本法中明确规定基本养老保险基金实行全国统筹的具体时间为2012年。有的建议增加规定：“加快其他社会保险基金的统筹步伐”。有的委员建议修改为：“社会保险基金实行省级统筹，逐步实行全国统筹。”

草案二次审议稿第六十六条规定：“社会保险基金存入财政专户，具体管理办法由国务院规定。”有些建议将“财政专户”修改为“银行专户”，保持社会保险基金的公共独立性。有的委员建议修改为：“社会保险基金实行专户管理，具体办法由国务院规定。”

草案二次审议稿第六十七条规定：“社会保险基金在保证安全的前提下，按照国务院有关规定通过投资运营实现保值增值。"有的委员建议增加规定:"社会保险基金不得用于买卖债券、股票、证券投资基金份额等有价证券,不得用于投资不动产等"。有的委员提出,目前社会保险基金的投资受到较多限制,主要是存在银行和购买国债,基金增长率低于工资增长率,造成贬值,建议在加强监管的前提下,允许基金进行适当的金融投资。

草案二次审议稿第六十八条规定:"社会保险经办机构应当定期向社会公布社会保险基金的收入、支出、结余和收益情况。"有的委员建议将这一条修改为:"社会保险经办机构应当定期向社会公布社会保险基金的收入、支出、结余和收益情况,保险基金的管理、存放、投资运营,以及统筹地区的参保人员、参保状况,企业欠缴保险费等情况。"

九、关于社会保险经办

有的委员建议明确规定社会保险经办机构的机构设置、工作职责和业务范围,建立起科学合理、高效统一的社会保险经办体系。

草案二次审议稿第六十九条第二款规定:"社会保险经办机构的人员经费和经办社会保险发生的基本运行费用、管理费用,由同级财政按照国家有关规定予以保障。"有的代表建议相关费用应当由社会保险基金支付,在基金短缺时才由国家补贴,以便反映基金运作的实际成本。

十、关于社会保险监督

有的委员建议在本章增加立法机关监督和司法机关监督的

内容。

草案二次审议稿第七十七条规定了统筹地区人民政府应当成立社会保险监督委员会。有些委员建议明确社会保险监督委员会的机构性质、组织筹备、经费来源等,以保障其切实履行社会保险监督职能。

十一、关于法律责任

有的委员提出,本法对县级以上人民政府社会保险行政部门的监管职责与监管权力作出了具体规定,建议在“法律责任”一章中明确规定相应的法律责任。

草案二次审议稿第八十三条规定了社会保险经办机构及其工作人员的法律责任,有的代表提出,现实中存在社会保险经办机构克扣医院代为垫付的医疗费用的现象,建议加大对社会保险经办机构权力的限制。

草案二次审议稿第八十五条规定,挪用社会保险基金的,由社会保险行政部门、财政部门、审计机关责令追回被挪用的资金。有的委员提出,财政部门、审计机关只能按照法律规定在自己的权责范围内发挥作用,没有责令追回的权利,建议删去“财政部门、审计机关”。有的建议加大对挪用社会保险基金行为的处罚力度。

十二、关于附则

草案二次审议稿第八十九条规定了进城务工的农村居民参加社会保险的内容。一些委员和同志提出,农民问题解决得好与坏,直接关系到农民的切身利益,也关系着经济发展和社会稳定。本法应当体现城乡统筹的精神,打破城乡二元结构,努力实现城乡一体化,建立覆盖城乡的社会保险体系。有的委员提出,农民和军人的社会保险应由专门的法律作出规定,建议删除。

草案二次审议稿第九十条规定:“土地已被全部征用且未就业的农村居民可以参加城镇居民基本养老保险和基本医疗保险,其应当缴纳的社会保险费从征地安置补助费中支付,不足部分由当地人民政府从国有土地有偿使用收入中支出。”有的委员建议把“可以”改为“应当”,更好地保障失地农民的利益。有些委员建议明确规定“其应当缴纳的社会保险费列入安置补助费项目”。

全国人民代表大会法律委员会关于《中华人民共和国社会保险法(草案)》修改情况的汇报(二)

全国人民代表大会常务委员会:

十一届全国人大常委会第六次会议对社会保险法(草案二次审议稿)进行了审议。会后,草案二次审议稿向社会公开征求意见,共收到意见七万多条。法律委员会、法制工作委员会先后到重庆、浙江、河南进行调研,同时将草案二次审议稿印发各省、自治区、直辖市和较大的市人大常委会,以及中央有关部门、社会团体、高等院校和研究机构进一步征求意见,并就草案二次审议稿的修改,多次与国务院法制办、人力资源和社会保障部、财政部、卫生部、全国总工会、全国企业联合会、全国工商联、全国社会保障基金理事会等方面交换意见,共同研究。法律委员会于12月3日、8日召开会议,根据常委会组成人员的审议意见和各方面的意见,对草案进行了审议。财政经济委员会和国务院法制办、人力资源和社会保障部、卫生部的负责同志列席了会议。12月15日,法律委员会召开会议,再次进行了审议。现将修改情况汇报如下:

一、有些常委委员和社会公众提出,草案规定社会保险管理的内容比较多,规定用人单位和参保人员权利的内容比较少,社会保险法应当增加规定用人单位和参保人员的监督等权利。法律委员会经同国务院法制办、人力资源和社会保障部研究,建议将草案二次审议稿第四条修改为:“中华人民共和国境内的用人单位和个人依法缴纳社会保险费,有权查询缴费记录、个人权益记录,要求社会保险经办机构提供社会保险咨询等相关服务。”“个人依法享受社会保险待遇,有权监督本单位为其缴费情况。”增加一条规定:“社会保险费征收机构应当按时足额征收社会保险费,并将缴费情况定期告知用人单位和个人。”(草案三次审议稿第四条、第六十二条)

二、有些常委委员、地方提出,按照现行做法,享受基本养老保险待遇的最低缴费年限为十五年,缴费不足十五年的,退休后不享受基础养老金,其个人账户储存额一次支付给本人,这样不尽合理,社会保险法应当总结一些地方好的经验,允许缴费不足十五年的延续缴费或者一次性缴费至十五年,或者将其基本养老金一次性支付给本人。法律委员会经同国务院法制办、人力资源和社会保障部研究,建议增加规定:“参加基本养老保险的个人,达到法定退休年龄时累计缴费不足十五年的,可以缴费至满十五年,按月领取基本养老金;也可以领取一次性养老保险待遇。”(草案三次审议稿第十六条第二款)

三、有的常委委员提出,国务院《关于开展新型农村社会养老保险试点的指导意见》已出台,2009 年起开展新型农村社会养老保险试点,2020 年之前覆盖全国所有的农村适龄居民。建立新型农村社会养老保险制度,实现了城乡居民在社会养老保险方面的制度平等,社会保险法应当对此作出规定。法律委员会经同国务院法制办、人力资源和社会保障部研究，建议增加规定："新型农村社会养老保险实行个人缴费、集体补助和政府补贴相结合。""新型农村社会养老保险待遇由基础养老金和个人账户养老金组成。""参加新型农村社会养老保险的农村居民，符合国家规定条件的，按月领取新型农村社会养老保险待遇。"（草案三次审议稿第二十条第二款、第二十一条）

目前一些地方开展了城镇居民社会养老保险工作，新型农村社会养老保险试点开始后，有些地方将新型农村社会养老保险和城镇居民社会养老保险统筹安排，统一实施。法律委员会经同国务院法制办、人力资源和社会保障部研究，建议增加规定："省、自治区、直辖市人民政府根据实际情况，可以将城镇居民社会养老保险和新型农村社会养老保险合并实施。"（草案三次审议稿第二十二条第二款）

四、草案二次审议稿第二十四条第二款对城镇居民基本医疗保险和新型农村合作医疗合并实施作了原则规定。有些常委委员和部门提出，这两项社会保险险种的具体实施问题，不宜在法律中作出规定。法律委员会经同国务院法制办、卫生部、人力资源和社会保障部研究，建议删去这一款，同时增加规定："新型农村合作医疗的管理办法，由国务院规定。"（草案三次审议稿第三十二条）

五、草案二次审议稿第二十六条规定应当由第三人负担的医疗费用不纳入基本医疗保险基金支付范围。有的地方提出，实践中由第三人侵害发生的医疗费用，有的第三人拒不支付或者无法确定第三人，参保人员的医疗费用只能由自己承担，建议明确医疗保险基金的先行支付义务，同时对工伤保险中相应的第三人问题作出规定。法律委员会经同国务院法制办、人力资源和社会保障部研究，建议增加规定："医疗费用依法应当由第三人负担，第三人拒不支付或者无法确定第三人的，由基本医疗保险基金先行支付；基本医疗保险基金先行支付后，有权向第三人追偿。""由于第三人的原因造成工伤的，第三人拒不支付工伤医疗费用或者无法确定第三人的，由工伤保险基金先行支付；工伤保险基金先行支付后，有权向第三人追偿。"（草案三次审议稿第二十九条第二款、第四十二条）

六、草案二次审议稿第五十七条第二款规定，社会保险费的征收机构和征收办法由国务院规定。有些常委会组成人员和部门、地方提出，现在有的地方不同险种的社会保险费征收机构不统一，影响了征缴效率，增加了征收成本，同时也不方便单位和个人缴费，建议草案作出更明确的规定。法律委员会经同国务院法制办、人力资源和社会保障部研究，建议将这一款修改为："社会保险费实行统一征收，实施步骤和具体办法由国务院规定。"（草案三次审议稿第五十九条第二款）

七、有的常委会组成人员和全国社会保障基金理事会提出，全国社会保障基金作为社会保障的战略性储备保障资金，在社会保险法中应当加以规定。法律委员会经同国务院法制办、人力资源和社会保障部、全国社会保障基金理事会研究，建议增加规定："国家设立全国社会保障基金，由中央财政预算拨款以及国务院批准的其他方式筹集的资金构成，用于社会保障支出的补充、调剂。全国社会保障基金由全国社会保障基金管理运营机构负责管理运营，在保证安全的前提下实现保值增值。""全国社会保障基金应当定期向社会公布收支、管理和投资运营的情况。国务院财政部门、社会保险行政部门、审计机关对全国社会保障基金的收支、管理和投资运营情况进行监督。”(草案三次审议稿第七十一条)

八、有的常委委员和部门、地方提出,对社会保险基金的监督是全社会十分关注的问题,应当加强人大对社会保险基金的监督。法律委员会经同国务院法制办、人力资源和社会保障部研究,建议增加规定:“各级人民代表大会常务委员会听取和审议本级人民政府对社会保险基金的收支、管理和投资运营情况进行监督检查的专项工作报告,组织对本法实施情况的执法检查等,依法行使监督职权。”(草案三次审议稿第七十六条)

同时,为进一步明确社会保险监督委员会的职责,法律委员会经同国务院法制办、人力资源和社会保障部研究,建议增加规定:“社会保险监督委员会发现社会保险基金收支、管理和投资运营中存在问题的,有权提出改正建议;对社会保险经办机构及其工作人员的违法行为,有权向有关部门提出依法处理建议。”(草案三次审议稿第八十一条第三款)

这里还有一个问题需要汇报,有的常委委员提出,有的参保人员达到法定退休年龄累计缴费不足十五年,没有能力按照规定缴费至满十五年,也应当按照少缴少得的原则领取养老保险待遇。有关主管部门则认为,这样做现在尚无实践,涉及的人员数量不清楚,担心难以操作。法律委员会建议这个问题可进一步审议研究。

此外,还对草案二次审议稿作了一些文字修改。

草案三次审议稿已按上述意见作了修改,法律委员会建议本次常委会会议继续审议。

草案三次审议稿和以上汇报是否妥当,请审议。

全国人民代表大会法律委员会

2009 年 12 月 22 日

十一届全国人大常委会第十二次会议审议社会保险法草案的意见

2009年12月23日，十一届全国人大常委会第十二次会议对社会保险法（草案）进行了分组审议。现将主要意见简报如下：

一、总的意见

审议中发言的同志普遍认为，社会保险法是关系国计民生的重要法律，制定社会保险法，对于促进社会保险事业的发展，维护社会和谐稳定，保障全体公民共享发展成果具有重要意义。草案经过两次审议，在广泛听取意见的基础上进行了修改和完善，体系更加完整，内容更加充实。

有些常委委员提出，社会保险制度的可操作性是社会保险立法应解决的一个重要问题。草案三次审议稿在前两稿的基础上充实了社会保险制度的相关规定，但在重大制度方面的授权性条款仍然过多，建议充实草案的可操作性条款，减少授权性规定。

有的委员提出，我国的社会保险制度还在建立过程中，一些体制性、机制性的问题还不确定，主要有以下几个方面：一是基本模式不确定。养老保险是采用“现收现付式”还是“积累式”？医疗保险是否取消个人账户？制度模式的不确定性给立法带来很大难度。二是制度不统一。目前各地社会保险政策各式各样，有些还在试点阶段，不具备全国统一的条件，立法中难以作出统一规定。三是管理体制不明确。各地社会保险基金的统筹层次不同，征收体制不同，经办机构组织形式不同，立法难以确定管理体制。因此，社会各界普遍反映草案“不解渴”，建议对社会保险的基本制度及相应的体制、机制给予明确，以法律形式确定下来。

有的委员提出，草案三次审议稿较前两稿有了很大进步，但在一些问题上仍然需要进一步完善：一是有的概念表述还简单照搬政策用语，如新型农村社会养老保险和新型农村合作医疗，应采用农民社会养老保险和农村居民基本医疗保险的概念。二是社会保险的多层次性未体现，应当增加有关补充保险方面的内容。三是社会保险的预防与促进功能体现不够。四是社会保险基金性质不明确，社会保险基金应当是所有参保人共有的社会公共基金，现在出现大量不适当的基金结余，与基金的性质不明确直接相关。五是社会保险经办机构职责不明确。经办机构与社会保险制度的各个环节紧密相关，如果不对其职责作出明确规定，就难以保障制度的有效运行。

有的委员提出，社会保险问题关系国计民生，制定社会保险法非常必要。法律的制定要与社会的改革、发展、进步协调起来考虑，要有前瞻性。目前的草案还需要慎重研究，有些问题还没有达到立法需要的共识，立法的基本条件还不成熟。

二、关于事业单位职工养老保险问题

草案三次审议稿第十条第三款规定，公务员和参照公务员法管理的工作人员参加基本养老保险的办法由国务院规定。有些常委委员、代表提出，如何处理公务员和事业单位职工的社会保险关系是社会保险立法的一个关键问题。草案对国家机关、国有企业、事业单位、民营企业等几类群体实行“统一并有区别”的社会保险制度是合理的，但应该扩大这一款的适用范围，将事业单位职工纳进来，统筹考虑公务员和事业单位职工的社会保险问题。有的委员提出，公务员待遇实际上比较低，在这种情况下，既要反腐倡廉，又要考虑拉动内需，还要考虑待遇公平，让公务员与其他职工的保障一样是不可取的。

三、关于农民工的社会保险问题

草案三次审议稿第九十三条规定，进城务工的农村居民按照本法规定参加社会保险。有些常委委员、代表提出，随着农民工数量的增多，农民工的社会保险问题愈发突出。农民工流动性强，劳动关系不稳定，很难达到法律规定的养老保险最低缴费年限。城镇职工养老保险制度与新型农村社会养老保险制度之间应当有所互通，建立“立交桥”，使农民工在不同城市之间、城市与农村之间的养老保险能够衔接起来，从而使养老保险“活”起来。有的代表提出，这一条的规定比较模糊，建议明确规定“进城务工的农民与用人单位建立劳动关系的，属于本法所称职工，按照本法规定参加社会保险。”有的委员提出，农民工收入低，按照城镇职工的缴费标准参加社会保险，负担过重，参保的积极性普遍不高。建议规定“进城务工的农村居民参加社会保险的办法,由国务院具体规定”,以便针对农民工的特点,采取低标准介入、渐进式过渡、保障其流动就业中的权益等办法,调动农民工的参保积极性,避免农民工在社会保障制度中被边缘化。

四、关于视同缴费问题

草案三次审议稿第十三条第一款规定,国有企业、事业单位职工参加基本养老保险前视同缴费年限期间应当缴纳的基本养老保险费由政府承担。

有的委员提出,公务员和事业单位职工的社会保险改革应当同步进行,单独进行事业单位的改革必将引起很大不满,改革阻力很大,建议删去视同缴费范围中的“事业单位职工”。有的委员提出,不仅是国有企业、事业单位职工参加基本养老保险前视同缴费年限期间存在视同缴费的问题,军人、公务员在转业或转岗时也存在这样的问题。建议将军人和职业流动的公务员纳入视同缴费的规定。有的委员和代表提出,对于历史欠债,国有企业、事业单位采用视同缴费的方式由政府承担,而集体企业、民营企业却不能享受这个待遇,有失公平,建议扩大视同缴费的范围。

五、关于低收入人员养老保险的缴费问题

草案三次审议稿第十二条第三款规定,无雇工的个体工商户、未在用人单位参加基本养老保险的非全日制从业人员以及其他灵活就业人员参加基本养老保险的,应当按照国家规定缴纳基本养老保险费,分别记入基本养老保险社会统筹基金和个人账户。有些代表提出，这样规定对低收入人群不合理。按照各地区的情况，社会保险的缴费基数每年都以10%以上的比例在增长，远远超过了低收入人群的工资增长比例。立法时应充分考虑低收入群体的实际情况和基本生活，在不增加他们生活负担的情况下，又能解除他们老有所养的后顾之忧，建议根据当地职工实际收入情况来确定最低缴费基数，或分档次缴纳。有的委员建议对这部分人分类处理，采取“多缴多得、少缴少得”的原则或由政府给予适当补贴。有的代表提出，按照现行规定，下岗职工的社会保险要缴就要全额缴，这个费用应当由谁承担，社会保险法对这个问题应当有所规定。

六、关于基本养老保险最低缴费年限

草案三次审议稿第十六条第二款规定，参保人达到法定退休年龄时累计缴费不足十五年的，可以缴费至满十五年，按月领取基本养老金；也可以领取一次性养老保险待遇。

有些常委委员、代表提出，根据目前政策规定，达到法定退休年龄时缴费不足十五年的职工，一次性提取其个人账户养老金，而社会统筹部分则不予返还，这种做法是不合理的。“一次性养老保险待遇”的概念内涵不清晰，建议修改为“一次性基本养老金”，即包括社会统筹养老金和个人账户养老金两部分。

有些常委委员、代表提出，养老保险的目的是保障退休人员的基本生活，如果允许一次性领取基本养老保险待遇，容易出现对这笔资金超前支配或支配不当的情况，难以实现保障基本生活的目的，势必会加重政府和社会的负担，建议删去“一次性领取养老保险待遇”的规定。

有些常委委员、专委会委员和代表提出，社会保险的目的是社会共济，应该体现广覆盖，尽量少设门槛。现实中部分参保人由于各种情况确实没有能力缴费至满十五年，应当取消最低缴费年限的限制，允许其按照“多缴多得、少缴少得”的原则，根据缴费年限的长短领取一定比例的养老保险待遇，使一些困难职工也能够享受到社会发展的成果，从而体现社会保险的公平性和可持续性。

有的委员提出，允许退休时缴费不足十五年的职工可以补缴至满十五年的规定，不利于参保人之间的公平，损害了社会保险制度的权利义务关系，影响了制度的严肃性。

七、关于基本医疗保险

有的委员提出，现行医疗保险制度存在城镇职工医疗保险、城镇居民医疗保险和新型农村合作医疗三种体制，建议明确三种医疗保险体制的覆盖面、相互关系和衔接机制，尤其要明确农民工的参保办法，避免重复缴费，理顺权利义务关系。有些委员提出，城乡居民医疗保险的整合是必然的方向，将城镇居民医疗保险与新型农村合作医疗合并实施符合制度的现实情况和发展趋势，一些地方已经开始这方面的实践，不能因为两种体制管理部门的不同而回避城乡医疗保险制度的合并。

有的委员提出，医疗保险关系的转移接续是社会关注的焦点，异地就医难的问题给退休后在异地居住的职工带来很多不便，应当尽快解决。

有的代表建议对草案三次审议稿第二十六条中规定的基本医疗保险的最低缴费年限作出明确规定，让企业和个人清楚最低要缴费多少年。

有的委员提出，职工生育产生的医疗费用属于正常的医疗开支，没有必要单独设立生育保险，建议将生育保险并入基本医疗保险合并实施。有的代表提出，生育保险和基本医疗保险是两个不同概念的保险。医疗保险是覆盖全民的，生育保险是在特定情形下由特定人享受的，不适宜合并实施。

八、关于社会保险费征缴体制

草案三次审议稿第五十九条第二款规定，社会保险费实行统一征收，实施步骤和具体办法由国务院规定。有些委员提出，社会保险费征缴直接关系到参保人的切身利益，目前有税务代征和社会保险经办机构征收两种体制，不仅增加了管理成本，也为参保人利益的损害埋下了隐患，应当明确由一个部门统一征收社会保险费，保障社会保险费征缴工作的顺利进行。

有些提出，社会保险经办机构作为社会保险制度运行的重要机构，对参保人的范围、就业状况、劳动关系变化等情况掌握得更为全面和及时，应当由社会保险经办机构征收社会保险费。有的提出，应当明确由税务部门征收社会保险费。

九、关于社会保险统筹层次

草案三次审议稿第六十四条第三款规定，基本养老保险基金实行省级统筹，逐步实行全国统筹。其他社会保险基金实行省级统筹的时间、步骤，由国务院规定。

有些委员提出，为促进全国统一开放劳动力市场的形成，应逐步提高社会保险统筹层次，通过法律不断调整和缩小东西部之间、城乡之间的社会保险水平差异，立法应尽量减少允许地方差别的规定，增加制度统一的规定，为实现全国统筹做准备。

有的委员提出，除基本养老保险外，其他几项社会保险实行省级统筹则需要一个长远的过程，短期之内难以实现，建议删去“其他社会保险基金实行省级统筹的时间、步骤，由国务院规定”。

十、关于社会保险基金财政专户

草案三次审议稿第六十八条规定，社会保险基金存入财政专户。有些委员提出，社会保险基金纳入财政专户管理的做法业务环节繁琐，不利于基金的监管。财政改革的方向是实行国库集中收付制度，实行单一账户管理，取消财政专户。社会保险基金是所有参保者共有的公共基金，它的公共性决定了它应当独立于财政资金之外。将社会保险基金存入人民银行特设账户，实行分科目管理，可以缩短社会保险业务流程，加快资金流转速度，提高资金使用效率，增强基金安全性。

十一、关于社会保险基金监督

有的代表提出，社会保险基金是老百姓的“保命钱”，要确保基金的安全和保值增值，必须加强监督，构筑全面、严密、科学、有效的监督体系，而目前社会保险行政部门集行政监管与投资运营于一身，自己监管自己，这是制度的一个极大隐患。建议理顺社会保险基金的监管体制，建立相对独立的代表三方利益的监管机构，增加在有关运行中由于不当行为给基金造成损失的法律责任。另外，应当加强加大人大和社会公众对社会保险基金的监督力度，只有实效的监督，才是让老百姓放心的监督，才能盯牢老百姓的“保命钱”。有的委员提出，对社会保险基金不仅要加强内部监督，还要加强外部监督。另外，应当对社会保险基金监督委员会的组织运行机制作出明确规定，真正发挥其监督作用。

有的提出，审计监督在维护社会保险基金的合法、安全、效益等方面具有重要作用，建议专门写一条关于审计监督的规定，强调要发挥三方面的审计力量，即以社会保险经办机构的内部审计为基础，以国家的审计机关为主体，以社会机构如会计师事务所的审计为辅助，规定所有的审计结果都要向社会公布。

草案第七十六条规定了各级人民代表大会常务委员会听取和审议专项工作报告，组织执法检查。有的委员提出，“听取专项工作报告”是什么时间听取？是纳入财政预算一同听取还是单独听取？对这些问题需要进一步明确。

十二、关于法律责任

有些代表提出，草案三次审议稿第六十九条规定，社会保险基金在保证安全的前提下，通过投资运营实现保值增值。对没有使基金保值增值，甚至造成损失的行为，没有规定其法律责任，建议补充。

有的委员提出，草案三次审议稿第七十九条规定了社会保险行政部门的监督检查职权，对社会保险行政部门未依法履行监督检查职责的行为，应当规定相应的法律责任。

有的委员提出，法律责任中对用人单位不依法缴纳社会保险费的情形处罚过轻，不足以对用人单位形成威慑，建议加大处罚力度，督促用人单位自觉主动地缴纳社会保险费。

十三、其 他

1. 有的委员提出，草案对社会保险的事业经费投入、基金补助、困难群体补助等作了规定，但是比较分散，没有形成完整的体系和制度，操作性和强制力不足。建议明确各级政府在社会保险事业中的地位和责任，规定社会保险资金应当在县级以上人民政府财政支出中占一定比例，纳入当年的财政预算，接受本级人民代表大会及其常委会的监督。

2. 有些委员提出，实施工伤保险的重要目的之一就是预防工伤事故的发生，将工伤保险基金的结余用于工伤预防，可以降低工伤事故发生率，更好地保护劳动者，减少工伤保险待遇的支出。有的委员提出，工伤保险基金可以用于监督用人单位开展安全防范措施的情况，但不能将工伤保险基金用于实施安全防范措施，否则将造成乱设项目、滥用基金的现象。

有的委员提出，草案规定失业保险基金只能用于支付失业保险待遇，导致大量的基金结余不能发挥其应有作用，建议明确规定失业保险基金能够用于预防失业和促进就业。有的提出，赞成将结余的失业保险基金用于预防，但必须对失业预防费加强监管，限制比例，防止滥用。

3. 有些委员提出，目前社会保险基金大量结余，尤其是实行现收现付制度的险种。建议对基金结余的比例作出明确规定，如果基金结余过大，应当适当降低费率，不能因为结余过多就一味增加用钱渠道。

4. 草案三次审议稿第八十九条和第九十条对“擅自更改社

会保险费缴费基数、费率”和“挪用社会保险基金”行为的法律责任做了明确规定。有的委员提出，有些地方政府将更改社会保险费缴费基数、费率和挪用社会保险基金作为减轻企业负担、应对金融危机的重要举措，建议对社保费征收机构的主管部门即政府及其部门更改缴费基数、费率的行为作出明确的限制性规定。

全国人民代表大会法律委员会关于《中华人民共和国社会保险法(草案)》审议结果的报告

全国人民代表大会常务委员会:

常委会第十二次会议对社会保险法(草案三次审议稿)进行了审议。会后,法律委员会、法制工作委员会组织了专题调研和座谈会,听取地方和专家、企业的意见,并就草案三次审议稿的修改多次与国务院法制办、人力资源和社会保障部交换意见,共同研究。法律委员会于9月28日召开会议,根据常委会组成人员的审议意见和各方面的意见,对草案进行了审议。财政经济委员会和国务院法制办、人力资源和社会保障部的负责同志列席了会议。10月15日,法律委员会召开会议,再次进行审议。法律委员会认为,社会保险法是关系国计民生的重要法律,制定社会保险法,对于规范社会保险关系,促进社会保险事业的发展,保障全体公民共享发展成果,维护社会和谐稳定,具有十分重要的意义,草案经过三次审议修改,已经比较成熟。同时,提出以下主要修改意见:

一、草案三次审议稿第十六条第二款规定,参加基本养老保险的个人,达到法定退休年龄时累计缴费不足十五年的,可以缴费至满十五年，按月领取基本养老金；也可以领取一次性养老保险待遇。有些常委委员、代表提出，养老保险的目的是保障退休人员的基本生活，一次性领取养老保险待遇起不到养老保障的作用，也不能体现社会公平，应当允许按照“多缴多得、少缴少得”的原则享受养老保险待遇。人力资源和社会保障部经研究后提出，对于缴费不足十五年的，可以采取转入新型农村社会养老保险或者城镇居民社会养老保险的办法，解决其养老保障问题。法律委员会经同财政经济委员会和国务院法制办、人力资源和社会保障部研究后认为，目前我国新型农村社会养老保险正在积极推进，城镇居民社会养老保险也在许多地方开始实施，一些地方已经采取这种转移接续办法，效果是好的。据此，建议将草案第十六条第二款修改为：“参加基本养老保险的个人，达到法定退休年龄时累计缴费不足十五年的，可以缴费至满十五年，按月领取基本养老金；也可以转入新型农村社会养老保险或者城镇居民社会养老保险，按照国务院规定享受相应的养老保险待遇。”（草案四次审议稿第十六条第二款）

二、有的常委委员提出，目前存在异地就医难的问题，其中一个重要原因是异地就医报销医疗费难，影响了参保人员享受基本医疗保险待遇，应当予以规范。考虑到有关部门正在大力推进基本医疗保险区域统筹，并建立异地协作机制，方便确需异地就医参保人员的医疗费用结算，法律委员会经同财政经济委员会和国务院法制办、人力资源和社会保障部研究，建议增加规定：“社会保险行政部门和卫生行政部门应当建立异地就医医疗费用结算制度，方便参保人员享受基本医疗保险待遇。”（草案四次审议稿第二十九条第二款）

三、有的常委委员提出，目前社会保险基金累积结存数额较大，又比较分散，为了保障基金安全，应当严格规范，加强监管。法律委员会经同财政经济委员会和国务院法制办、人力资源和社会保障部研究，建议增加规定："社会保险基金不得违规投资运营，不得用于平衡其他政府预算，不得用于兴建、改建办公场所和支付人员经费、运行费用、管理费用，或者违反法律、行政法规规定挪作其他用途。"（草案四次审议稿第六十九条第二款）

四、有的常委委员提出，用人单位和个人的信息安全是社会普遍关注的问题。社会保险行政部门、社会保险经办机构和社会保险费征收机构及其工作人员掌握用人单位和参保人员大量信息，对于这些信息，应当保密，不得泄露。法律委员会经同财政经济委员会和国务院法制办、人力资源和社会保障部研究，建议增加规定："社会保险行政部门和其他有关行政部门、社会保险经办机构、社会保险费征收机构及其工作人员，应当依法为用人单位和个人的信息保密，不得以任何形式泄露。""社会保险行政部门和其他有关行政部门、社会保险经办机构、社会保险费征收机构及其工作人员泄露用人单位和个人信息的，对直接负责的主管人员和其他直接责任人员依法给予处分；给用人单位或者个人造成损失的，依法承担赔偿责任。"（草案四次审议稿第八十一条、第九十二条）

五、有的常委委员、部门提出，近年来，随着对外开放的扩大，外国人在我国境内就业的情况有所增多，应当对在我国境内就业的外国人参加社会保险作出规定，这也是国际上的通常做法。法律委员会经同财政经济委员会和国务院法制办、人力资源和社会保障部研究，建议增加规定："外国人在中国境内就业

的,参照本法规定参加社会保险。”(草案四次审议稿第九十七条)

还有一个问题需要说明,审议过程中有些常委委员提出,草案对社会保险的一些重要制度授权较多,操作性不强。考虑到社会保险制度正在建立健全过程中,有些制度需要根据经济社会的发展逐步完善,立法要给今后的改革和发展留下空间,草案可以规定得原则一些。为了保证这部法律的贯彻实施,建议国务院抓紧制定、修改相关的配套法规。

此外,还对草案三次审议稿作了一些文字修改。

草案四次审议稿已按上述意见作了修改,法律委员会建议本次常委会会议审议通过。

草案四次审议稿和以上报告是否妥当,请审议。

全国人民代表大会法律委员会
2010年10月25日

关于中国人大网征求社会保险法草案意见的情况分析

2008 年 12 月 28 日至 2009 年 2 月 15 日,全国人大常委会向社会公开征求对社会保险法草案的意见。在征求意见的五十个日日夜夜里,社会各界通过网络、报刊、来信等方式积极献言献策,提出了 70501 件意见,其中中国人大网收到意见 68208 条,报刊文章 49 篇,人民来信 2244 件。中国人大网收到的意见约占意见总数的 96.7%。

通过中国人大网向社会公开征求意见是全国人大推进民主立法、科学立法的重要举措,是立法工作问计于民、倾听普通百姓意见的直接方式。互联网上每个人都可以畅所欲言,意见是第一手的,来源于现实生活,具有真实性、广泛性、直接性的特点,使网上征求意见工作具有独特价值。在这个渠道中能够直接听到民声、感受民情、了解民意。现对本次征求意见过程中,中国人大网征求意见的情况作如下分析:

一、基本看法

在这次征求意见过程中,中国人大网收到 9924 位网民提出的 68208 条意见,其中赞同意见为 50898 条,修改意见为 15061

条,反对意见为 2249 条,分别占意见总数的 74.6%、22.1% 和 3.3%。(表一)尽管“意见类型”不能做到精确反映意见性质,但三种意见的比例能大致反映人民群众对法律草案的基本态度。本次征求意见中赞同意见占绝对多数比例,而反对意见占的比例很小,且都是针对现行不合理做法及部门、地方的规定提出的意见,反映了社会保险立法的必要性、时机及基本精神与广大人民群众的需求是一致的,得到了大家的高度认同。修改意见占了相当的比例,表明大家对社会保险法草案中具体的内容还有不同意见,草案还有不少的改进余地,也表明大家对社会保险立法寄予了极大的期盼。

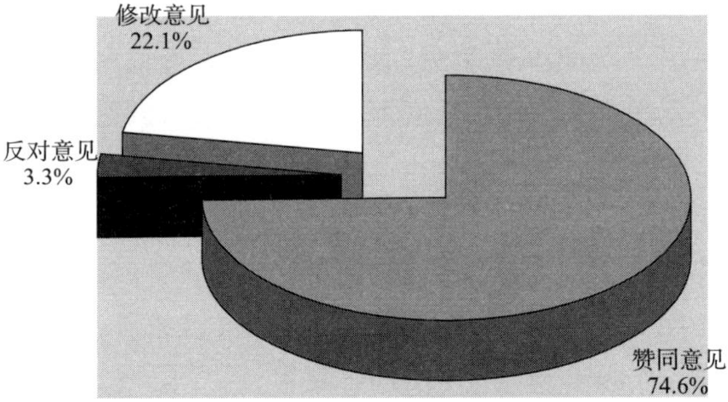

(表一)

二、总体特点

(一)参与热情高

从征求意见情况看,人民群众对社会保险法草案给予了高度关注,参与热情很高。社会保险涉及广大人民群众的切身利益,大家非常重视,也表明人民群众对法律草案通过互联网征求意见做法的肯定和支持。人民群众的参与热情体现在以下五个方面:一是征求意见第一天,新闻联播播出社会保险法草案网上征求意见的消息后,中国人大网上留言呈“井喷”状态。从28日20时至29日20时,短短二十四小时内中国人大网共收到13928条意见,平均每分钟就收到约10条意见。二是这次征求意见期间经历了元旦和春节两个重要节日,节日期间广大人民群众仍积极参与,提出了很多宝贵意见和建议。从年三十晚12时至年初一晚12时二十四个小时内,中国人大网共收到了近2万字145条意见。三是根据全国人大常委会办公厅的通知,征求意见截止到2009年2月15日18时。截止时间过后,各地人民群众参与热情不减,直到16日凌晨中国人大网征求意见系统正式关闭,期间还收到241条意见。最后一条意见是在16日凌晨1点12分发出的。四是在征求意见的五十天内,中国人大网每天都能收到大量意见,平均每天1360多条。五是很多群众多日多次提出多条意见和建议,持续关注社会保险法征求意见进程。一位上海网民在2008年12月30日提出意见和建议后,又在2009年1月4日、5日再次提出修改意见,并在1月11日留言,表示看到了中国人大网公布的新闻稿、阶段性汇总意见以及留言选登,很赞成这些反馈措施,并表示如有需要可以为社会保险立法继续提供意见和建议。

(二)参与面广

本次征求意见过程中参与人群非常广泛。一是从地域看,全国31个省、自治区、直辖市和香港、澳门、台湾地区都提出了意见和建议,其中意见数量居前三位的省份分别是广东省6230条、山东省5250条和江苏省5067条(表二)。来自香港地区的意见和建议数量为222条。

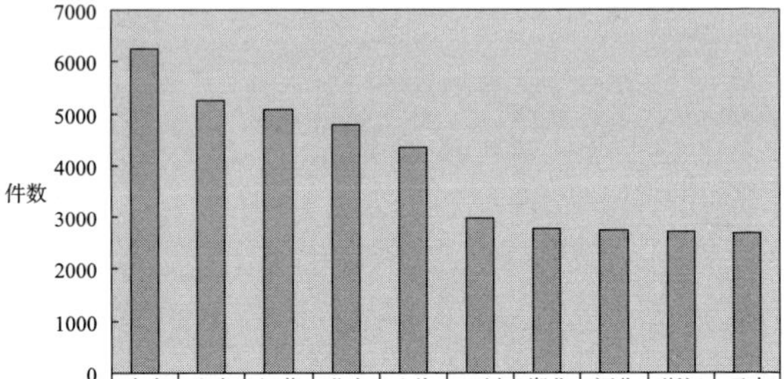

	广东	山东	江苏	北京	上海	四川	湖北	河北	浙江	云南
意见数量	6230	5250	5067	4784	4358	2977	2777	2738	2724	2672

（表二）

二是从人群看，包括国家机关和企事业单位职工、农民工、城镇居民、农村居民、大学生、自由职业者、个体工商户、公务员、军人、专家学者，还有留学归国人员。其中企业职工、灵活就业人员和国家机关工作人员提出意见和建议数量较多，分别为18217条、11744条和5710条（表三）。三是从年龄看，参与的人群几乎涵括了所有年龄段的成年公民，有即将工作的大学生、正处于就业年龄阶段的在职职工和失业人员，还有已经过了退休年龄的退休老职工、老龄城镇居民和农村居民。

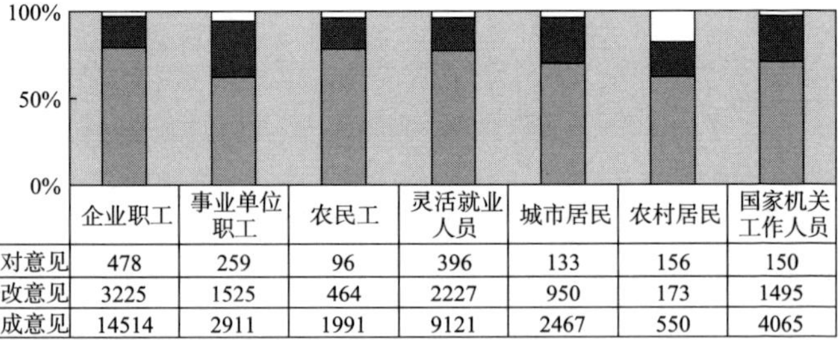

	企业职工	事业单位职工	农民工	灵活就业人员	城市居民	农村居民	国家机关工作人员
反对意见	478	259	96	396	133	156	150
修改意见	3225	1525	464	2227	950	173	1495
赞成意见	14514	2911	1991	9121	2467	550	4065

（表三）

（三）参与度深

从提出意见和建议的内容看，有些群众根据自身经历对现行社会保险制度存在的问题作了反映和评价。多数群众没有停留在问题的表面，而是对社会保险法草案进行了一番认真考虑、深入研究，提出了很多有关社会保险制度的富有建设性的意见和建议。参与程度深是本次征求意见的特点之一，主要表现在以下三个方面：一是在整个征求过程中，中国人大网收到意见和建议的总字数达420万字。二是社会保险法草案共91条，每一条都有大量的意见和建议。其中有16个条款的意见和建议数量达900条以上，意见最少的条款也收到了295条意见。除了第一章以外，意见和建议最多的是第九条养老保险的适用范围，共计2125条，反映了人民群众非常关心养老保险制度，对养老保险适用范围还有不同看法。三是共有202人对社会保险法草案的所有条文提出了意见和建议。提出30条以上意见和建议的共有436人。一位河北网民提了124条共计约1万字的意见和建议，数量最多。

三、关于意见较为集中的问题

在征求意见过程中，各地人民群众对五项社会保险制度都给予了相当的关注，对养老保险制度和医疗保险制度的讨论尤为热烈（表四）。意见集中的问题主要是养老保险和医疗保险的一些基本制度，包括养老保险覆盖范围、养老保险费负担、政府投入、养老保险待遇水平、养老保险关系的转移接续、医疗保险异地就医及待遇水平、社会保险费征收机构、监管体制等方面，有关这些问题的意见都在900条以上。

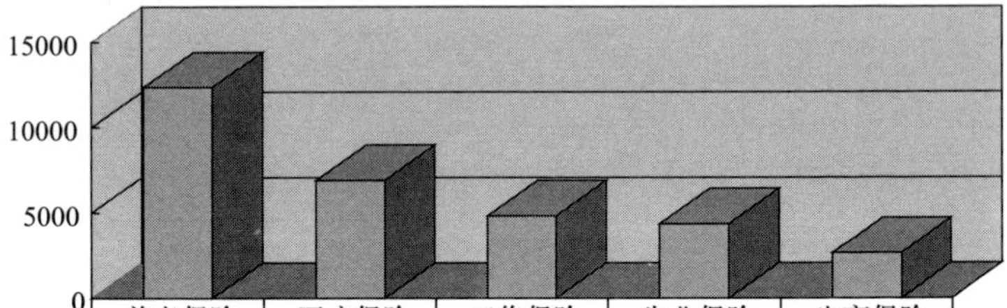

	养老保险	医疗保险	工伤保险	失业保险	生育保险
■意见数量	12353	6905	4835	4373	2651

（表四）

（一）关于养老保险覆盖范围

1. 有的不赞成事业单位工作人员参加城镇职工养老保险，主要是因为一旦纳入城镇职工养老保险，事业单位工作人员的养老金水平就会大大降低。建议要么将履行公共职能的事业单位排除在城镇职工养老保险制度外，要么加大财政投入避免事业单位职工养老金水平大幅降低。

2. 有些超过退休年龄但没有养老金的老职工提出，他们没有养老金的主要原因是当时国家没有建立养老保险制度，是国家政策导致的，建议养老保险制度覆盖范围扩展到这部分人群。

3. 草案第九条规定企业职工、事业单位工作人员参加养老保险，公务员和参公管理的工作人员参加养老保险的办法由国务院规定，对此反对意见较为强烈。有关第九条的2125条意见中大部分都反对公务员另搞一套养老保险制度。认为公务员不需缴纳养老保险费而享受高额养老金，同时企业职工缴费负担沉重但养老金水平却远远低于公务员。巨大的反差引起职工普遍的不满情绪。在过去公务员与有的企业职工都属于干部的历史背景下，这种悬殊差距的不合理性更加凸显。很多意见认为目前养老金差距过大是因为公务员与企业职工实行不同的养老保险制度，而草案将公务员的养老保险制度另作安排，使已有不平等合法化，建议“人民公仆”至少做到与“人民”平等，参加同样的养老保险制度。

（二）关于养老保险的负担

草案第十一条规定了养老保险费率和缴费基数由国家规定。对这一条意见有 1029 条，普遍认为目前各地的费率和缴费基数都偏高，而草案对费率和缴费基数都授权国家规定，明知不合理却避而不定，有推卸责任之嫌。费率和缴费基数直接关系到参保人法定义务，是社会保险法的主要内容，应当由法律作出明确规定。目前企业承担税费压力很大，养老保险费率高达工资总额的 20%，远远高于其他国家。职工缴费的费率增长过快，没有法律授权，行政机关就将 4% 的费率涨到了 8%，对其必要性和合理性也没有说明。

由于对职工工资数不好掌握，很多地方在计算职工缴费基数时，往往按照当地城镇在岗职工平均工资的 60% 至 300% 核定缴费基数。但当地城镇在岗职工平均工资的统计方法有不合理之处，导致核定的平均工资数偏高，且每年涨幅较大，使得职工缴费负担每年增加。尤其是自由职业者和下岗失业人员意见很大，由于收入低和收入不稳定，即使按平均工资的 60% 计算，缴费负担也影响到正常生活，迫使很多人不得不放弃缴纳养老保险费，建议采取措施保证缴费基数为每个职工的工资额，同时适当降低个体工商户、自由职业者及下岗失业人员的养老保险费率和缴费基数，增加国家财政补助。

（三）关于政府投入

1. 草案第十条规定养老保险基金由用人单位和个人缴费以及政府补助组成。对这一条有1014条意见，主要集中在政府投入方面。认为明确规定由政府补助养老保险基金非常好，体现了政府负责任的态度，同时也增强了参保人的信心。有些认为，草案规定政府补助养老保险基金，明确了政府承担责任的一种形式，但政府补助还只是概括性责任，操作性不强。为了便于落实，建议首先明确政府补助是政府的法定义务，必须依法履行；其次应当规定政府补助的标准，使政府补助成为一种具体、明确的责任。有的建议拓宽政府补助范围，增加对低收入者、下岗失业职工、残疾职工、工伤职工等社会弱势群体的社会保险费的政府补助。

2. 草案第十二条规定了国有企业、事业单位职工在实行养老保险制度前的工龄视同缴费年限，视同缴费期间应当缴纳的养老保险费由政府承担。对这一条的意见有1068条，对明确养老保险制度中视同缴费年限基本都赞成，意见主要集中在两个方面，一是认为这样的规定造成新的不公平。视同缴费是国家对养老保险制度建立前"历史债务"的偿还，否则老职工的养老就没有着落，这是好事。但视同缴费的规定要做到公平对待所有劳动者，不能延续以身份定待遇的做法，建议完善视同缴费的规定，由政府真正承担起养老保险转轨成本，给劳动者合理的待遇。二是认为规定太原则，不利于解决实践中各地方对视同缴费年限进行各种不合理限制的问题，建议作出有针对性的规定。

（四）关于养老保险待遇水平

草案第十四条规定了领取养老金的两个条件，即缴费达到国家规定年限、年龄达到国家规定的最低领取年龄。对这一条意见有 978 条，修改和反对意见分别为 365 条和 43 条，占意见总数的 41.7%，这个比例远远高于平均水平。主要在两个方面有不同意见：一是反对最低缴费年限的规定。现行最低缴费年限为 15 年，很多人认为门槛太高。同时，草案立法原则中规定广覆盖，最低缴费年限又将已经纳入的职工排除出去，让人费解，前后不统一。建议取消最低缴费年限规定，确立“多缴多得、少缴少得”的待遇计算原则，或者降低最低缴费年限，并在草案中加以明确规定。二是反对延长退休年龄，特别是一些低收入劳动者，认为好不容易熬到退休了，一旦延长退休年龄就意味着再缴养老保险费，负担太重，建议明确规定退休年龄，行政机关及经办机构不得随意延长退休年龄。

（五）关于养老保险关系的转移接续

养老保险关系转移接续的规定，不仅是草案一个热点问题，也是亮点之一，在征求意见过程中对该规定提的意见和建议数量达 1599 条，在草案所有条文中位列第三。由于目前我国社会保险基金统筹层次较低，养老保险关系跨地区基本无法转移接续，与劳动者的合理流动形成了极大的矛盾。很多劳动者因为养老保险关系无法转移接续，缴费年限就不能累计计算，导致了不能享受养老保险待遇。有的被迫在两个地方同时缴纳养老保险费，有的无奈选择退保。对这样极不合理的现象，大家都不满意。在 1599 条意见中，赞成意见为 788 条，修改意见为 759 条，反对意见为 51 条。需要指出的是，修改和反对意见都不是针对转移接续的，在 51 条反对意见中没有 1 条是反对转移接续的。提出修改和反对意见的主要是劳动部门工作人员，认为“各缴费分段计算，退休地统一支付”的规定，过于复杂，难以操作，对社会保险经办机构的工作能力要求和工作量都是挑战，建议实行“在关系转移的同时，个人账户中全部资金和统筹账户中部分资金直接转移”。

（六）关于医疗保险异地就医及待遇水平

很多群众对现行医疗保险待遇制度提出了批评，认为现行制度存在一些明显不合理的规定，待遇水平明显偏低，给参保人享受待遇设置各种障碍，这使得医疗保险制度的吸引力和社会效果大打折扣。一是目前医疗保险待遇偏低，既有起付线的门槛，又有封顶线的限制，还只能报销一定比例，另外有些常见病还没有纳入医疗保险报销范围内。各种限制使得我国医疗保险待遇的报销比例太低，建议适当提高医疗保险待遇水平。二是医疗保险报销手续太复杂。城镇职工医疗保险中参保人必须自己垫付医疗费用，报销等待期太长、报销需要审核很多材料手续复杂，极不方便参保人。建议参照新农合的做法，参保人只需支付自己承担的医药费部分，可报销部分由医疗保险基金与医疗机构进行直接结算。三是异地就医难。很多退休职工投靠子女异地居住，异地就医后必须亲自回退休地报销，为报销医药费而奔走于两地。同时，异地就医的医疗保险待遇标准要低很多。建议建立医疗保险转移接续制度，退休地与居住地不一致的，可以办理医疗保险关系转移手续，在居住地享受医疗保险。或者明确异地就医可异地报销，报销费用由两地医疗保险基金进行结算。四是退休后享受医疗保险待遇的门槛太高。很多地方规定累计缴费满二十五年的退休后才能享受医疗保险待遇，对缴费时间的要求太高，建议适当缩短。五是有些地方规定退休职工享受医疗保险待遇的条件之一是原用人单位参加医疗保险制度，这对退休职工很不合理，建议取消该规定。

（七）关于社会保险费征收机构要明确

草案第五十七条规定了社会保险费征收机构由国务院规定。有些认为，社会保险立法有些问题可以作授权性规定，为将来的改革留有空间，有些问题则必须解决。社会保险费征收体制是社会保险立法的核心问题之一，实践中有两个征收机构弊端明显也极不严肃，草案不能再采取回避态度。有关草案第五十七条的1076条意见中几乎都认为草案应当明确规定社会保险费征收机构，但对具体由哪个部门来征收有分歧。劳动部门的人认为由社会保险经办机构来征收更合理，有利于履行对参保人“记录一生、跟踪一生、服务一生、保障一生”的职责。税务部门的人则认为由地税来征收更安全、更有效。

（八）关于监管体制

草案第六条规定了对社会保险基金实行严格监管。第七十四条规定了社会保险行政部门对社会保险基金的收支、管理和投资运营情况进行监督检查。对这两条分别有1068条和407条意见和建议，集中认为现行社会保险基金监管体制不合理，社会保险主管行政部门集管理与行政监督于一身，自己监管自己，已经成为影响社会保险基金安全突出的制度隐患。有的社会保险经办机构的工作人员认为，实践中社会保险行政部门的管理和监督职能的界限在哪儿不清楚，为此经常有矛盾，影响经办工作的开展。建议理顺监管体制，切实发挥行政监督作用，加强社会监督，构建更为有力、缜密的监督体系。

另外，各地人民群众还对现有各地各项社会保险制度中的歧视性规定、医疗保险制度的漏洞、工伤保险费率确定及支付范围、失业保险待遇水平及领取条件、生育保险的定位等问题比较集中地提出了意见和建议。对关于由工伤保险基金先行支付医疗费用、职工未就业的配偶纳入生育保险等规定给予了很高的评价，认为是对现行不合理规定的有益改进，真正保护了广大参保人的正当保险权益，是本草案的亮点。

值得一提的是，在所有人群中，农民和农民工的反对意见比较突出。由于条件有限，农民和农民工本来提的意见数量不是太多，一共提了3430条意见，约占意见总数的5%，但其中反对意见有252条，占所有反对意见总数的11.2%，占其所提意见的7.30%，反对意见的比例都要高于其他人群（表五）。

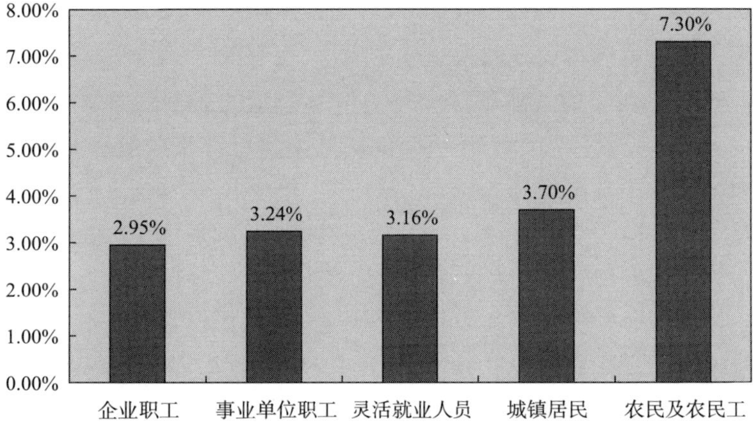

（表五）

农民和农民工反对意见主要集中在两个方面：一是认为草案通篇是对城镇职工社会保险的规定，而关于农村居民养老保险及医疗保险的规定寥寥无几，且过于原则，草案对推进农村居民养老保险和医疗保险的力度不够，无法切实解决广大农村居民的养老和医疗问题;二是目前各地社会保险领域存在一些歧视农民工的规定和做法,侵害了农民工的合法权益,但草案没有做出针对性规定,无法解决农民工的实际困难。